SENECA

VOM GLÜCKSELIGEN LEBEN

AUSWAHL AUS SEINEN SCHRIFTEN

———

HERAUSGEGEBEN VON
HEINRICH SCHMIDT

EINGELEITET VON
JÜRGEN KROYMANN

ALFRED KRÖNER VERLAG STUTTGART

CIP Kurztitelaufnahme der Deutschen Bibliothek

Seneca:
Vom glückseligen Leben. Auswahl aus seinen Schriften.
Hrsg. von Heinrich Schmidt. –
14. Aufl. – Stuttgart: Kröner 1978.
    (Kröners Taschenausgabe; Bd. 5)
    ISBN 3-520-00514-X

Unserem Auswahlband liegt die verbesserte Übersetzung
von Forbiger (1867) zugrunde

INHALT

Das Porträt Senecas ist die Wiedergabe einer römischen Doppelherme (mit Sokrates) aus dem 3. Jahrh. n. Chr. nach einem zeitgenössischen Original (um 60 n. Chr.).

SENECA UND DER STOIZISMUS

Senecas philosophische Schriften haben durch zwei Jahrtausende ihren bedeutenden Rang als Zeugnisse einer hohen, zeitlos gültigen Humanität bewahrt und bewährt. Sie sind aus einer bestimmten geschichtlichen, der unseren in manchem verwandten Situation heraus die erregend aktuelle Antwort eines einzigartigen Römers auf die bleibende Grundfrage, wie der Mensch in Angst und Sorge des Daseins noch sein Glück und seinen inneren Frieden behaupte.

Römertum und Philosophie — das scheinen auf den ersten Blick zwei Begriffe, die wenig miteinander gemein haben. Die Römer sind ihrem Wesen nach untheoretische Menschen, ihr Denken ist vorwiegend auf die Bewältigung konkreter Aufgaben des praktischen Lebens ausgerichtet. Zweckfreie Wesensschau, wie sie zu den höchsten Leistungen griechischer Wissenschaft und Philosophie geführt hatte, blieb auch den aufgeschlossensten Geistern unter ihnen im Grunde fremd. Mochte es so ihrem Fragen und Forschen oft an letzter Tiefe und Eindringlichkeit fehlen, ihre Stärke lag in der Intensität des gelebten Lebens, und, war einmal das Richtige erkannt, im leidenschaftlichen Willen zur Tat. Kein Wunder, daß hinter allem Fragen, auch dem philosophischen, für den Römer die Frage nach dem greifbaren Ergebnis, nach dem realen und reellen Nutzen steht. Ihm genügt oft das Wahrscheinliche, wo der Grieche unermüdet um die Wahrheit ringt. Ihm liegt mehr an der brauchbaren Regel als am allgemeinen Gesetz.

Solche Sonderart mochte kaum zum Bewußtsein kommen, solange Volk und Staat noch in kraftvollem Aufstreben begriffen waren und römische Macht auf den stammverwandten italischen Bereich beschränkt blieb. Aber es kam die Zeit, in der die Römer mit der griechischen und der vom griechischen Geist erfaßten östlichen Welt zusammenstießen. Von innen her durch die eigene Entwicklung, von außen her durch die Berührung mit einer fremden Geisteswelt sahen sie sich nun vor Fragen gestellt, mit denen griechisches Denken sich schon Jahrhunderte zuvor hatte auseinandersetzen müssen und für die es zu bestimmten Lösungen gelangt war.

Von den vier Hauptrichtungen des philosophischen Denkens, wie sie sich im Griechentum der hellenistischen Zeit herausgebildet hatten, der platonischen Akademie, dem aristotelischen Peripatos, der Stoa und dem Epikureismus haben die Römer keine als ihrem Wesen so nah verwandt empfunden, keine ist von so tiefer und nachhaltiger Wirkung auf Denken und Handeln römischer Menschen gewesen wie die um das Jahr 300 von Zenon begründete Stoa (genannt nach der stoá poikíle, der »bunten Säulenhalle« in Athen, die der Gründer zum Sitz der Schule machte).

Die Stoa wollte zunächst und vor allem den Menschen zum rechten Handeln, zum richtigen Verhalten im praktischen Leben führen. Damit betonte sie stärker als andere hellenistische Philosophenschulen denjenigen Teilbereich der Philosophie, für den der Römer seiner Anlage nach am weitesten aufgeschlossen war. Richtig handeln, hieß für den Stoiker: vernunftgemäß, und dies wieder: in Übereinstimmung mit der Natur handeln. Dieser rationale Grundzug stoischer Philosophie entsprach der verstandesklaren Sachlichkeit römischen Wesens. Es stimmte ferner mit altrömischer Auffassung überein, wenn die Stoiker als Ziel des Daseins die Verwirklichung der virtus und die Erfüllung der dem Menschen als Menschen gesetzten Pflichten bezeichneten. Dem religiösen Empfinden der Römer kam die stoische Lehre von der Vorsehung entgegen, glaubten sie sich doch bei jedem Schritt, den sie taten, von göttlichen Mächten bestimmt; die Stoa ließ unbeschadet ihrer monotheistischen Grundvorstellung die nationalen Einzelkulte zu, indem sie erklärte, daß diese nichts anderes seien als Ausprägungen der Verehrung für den einen großen Weltengott. Im Gegensatz zu dem unpolitischen Epikureismus lehrten die Stoiker, daß dem Menschen das Streben nach Gemeinschaft mit anderen angeboren sei, und forderten deshalb vom einzelnen tätige Beteiligung am Staatsleben: es war natürlich, daß die Römer, solange noch ihr Staatsbewußtsein ungebrochen fortlebte, dieser philosophischen Lehre den Vorzug gaben.

Es gab freilich Thesen und Teilgebiete der stoischen Philosophie, die römischem Wesen weniger gemäß waren. So brachten sie etwa — und Seneca macht darin keine Ausnahme — der stoischen Logik und Erkenntnistheorie nur geringes Verständnis entgegen. Deren genaue Begriffsbestimmungen und feine dialektische Unterscheidungen, besonders auch die grammatischen Erörterungen der Stoiker erschienen den Römern häufig als spitzfindige Haarspalterei. Auch die stoische Physik (Naturphilosophie) interessierte sie kaum um ihrer selbst willen. Es bedeutete ihnen wenig, wenn die Stoa die Welt um uns her monistisch als eine Einheit interpretierte, in der eines vom anderen abhängig und alle Dinge aufeinander bezogen wären. Nicht nur die sinnlich wahrnehmbaren Dinge im Raum, sondern auch seelische Zustände und geistige Eigenschaften waren nach Ansicht der Stoiker stofflicher Natur. Und dieselbe Welt, die durchweg körperlich war, sollte nach ihrer Auffassung unendlich und unvergänglich, sollte göttlich, ja mit Gott identisch sein. Schwerer noch als der Monotheismus ließ sich dieser stoische Pantheismus mit den überlieferten römischen Gottesvorstellungen vereinigen.

Gott hat für den Stoiker viele Namen. Er ist das All-Eine, das die vier Elemente umfaßt, und zugleich wird er auch wieder mit dem einen, obersten von ihnen, dem Feuer oder der Luft, gleichgesetzt. Er kann als Hauch, Pneuma, Geist bezeichnet und so verstanden als wichtigster Teil der Welt der Materie gegenübergestellt werden. Er ist Geist und Seele, Schicksal und Vorsehung zugleich, oder einfach: die Natur. Gott ist das Weltgesetz und hat zugleich der Welt das Gesetz gegeben, es gleichsam aus sich herausgestellt.

Mehr als diese stoische Theologie sprach die Römer wohl die stoische Schicksalslehre an. Für das religiöse Denken der Römer galt es als ausgemacht, daß künftige Ereignisse durch göttliche Zeichen vorgedeutet und so im voraus bestimmbar seien. Freilich läßt sich dieses von den Göttern verhängte Schicksal nach römischer Auffassung durch Gebet und Opfer wenden. Es handelt sich also hier nicht um einen strengen Determinismus. Anders bei den Stoikern. Nach ihnen geschieht alles mit unumstößlicher Notwendigkeit. Das Naturgesetz mit seiner unausweichlichen Ursachenkette erfaßt auch den menschlichen Willen, gleichgültig, ob der Mensch diese Verflechtung erkennt oder nicht.

Die schwierige Frage, ob und wie angesichts eines solchen Determinismus noch menschliche Willensfreiheit bestehen könne, ist in ihren Konsequenzen für die Ethik den Römern nicht voll zum Bewußtsein gekommen. Aber es gab trotz starker Wesensverwandtschaft in der stoischen Ethik auch sonst manches, das dem Römer befremdlich erscheinen mußte. Dazu gehört z. B. der stoische Rigorismus. Nur die Tugend ist nach der Anschauung der alten Stoa ein Gut. Alles andere ist entweder schlecht oder neutral, wertindifferent, gleichgültig. Zu den gleichgültigen Dingen gehört u. a. auch die Ehre, eine stoische Lehre, die in scharfem Gegensatz zur römischen Auffassung steht; ferner Gesundheit, Besitz, ja das Leben selbst. Dementsprechend forderten die Stoiker, daß sich der Mensch gegen Armut, Krankheit, Schande und Tod gleichgültig verhalten solle. Sie waren sich bewußt, daß es nur wenigen Menschen gelingen konnte, sich gegen diese Dinge so unempfindlich zu machen, daß sie die von ihnen geforderte »Apathie« erreichten; diesen wenigen kam das Prädikat des stoischen Weisen zu. Die Stoa geriet durch solche Wertungen leicht in Gefahr, lebensfremd, ja lebensfeindlich zu werden. Durch ihre rigoros übersteigerten Forderungen wurde zudem eine tiefe Kluft zwischen den wenigen Weisen, die dem stoischen Ideal entsprachen, und allen übrigen Menschen aufgerissen. Die stoische Ethik nahm auf diese Weise einen stark individualistischen, ja egozentrischen Charakter an, der im Widerspruch zu ihrer Lehre von der Verwandtschaft aller Menschen untereinander und ihrer gemeinsamen Teilhabe an der göttlichen Vernunft stand. Und wenn der Mensch an der göttlichen Vernunft teilhat, die selbst das höchste Gut darstellt, wie kommt dann das Böse und Vernunftlose in seine (vom stoischen Monismus als Einheit aufgefaßte) Seele? Denn an der Existenz des Bösen konnte nicht gut gezweifelt werden. Wie man sieht, ergaben sich Schwierigkeiten und Widersprüche, die nach einer Fortentwicklung der altstoischen Lehre verlangten.

Da traf es sich glücklich, daß gerade zu jener Zeit, als die Römer mit den Lehren der Stoa und der anderen griechischen Philosophenschulen bekannt wurden, das damalige Haupt der stoischen Schule,

der Grieche Panaitios, die starre Strenge der älteren stoischen
Ethik milderte und deren asketischem, stark in der Negation ver-
harrendem Ideal der »Apathie« seine positive Forderung nach
»Euthymie«, nach der rechten Lebensfreude, gegenüberstellte. Vor
allem aber betonte er gegenüber der altstoischen Lehre von den
Pflichten des Menschen gegen sich selbst nachdrücklich die Ver-
antwortung des einzelnen gegenüber der Gemeinschaft und baute
auf diese Weise die stoische Staatsphilosophie aus. So kam er auch
zu den römischen Großen seiner Zeit, besonders zum jüngeren
Scipio und dessen Kreise, in eine enge persönliche Berührung, die
sich bei dem bedeutendsten Stoiker des 1. Jahrhunderts v. Chr.
Geb., Poseidonios, fortsetzte. Dieses nahe Verhältnis zwischen
Römertum und stoischer Philosophie ist dann, mochten später
auch andere Systeme in Rom eine werbende Wirkung ausüben,
für alle Folgezeit erhalten geblieben. So zeigt sich beispielsweise
Cicero, wenn er sich auch schulmäßig nicht zu den Stoikern rech-
nete, in allen seinen philosophischen Schriften, insbesondere in
den beiden Hauptwerken »Vom Staat« und »Von den Pflichten«
nachhaltig von stoischem Gedankengut beeinflußt. Noch im zweiten Jahrhundert nach Chr. Geb. sorgten der griechische Sklave
Epiktet und der römische Kaiser Marc Aurel durch mündliche und
schriftliche Lehre für eine weite und wirksame Verbreitung
stoischer Gedanken [1]. Unter allen stoischer Philosophie aufge-
schlossenen Römern aber ragt als Denker und als Schriftsteller, als
Staatsmann und als Dichter, durch seine Wirkung in der eigenen
Zeit wie auf die Nachwelt *Seneca* hervor.

Lucius Annaeus Seneca wurde kurz vor Chr. in Córdoba im
südlichen Spanien als Sohn eines römischen Ritters geboren. Der
Vater Senecas hatte in seiner Jugend in Rom die Redekunst studiert und schrieb noch im hohen Alter zwei rhetorische Werke.
Auch der Sohn sollte sich in Rom, wohin er mit dem Vater schon
in früher Jugend übersiedelte, um eine möglichst gründliche und
vielseitige Ausbildung zu erhalten, zum Redner und Anwalt
schulen. Stärker als rhetorischen und juristischen Studien wandte

---

[1] Vgl. dazu Epiktet »Handbüchlein der Moral und Unterredungen« und
Marc Aurel »Selbstbetrachtungen« KTA Band 2 und 4.

er sich jedoch unter dem Einfluß des Stoikers Attalus und des Sotion, eines Schülers des Sextius, der Philosophie zu; Sextius war ein römischer Denker gewesen, der unter Augustus eine eigene philosophia Romana in Anlehnung an die Stoa zu begründen versucht hatte.

Verhältnismäßig spät, wie es scheint, trat Seneca in die übliche politische Laufbahn ein. Erst unter Caligula Quästor, zeichnete er sich als Redner so sehr aus, daß der junge Kaiser ihm seinen Ruhm neidete und ihn töten lassen wollte. Nur das Gerücht von einer schweren Krankheit, die seinen baldigen Tod erwarten lasse, rettete ihm damals das Leben. Nach Caligulas Ermordung wurde er auf Betreiben der Gattin seines Nachfolgers Claudius, Messalina, im Jahre 41 nach Corsica verbannt. Die Ausweisung auf eine unwirtliche Insel, fern aller Kultur, war ein furchtbarer Schlag für einen Mann, der in der Blüte seines Lebens stand. Acht lange Jahre mußte Seneca auf Corsica bleiben; erst nach Messalinas Tod wurde er nach Rom zurückberufen. Auf Veranlassung Agrippinas, der zweiten Gemahlin des Claudius, erhielt er ein hohes Staatsamt und wurde gleichzeitig Erzieher ihres Sohnes Nero. Als durch Claudius' Tod Nero zur Herrschaft gelangt war, übernahm Seneca für den noch nicht volljährigen Thronfolger mit seinem Freunde Burrus, der als Präfekt der kaiserlichen Garde die militärische Macht in Händen hielt, die Leitung der Staatsgeschäfte. Der Kaiser Traian, selbst einer der besten Kaiser, die Rom in einer langen Reihe von Jahrhunderten aufweist, hat Seneca das Zeugnis ausgestellt, daß die ersten fünf Jahre unter Nero die glücklichste Zeit des römischen Reiches in diesem Jahrhundert gewesen seien.

Seit dem Jahre 59 ging Senecas Macht und sein Einfluß auf den jungen Kaiser immer mehr zurück, und in gleichem Maße nahmen Neros Herrscherwahn und Grausamkeit zu. Als dann Burrus im Jahre 62 starb, sah Seneca offenbar keine Möglichkeit mehr, dem Unheil zu steuern und beschloß, sich vom Staatsleben zurückzuziehen. Seinen förmlichen Antrag lehnte Nero zwar ab, doch beteiligte sich Seneca hinfort nicht mehr an den Regierungsgeschäften. Die Zurückgezogenheit seiner letzten Lebensjahre hat er (ähnlich wie Cicero) zu einer erstaunlich reichen und vielseitigen philosophischen Schriftstellerei verwendet, aber dieser Rückzug hat ihn nicht davor bewahrt, ein Opfer der neronischen Blutherrschaft zu werden. Als im Jahre 65 die sog. pisonische Verschwörung aufgedeckt wurde, beschuldigte Nero Seneca der Verbindung zu den Verschwörern und zwang ihn zum Freitod. Diesen Tod hat Seneca mit dem Mut des römischen Mannes und der Gefaßtheit des Stoikers auf sich genommen: er öffnete sich die Pulsadern und starb nach gelassenem Gespräch mit seinen Freunden. So hat Seneca im Sterben bewährt, was er im Leben gelehrt hatte.

Für Senecas philosophische Schriftstellerei ist bis zum Rückzug aus der praktischen Politik der enge Zusammenhang zwischen dem gelebten Leben und der von ihm vertretenen Lehre charakteristisch. Man kann seine in dieser Zeit entstandenen Abhandlungen als Gelegenheitsschriften im besten Sinne des Wortes bezeichnen. Es sind dies die (uns nur bruchstückhaft erhaltene) Schrift über die Ehe, die drei Trostschriften an Marcia (zum Tode ihres Sohnes), an seine Mutter Helvia (um sie in dem Schmerz über seine Verbannung aufzurichten) und an Polybius (zum Tode von dessen Bruder), die Abhandlungen »Über den Zorn«, »Von der Unerschütterlichkeit des Weisen« und »Von der Kürze des Lebens«, das Sendschreiben an Nero »Über die Milde«, die Schrift »Vom glückseligen Leben«, die unserer Sammlung den Titel gegeben hat, und die beiden Abhandlungen »Von der Gemütsruhe« und »Vom zurückgezogenen Leben« [1]. In den letzten Jahren aber ist Seneca offenbar bestrebt, die Ernte eines ganzen Lebens einzubringen, das mit philosophischen Studien ausgefüllt gewesen war. Genau wie bei Cicero gewinnt so gegen Ende seines Lebens seine philosophische Schriftstellerei einen mehr systematischen Charakter. Neben den (verlorenen) Büchern über Moralphilosophie, einer »Pflichtenlehre« und »Ermahnungen« entsteht Senecas umfangreichste und persönlichste Abhandlung »Von den Wohltaten« (De beneficiis), die man ein Brevier der Nächstenliebe nennen könnte. Niemals vorher ist im antiken Schrifttum so viel warme Menschlichkeit, Hilfsbereitschaft und soziales Verständnis bekundet worden. Man kann verstehen, daß die Christen später

1 Die erhaltenen Schriften Senecas findet man im lat. Originaltext in der vierbändigen Ausgabe der Bibliotheca Teubneriana.

Seneca als einen der ihren ansahen; es gibt sogar einen Brief-
wechsel zwischen Seneca und dem Apostel Paulus, doch hat sich
dieser als eine Fälschung herausgestellt.

In der Schrift »Von der Vorsehung« (De providentia) setzt sich
Seneca vor allem mit dem Problem der Theodizee auseinander.
In den »Naturwissenschaftlichen Fragen« (Naturales quaestiones)
verrät sich der Ethiker Seneca dadurch, daß er die naturwissenschaftlichen Untersuchungen mit dem Hinweis verteidigt, sie
gäben durch Erforschung der Wahrheit dem sittlichen Leben des
Menschen eine sichere Grundlage, befreiten ihn von abergläubi-
scher Furcht und ließen ihn Größe und Herrlichkeit der göttlichen
Schöpfung erkennen.

Dieses Werk ist einem jüngeren Freunde, Lucilius, gewidmet,
wie auch die »Moralischen Briefe« (Ad Lucilium epistulae morales), eine Anleitung zur praktischen Ethik, die in glücklicher
Weise Tiefe der philosophischen Betrachtung, Reichtum der ethi-
schen Lebenserfahrung und Lebendigkeit der psychologischen Be-
obachtung vereint und durch die zwanglosere literarische Form
ihrem Verfasser Gelegenheit gibt, Größe (und freilich auch Grenze)
seiner schriftstellerischen Leistung in helles Licht zu rücken. Der
Briefstil erlaubt es ihm, meist von einer systematischen Beweisführung abzusehen. Überhaupt geht Seneca weniger auf Problem-
erörterung als auf Mahnung zum philosophischen Leben aus.
Philosophie ist ihm Lebenskunst, die Wissenschaft vom rechten
Leben — und Sterben. Für diese mit leidenschaftlichem Eifer verfolgte erzieherische Absicht (Seneca nennt den Philosophen einmal den »Pädagogen des Menschengeschlechts«) kam es auf Eindringlichkeit an. Hier war nicht die weitausladende ciceronische
Periode am Platz, sondern eine kurze, knappe, aphoristisch ein-
prägsame Sprache. Bewußt geht er dem Alltäglichen aus dem
Wege: teils erhebt er sich zur Höhe dichterischer Ausdrucksform,
teils schreckt er um der drastischen Wirkung willen nicht vor der
Derbheit der Volkssprache zurück. Dieses Streben nach starken
Wirkungen spürt man übrigens auch in seinen Tragödien, von
denen uns zehn (darunter eine unechte) überliefert sind. Man hat
gezweifelt, ob der Philosoph und der Tragödiendichter eine Person seien. Der Philosoph mahnt ständig zur Ruhe des Gemüts und

zur Unterdrückung der Leidenschaften; der Dichter aber läßt in pathetisch gesteigerter Sprache die Affekte voll ausspielen und wühlt so den Leser (denn zum Lesen, nicht zur Aufführung scheinen diese Dramen bestimmt) bis in tiefste Schichten auf. Und doch sind beide eine Person: Seneca verrät sich hier wie dort, durch positive Mahnung wie durch abschreckende Warnung in seinem erzieherischen Ethos, und er ist auch hier wie dort derselbe in seiner wesentlich auf stoischen Lehren beruhenden Überzeugung.

Denn Stoiker ist Seneca doch in seiner philosophischen Grundhaltung, mag er sich auch in manchen Fragen weit von der orthodoxen Lehre der Schule entfernen. Als römischer Mensch behält er sich die Freiheit vor, von Fall zu Fall zu wählen, Stoisches zu streichen, fremdes Gut hinzuzufügen. Daß er sich nicht streng an Schulgrenzen bindet, mag zum Teil daran liegen, daß er noch weniger systematisch ist als Cicero, zum Teil auch daran, daß der philosophische Synkretismus in den hundert Jahren, die zwischen ihm und diesem liegen, die Gegensätze zwischen den einzelnen Schulen weiter gemindert und gemildert hatte. So übernimmt Seneca von den Kynikern Form und vielfach auch Geist der Diatribe, der philosophischen Predigt, mit ihren drastischen Beispielen und den fingierten Einwürfen philosophischer Gegner; selbst von Epikur, dem Erbfeind der Stoa, entlehnt er einzelne, wirksam geprägte Aussprüche, die mehr sind als bloße Lesefrüchte, vielmehr im unmittelbaren Lebensbezug eine verwandte Haltung des Philosophierens zeigen. In seiner Güterlehre nähert er sich dem Peripatos, wenn er anerkennt, daß Werte wie Ehre oder Gesundheit doch keine »gleichgültigen« Dinge sind, sondern sie (mit anderen Stoikern) als »vorzuziehende« bezeichnet.

Auch in der Psychologie strebt er vom starren System der Stoa fort und sucht Anschluß an die platonische Seelenlehre mit ihrer Annahme eines vernünftigen, eines vernunftlos-begehrenden und eines zwischen diesen beiden vermittelnden willensartigen Seelenteils. In anderer Hinsicht wendet sich Seneca ebenfalls vom monistischen Erklärungsprinzip der Stoa zum dualistischen Platons hin. Körper und Seele stehen bei ihm in schärferem Gegensatz;

das irdische Leben gilt nur als Vorspiel, der Leib als Fessel, als
Kerker der Seele. Ebenso treten Gott und Materie in Gegensätze
auseinander. Seneca drängt vom Pantheismus der alten Stoa zum
Glauben an einen persönlichen Schöpfergott hin, der in väterlicher
Güte für alle Menschen sorgt. Dieser Gott kennt so wenig wie
der Christengott Unterschiede nationaler und sozialer Art zwi-
schen den Menschen. Die Erde ist das gemeinsame Vaterland aller.
Es leuchtet ein, daß gegenüber einem solchen Bekenntnis zum
Weltbürgertum das Staatlich-Politische bei Seneca zurücktritt.
Seine Liebe und Sorge gilt dem Nächsten, sei er Freier oder Sklave,
Römer oder Nichtrömer. Und wie er Milde und Duldsamkeit gegen
andere Menschen predigt, so sehnt er sich in seinem Innern nach
Frieden und stetem Gleichmaß, nicht einem faulen Frieden des
Genusses, sondern einem Frieden nach dem Sieg über die Leidenschaften. Ein solcher Sieg setzt freilich Kampf und ständige Wach-
samkeit voraus, er wird dem Menschen nicht geschenkt, sondern
muß immer neu errungen werden. Seneca ist weit von dem in-
tellektualistischen Optimismus der alten Stoa entfernt, die da
glaubte, daß der Mensch das Gute tut, wenn und weil er es weiß.
Seneca ist dem stoischen Ideal gegenüber skeptisch. Der Mensch
ist ein sittlich schwaches Wesen. Trotzdem oder gerade deshalb
betont er, daß es entscheidend auf den Willen ankommt. In dem
leidenschaftlichen Ernst, mit dem Seneca immer wieder Aufgabe
und Bedeutung des Willens hervorhebt, liegt etwas eigentümlich
Römisches, das ihn von aller griechischen Philosophie unterschei-
det. Und echt römisch wird nun der Wille durch Rat, Vorschrift
und Beispiel angesprochen. Dadurch löst sich das Grundsätzliche
stoischer Ethik bei Seneca nicht selten in moralische Kasuistik auf.
Zu Gebot und Vorbild aber müssen Übung und Gewöhnung, usus
und disciplina, treten. Durch den Willen erst wird die Einheit
zwischen Geist und Leben, zwischen Denken und Handeln herge-
stellt. Andererseits reicht auch der Wille allein nicht aus: man
kann falsch wollen. Deshalb bedarf es steter Selbstprüfung. Wichtiger als das Wissen ist dafür das Gewissen. Es ist ein unbestech-
licher Richter über unsere Gesinnung. Die Gesinnung, nicht das
Ergebnis und der Erfolg, ist ausschlaggebend für den sittlichen
Charakter einer Handlung. Seneca wird nicht müde, den Men-

schen für den Anruf des Gewissens empfänglich zu machen: nicht nur unsere Handlungen, sondern auch unsere bloßen Wünsche und verborgenen Gedanken gilt es auf ihre Gesinnung zu prüfen.

Den Kampf gegen die Leidenschaften in seinem Innern hat der Mensch als Angreifer zu führen; im Ringen mit den von außen auf ihn wirkenden Mächten, die Seneca unter dem Begriff des Schicksals zusammenfaßt, bleibt immer nur die Defensive. Als Kämpfer mit dem Schicksal hat er unter dem Einsatz des eigenen Lebens auf dem Posten zu bleiben, wenn es sein muß, bis zum bitteren Ende. Doch wenn ihm dieses Leben keine Freiheit zu sittlicher Entscheidung mehr läßt, so räumt ihm Seneca das Recht ein, es selber zu enden. »Es kann nichts Schöneres für die Gottheit geben als den Anblick des aufrecht sterbenden Cato.« Auch für Seneca kam der Tag der Probe, der über sein ganzes Leben das Urteil sprach. Er hat diese Probe bestanden.

J. K.

Für weiteres Studium sei der Leser unserer Ausgabe auf folgende Veröffentlichungen der neuen Literatur verwiesen:

Ulrich Knoche, Der Philosoph Seneca, 1933. – Otto Regenbogen, Seneca als Denker römischer Willensenthaltung. Die Antike XII (1936), 107 ff. – Barth-Goedeckemeyer, Die Stoa, 1946. — Max Pohlenz, Die Stoa. Bd. I, II, 1948/49.

VOM GLÜCKSELIGEN LEBEN

1. Glücklich zu leben wünscht jedermann; aber die Grundlagen des Glücks erkennt fast niemand. Freilich ist ein glückseliges Leben keine ganz einfache Sache. Wer einmal den Weg verfehlt hat, entfernt sich immer weiter davon; und geht er nach der entgegengesetzten Seite, so wird gerade Eile ihn immer mehr abführen. Man muß daher zuerst wissen, worauf das Streben zu richten ist; sodann ist der Weg aufzusuchen, der am raschesten ans Ziel führt. Einmal auf dem rechten Weg, wird man sehen, wie groß die Strecke ist, die man täglich zurückgelegt hat, und wie weit noch das Ziel, zu dem uns ein natürliches Verlangen zieht. Solange wir aber da und dort herumschweifen, von verworrenen Stimmen bald da-, bald dorthin gezogen, wird unser Leben nur ein steter Irrweg sein, auch wenn wir uns Tag und Nacht um eine richtige Ansicht bemühen. Daher entscheide man sich über das Ziel und den Weg und sehe sich nach einem kundigen Führer um, der Ziel und Weg bereits erforscht hat. Es ist hier nicht ebenso wie bei anderen Reisen: hier hält uns ein Fußpfad, ein Hinweis anwohnender Leute auf dem rechten Weg; dort täuscht gerade der betretenste Weg am meisten. Folgen wir nicht, wie das Herdenvieh, der Schar der Vorangehenden! Wandern wir nicht, wo gegangen wird, anstatt auf dem Wege, den man gehen soll! Nichts bringt uns in größere Übel, als wenn wir uns nach dem Gerede der Leute richten, für das Beste halten, was »allgemein angenommen« ist, nicht nach Vernunftgründen, sondern nach Beispielen leben. Betrachte jene gewaltige Zusammenhäufung von Leuten, wo einer über den andern fällt. Wie bei einem großen Menschengedränge niemand fällt, ohne auch noch andere nach sich zu ziehen, und die Vordersten den

Folgenden verderblich werden, so ist es im ganzen Leben: Niemand irrt nur für sich allein, sondern er ist auch Ursache und Urheber fremden Irrtums. Jeder will lieber glauben als nachdenken, und so wird nie über das Leben nachgedacht. Immer glaubt man nur andern, und ein von Hand zu Hand fortgegebener Irrtum lenkt uns und stürzt uns ins Verderben; durch fremde Beispiele gehen wir zugrunde. Wir werden gerettet, sobald wir uns vom großen Haufen absondern. Ihres eigenen Verderbens Verteidiger steht die Menge der Vernunft feindlich gegenüber. Und so geht es denn wie in den Wahlversammlungen, wo sich dieselben Leute darüber verwundern, daß einer Prätor geworden ist, die ihn doch mitgewählt haben; ein und dasselbe wird gebilligt und getadelt — das ist der Ausgang eines jeden Urteils, bei dem nach der Mehrzahl entschieden wird.

2. Wenn es sich um ein glückseliges Leben handelt, darfst du mir nicht wie bei Senatsabstimmungen antworten: »Auf dieser Seite scheint die Wahrheit zu sein.« Eben deshalb ist es das Schlimmere. Es steht mit der Sache der Menschheit nicht so gut, daß das Bessere der Mehrzahl gefiele, ein großer Haufe ist Beweis des Schlechtesten. Laß uns daher fragen, was am besten zu tun sei, nicht, was gewöhnlich geschieht, und was uns in den Besitz eines ewigen Glückes setzt, nicht, was dem großen Haufen, dem schlechtesten Dolmetscher der Wahrheit, genehm ist. Zum großen Haufen aber rechne ich ebensowohl Leute mit Kronen als Leute im schlechten Kittel. Nicht sehe ich auf die Farbe der Kleider, womit die Leiber behängt sind; nicht traue ich den Augen bei meinem Urteil über einen Menschen. Um das Wahre vom Falschen zu unterscheiden, habe ich ein besseres Licht: des Geistes Wert finde der Geist. Wenn dieser einmal Zeit gewinnt, sich zu erholen und sich in sich selbst zurückzuziehen, wie wird er, von sich selbst gefoltert, sich die Wahrheit gestehen und sagen: Alles, was ich bisher getan, möchte ich lieber ungeschehen wissen; wenn ich an alles zurückdenke, was ich gesprochen habe, so beneide ich die Sprachlosen; alles, was ich gewünscht habe,

dünkt mir ein Fluch von Feinden; alles was ich gefürchtet, o ihr guten Götter, wieviel leichter war es zu ertragen als das, was ich wünschte? Mit vielen habe ich in Feindschaft gelebt und bin aus dem Hasse — wenn überhaupt es unter Schlechten Freundschaft gibt — wieder zur Freundschaft zurückgekehrt; mir selbst aber bin ich noch kein Freund. Ich habe mir alle Mühe gegeben, mich aus der Menge hervorzuheben und durch irgendein Talent bemerkbar zu machen; was anderes habe ich davon, als daß ich mich zu einem Ziel gemacht und dem Übelwollen gezeigt habe, wo es mich packen kann? Betrachte jene Leute, die deine Beredsamkeit preisen, deinem Reichtum nachgehen, um deine Gunst buhlen, deine Macht in den Himmel erheben! Sie alle sind deine Feinde oder, was gleich ist, können es sein. So viele Bewunderer, so viele Neider.

3. So will ich lieber etwas suchen, was als gut erprobt ist und wovon ich einen Genuß habe, nicht etwas, womit ich prunken kann; was man anschaut, wovor man stehen bleibt, was einer dem andern mit Erstaunen zeigt; das glänzt von außen, inwendig aber ist's elend. Laß uns etwas suchen, das nicht bloß dem äußern Scheine nach gut, sondern gehaltvoll, gleichförmig und auf der verborgenen Seite sogar noch schöner ist. Das laß uns ausfindig machen; und es liegt nicht fern, es wird sich finden lassen, nur muß man wissen, wohin man die Hand ausstrecken soll. Jetzt gehen wir wie im Finstern am Naheliegenden vorüber und stoßen gerade an das, was wir sehnlich verlangen.

Doch um dich nicht auf Umwegen herumzuschleppen, will ich die Ansichten andrer übergehen; denn es wäre zu weitläufig, sie herzuzählen und zu widerlegen. Hier hast du die unsrige. Wenn ich sage »die unsrige«, so binde ich mich nicht an einen von den Häuptern der Stoa!; auch ich habe das Recht meiner Meinung. Daher werde ich dem einen beipflichten, einen andern seine Ansicht im einzelnen entwickeln heißen; vielleicht werde ich auch, nach allen andern zum Sprechen aufgefordert, nichts von dem, was meine Vor-

gänger entschieden haben, verwerfen und bloß sagen: »Ich
habe dazu noch folgendes zu bemerken.« Inzwischen halte
ich mich, worin alle Stoiker eins sind, an die Natur; von ihr
nicht abzuirren und sich nach ihrem Gesetz und Beispiel zu
bilden, ist Weisheit. Glückselig also ist ein Leben, welches
mit seiner Natur in Einklang steht; dies aber kann uns nicht
anders zuteil werden, als wenn zuerst der Geist gesund und
in beständigem Besitz seiner Gesundheit ist; sodann, wenn
er kräftig und entschlossen, zudem sittlich rein und geduldig
ist, sich den Umständen fügt, für den Körper und seine Bedürfnisse besorgt ist, jedoch ohne Ängstlichkeit; achtsam
ferner auf die übrigen Dinge, die zum Leben gehören, ohne
auf irgendeines großen Wert zu legen, bereit, die Gaben des
Glückes zu benutzen, nicht aber ihnen zu frönen. Du siehst,
auch ohne daß ich es hinzufüge, daß dem auch eine beständige Gemütsruhe und Freiheit folgen muß, da alles verbannt
ist, was uns entweder reizt oder schreckt. Denn an die Stelle
der sinnlichen Genüsse und alles dessen, was kleinlich und
hinfällig und unheilbringend ist, tritt eine hohe, unerschütterliche und sich gleichbleibende Freude, Friede und Harmonie der Seele und Größe mit Sanftmut gepaart; denn alle
Roheit ist nur ein Zeichen von Schwäche.

4. Der Begriff unseres höchsten Gutes läßt sich auch noch
anders bestimmen; der Gedanke bleibt derselbe, wird aber
in andere Worte gefaßt. Ein und dasselbe Heer kann bald
weiter ausgebreitet, bald enger zusammengezogen und entweder mit eingebogenem Zentrum zu einem Halbkreis for-
miert oder in gerader Linie aufgestellt werden; wie es aber
auch geordnet ist, seine Kraft und sein Wille, für dieselbe
Partei zu stehen, bleibt sich gleich; so kann auch die Begriffs-
bestimmung des höchsten Gutes bald ausführlicher und
umfassender, bald kürzer und gedrängter gegeben werden.
Es ist ganz dasselbe, ob ich sage: Das höchste Gut ist eine
das Zufällige geringschätzende, ihrer Tugend frohe Seele,
oder: eine unüberwindliche Kraft der Seele, voll Einsicht,
ruhig im Handeln, dabei reich an Menschenliebe und Rück-

sicht für die, mit denen man lebt. Man mag den Begriff auch
so bestimmen, daß man denjenigen Menschen einen glücklichen nennt, dem nichts ein Gut oder ein Übel ist, als allein
eine gute oder schlechte Seele, der das Sittlichgute verehrt,
dem seine Tugend alles ist, den Zufälliges weder erhebt noch
niederschlägt; der kein größeres Gut kennt, als daß er sich
selbst geben kann, dem die Verachtung der Sinnenlust wahre
Wollust ist. Will man noch weitergehen, so kann man dem
Begriffe noch eine und die andere Form geben, ohne daß der
Sinn verletzt oder beeinträchtigt wird. Denn was hindert uns,
zu sagen, ein glückseliges Leben bestehe darin, einen freien,
hochgesinnten, unerschrockenen und standhaften, über Furcht
und Begierden erhabenen Geist zu besitzen, für den es nur
ein Gut gibt, Sittlichkeit, und nur *ein* Übel, Unsittlichkeit?
Dem alles übrige ein wertloser Tand ist, der dem glückseligen
Leben weder irgend etwas entziehen, noch beifügen und ohne
Vermehrung oder Verminderung des höchsten Gutes kommen und gehen kann. Wer solchen Grund in sich hat, den
muß notwendig ununterbrochene Heiterkeit und eine hohe,
dem Innersten entspringende Freude begleiten, die sich nur
des ihrigen erfreut und nichts Größeres wünscht, als was
ihr eigen ist. Sollte dies nicht die kleinlichen, armseligen und
unbeharrlichen Triebe des elenden Körpers reichlich auf-
wiegen? Dem Schmerze unterliegt, wer dem Sinnengenusse
unterliegt.

5. Du siehst, in welch schlimmer und unheilvoller Knechtschaft einer stehen würde, den Sinnenlust und Schmerzen, die
unzuverlässigsten und zügellosesten Gebieter, abwechselnd
in Besitz hätten. Daher muß man sich durchringen zur Freiheit; diese aber erreicht man durch nichts anderes als durch
Gleichgültigkeit gegen das Schicksal. Dann wird jenes un-
schätzbare Gut erwachsen, jene Ruhe und Erhabenheit der
Seele, die einen höheren Standpunkt gefunden hat, die zu
fürchten verlernt hat, und die aus der Erkenntnis der Wahrheit eine hohe und ungestörte Freude gewinnt, eine stete
Freundlichkeit und Heiterkeit des Gemüts, daran sie sich

erfreut, nicht als an Gütern, sondern als an Früchten ihres
eigenen Schatzes. Weil ich nun einmal angefangen habe, mit
Begriffsbestimmungen freigebig zu sein, so definiere ich
weiter: glückselig kann auch der genannt werden, der, von
der Vernunft geleitet, nichts mehr wünscht und nichts mehr
fürchtet. Auch die Steine sind ohne Furcht und Traurigkeit,
und ebenso die Tiere; niemand wird sie deshalb glückselig
nennen, da sie keine Erkenntnis ihrer Glückseligkeit haben.
Auf derselben Stufe stehen Menschen, deren Stumpfsinn und
Mangel an Selbsterkenntnis sie dem Vieh und den Tieren
beigesellt. Es ist kein Unterschied zwischen diesen und jenen,
weil diese gar keine Vernunft haben, jene aber eine verkehrte, die zu ihrem eigenen Schaden und widersinnig wirkt.
Glückselig kann niemand genannt werden, der außer aller
Wahrheit steht; ein glückseliges Leben ist also ein solches,
das auf einem richtigen und sicheren Urteil ruht und unver-
änderlich ist. Dann nämlich ist die Seele rein und frei von
allen Übeln, wenn sie sich nicht nur über Verletzungen, sondern auch über Quälereien hinwegsetzt, entschlossen, stehen
zu bleiben, wo sie einmal Stand gefaßt hat, und ihren Platz
auch gegen ein erzürntes Geschick zu behaupten. Die Sinnenlust mag sich von allen Seiten her um uns ergießen, auf allen
Wegen heranströmen und der Seele mit ihren Reizungen
schmeicheln, sie mag ein Mittel nach dem andern anwenden,
um unser ganzes Wesen und die verschiedenen Seiten desselben zu reizen, — welcher Sterbliche, an dem nur noch eine
Spur vom Menschen geblieben, wollte Tag und Nacht ge-
kitzelt sein, um unter Verwahrlosung seiner Seele dem Körper zu frönen?

6. »Aber auch die Seele«, sagt man, »wird doch ihre Genüsse haben.« Mag sie solche haben und über Üppigkeit und
Freudengenüsse entscheiden, mag sie sich anfüllen mit allem,
was die Sinne zu ergötzen pflegt; darnach mag sie auf das
Vergangene zurückschauen und der genossenen sinnlichen
Freuden eingedenk über die früheren frohlocken und nach
den kommenden schon begierig verlangen, ihre Hoffnungen

ordnen, und während der Körper schon jetzt auf der Mast liegt, ihre Gedanken im voraus auf das Zukünftige lenken: sie wird mir dann um so elender erscheinen, weil Schlechtes statt Gutem zu wählen Wahnsinn ist. Wie kann jemand ohne gesunden Verstand glückselig sein? Und wer kann mit gesundem Verstand nach dem Schlechten als nach dem Besten trachten? Glückselig ist also, wer ein richtiges Urteil hat; glückselig ist, wer mit dem Bestehenden, wie es auch immer sei, zufrieden und mit seinen Verhältnissen befreundet ist; glückselig ist der, dessen ganze Lage seine Vernunft gutheißt. Welch eine schimpfliche Stelle weisen diejenigen dem höchsten Gute an, die es in sinnliche Genüsse setzen! Das Vergnügen, sagen sie, könne von der Tugend nicht getrennt werden, und sie behaupten, es könne weder jemand sittlich gut leben, ohne zugleich angenehm, noch angenehm, ohne zugleich sittlich gut zu leben. Ich begreife nicht, wie man so ganz verschiedene Dinge in eins zusammenwerfen kann. Warum soll denn, ich bitte euch, das sinnliche Vergnügen von der Tugend nicht getrennt werden können? Weil jedes Gut seine Quelle in der Tugend hat? Allerdings entstammt ihr auch das, was ihr liebt und verlangt; allein, wenn jene Dinge unzertrennlich wären, so würden wir nicht manches sehen, was angenehm, aber nicht sittlich gut, manches dagegen, was höchst sittlich, aber unangenehm und nur durch Schmerzen zu erringen ist.

7. Nimm noch hinzu, daß Vergnügen sich auch zu dem schändlichsten Leben gesellt, die Tugend aber ein schlechtes Leben gar nicht zuläßt, und daß manche nicht ohne Vergnügen, sondern gerade des Vergnügens wegen unglücklich sind; was nicht der Fall sein würde, wenn sich mit der Tugend das Vergnügen verschmolzen hätte, welche der Tugend oft fehlt, ihr aber nie Bedürfnis ist. Warum stellt ihr Unähnliches, ja ganz Entgegengesetztes zusammen? Die Tugend ist etwas Hohes, Erhabenes, Königliches, Unüberwindliches, Unermüdliches; das sinnliche Vergnügen etwas Niedriges, Sklavisches, Ohnmächtiges, Hinfälliges, dessen

Aufenthalt und Heimat Hurenhäuser und Kneipen sind. Die Tugend wirst du im Tempel finden, auf dem Forum, in der Kurie, vor den Mauern stehend, mit Staub bedeckt, von frischer Gesichtsfarbe, mit schwieligen Händen; das sinnliche Vergnügen in Winkeln versteckt und die Finsternis suchend, um Badehäuser und Schwitzstuben und Orte, welche die Sittenpolizei fürchten, weichlich, entnervt, von Wein und Salben triefend, bleich oder geschminkt und durch Schönheitsmittel verdorben. Das höchste Gut ist unsterblich, es kann nicht untergehen, es bringt weder Überdruß noch Reue mit sich; denn der rechte Sinn wandelt sich nie, noch ist er sich selbst zuwider, und da er der beste ist, ändert er auch an sich nie etwas. Das sinnliche Vergnügen aber erlischt gerade dann, wenn es am höchsten ergötzt; es hat keinen weiten Spielraum; daher füllt es ihn bald aus, verursacht Überdruß und ermattet nach dem ersten Anlauf. Auch ist eine Sache nie zuverlässig, deren Natur Unbeständigkeit ist; und so kann auch das nichts Wesentliches sein, was ebenso schnell vorübergeht als kommt und schon während seines Genusses zerrinnt. Denn es gelangt zu dem Punkte, wo es aufhören muß, und indem es beginnt, läßt es schon sein Ende verspüren.

8. Haben den Genuß des sinnlichen Vergnügens die Schlechten nicht ebensowohl als die Guten? Auch erfreuen die Lasterhaften sich ihrer Schändlichkeiten nicht weniger als die Sittlichguten ihrer edlen Taten. Daher schrieben die Alten vor, man solle dem besten, nicht dem angenehmsten Leben nachgehen, so daß das Vergnügen nicht der Führer, sondern der Begleiter einer rechtschaffenen und edeln Gesinnung sei. Denn die Natur muß man zur Führerin nehmen; auf sie richtet die Vernunft ihr Augenmerk, bei ihr holt sie sich Rat. *Glückselig und naturgemäß leben ist ein und dasselbe.* Was dies letztere heißt, will ich jetzt erklären. Wir leben naturgemäß, wenn wir die körperlichen Anlagen und die Bedürfnisse unserer Natur sorgfältig, aber nicht ängstlich beachten als etwas, das uns nur auf Zeit gegeben und flüchtig ist; wenn wir nicht ihre Sklaven werden und nicht

etwas unserem Wesen Fremdes uns in seine Gewalt gebracht hat; wenn wir das, was dem Körper angenehm ist und uns von außen zukommt, so betrachten wie Hilfsvölker und leichte Truppen. Es mag uns dienen, aber nicht uns beherrschen; nur dann ist es unserem geistigen Wesen von Nutzen. Ein Mann bleibe von Äußerlichkeiten unverführt und unbeherrscht, vertraue auf sich selbst und seinen Genius, sei auf alles gefaßt und der eigene Bildner seines Lebens. Sein Selbstvertrauen sei nicht ohne Einsicht, seine Einsicht nicht ohne Festigkeit; er halte fest an dem einmal für recht Erkannten, und was er beschlossen hat, das stehe fest. Man wird, auch wenn ich es nicht ausdrücklich hinzufüge, einsehen, daß ein solcher Mann geregelt und geordnet ist und hochherzig und mild zugleich. Eine gesunde Vernunft wird mit seinen Empfindungen verwachsen sein und davon ausgehen; denn er hat keinen andern Bestimmungsgrund, keinen andern Antrieb zur Wahrheit und zur Einkehr in sich selbst. Auch die alles umfassende Natur, die alles regierende Gottheit richtet zwar ihre Tätigkeit nach außen, kehrt aber von überall her in sich selbst zurück. Dasselbe soll unser Geist tun, wenn er, seinen Sinnen folgend, sich auf die Außenwelt gerichtet hat; er sei sowohl ihrer als seiner selbst mächtig. Auf diese Weise wird eine Macht und Gewalt geschaffen, die mit sich selbst in Einklang steht, und jene sichere Vernunft, die sich nicht widerspricht, die nicht schwankt in Meinungen, Begriffen und Überzeugungen. Hat sich diese geordnet zu einer klaren Harmonie, dann hat sie das höchste Gut erreicht. Denn nichts Verkehrtes, nichts Unhaltbares ist mehr übrig, nichts, wobei der Mensch straucheln oder wanken könnte. Dann wird er alles nach seinem eigenen Befehle tun und nichts wird ihm unerwartet begegnen; alles, was er tut, wird leicht und rasch und ohne Zögern geschehen und wohl geraten. Verdrossenheit und Unschlüssigkeit verrät Kampf und Uneinigkeit mit sich selbst. Daher kann man dreist behaupten, das höchste Gut sei *Harmonie mit sich selbst*. Denn da müssen Tugenden sein, wo Übereinstimmung und Einigkeit ist; Laster sind in Zwiespalt mit sich selbst.

9. »Aber auch du«, wendet man ein, »befleißigst dich der Tugend doch wohl nur deshalb, weil du irgendein Vergnügen von ihr hoffst.« Fürs erste wird die Tugend, auch wenn sie ein Vergnügen gewähren wird, doch nicht dessentwegen erstrebt: denn sie *gewährt* es nicht, sondern sie gewährt es *mit,* und sie bemüht sich nicht darum, sondern ihre Bemühung erreicht, obgleich sie etwas ganz anderes erstrebt, auch dieses mit. So wie auf dem Felde, das man für die Saat gepflügt hat, zwischen dieser auch manche Blumen mit aufwachsen, und man doch nicht dieser Pflänzchen wegen so viel Mühe aufgewendet hat, so sehr sie auch das Auge ergötzen mögen, so ist auch das Vergnügen weder der Lohn, noch der Beweggrund der Tugend, sondern eine Zugabe; weil es ergötzt, gefällt es; wenn es aber gefällt, so ergötzt es auch. Das höchste Gut liegt in dem Bewußtsein und dem Wesen einer edlen Seele, und wenn diese ihr Wesen vollendet und sich in ihre Sphäre eingeschlossen hat, so ist das höchste Gut erreicht, und sie will weiter nichts mehr. Denn über das Ganze hinaus gibt es nichts, so wenig als über das Ende hinaus. Daher bist du schon im Irrtum, wenn du fragst, was es sei, was mich nach der Tugend streben läßt; denn du fragst nach etwas, das über dem Höchsten stände. Du fragst, welchen Gewinn ich aus der Tugend ziehen will? Sie selbst; denn sie hat nichts Besseres, sie ist sich selbst ihr Lohn. Ist das etwa nicht herrlich genug? Wenn ich dir sage: das höchste Gut ist unbeugsame Beharrlichkeit und Einsicht und Scharfblick und Gesundheit und Freiheit und Harmonie und Schönheit der Seele, verlangst du dann noch etwas Größeres? Was sprichst du von Vergnügen? Des Menschen Glück suche ich, nicht des Bauches, der ist beim Vieh und bei Tieren geräumiger.

10. »Du stellst dich«, sagt man, »als verständest du nicht, was ich sage. Ich behaupte ja, es könne niemand angenehm leben, wenn er nicht zugleich sittlich gut lebt. Dies kann aber nicht bei den sprachlosen Tieren der Fall sein, noch bei denen, die ihr Glück nach den Speisen abmessen. Klar und

offen bezeuge ich, daß das Leben, welches ich ein angenehmes nenne, niemandem zuteil werden kann ohne Tugend.«

Allein wer weiß nicht, daß auch die größten Toren im
vollsten Genusse eurer sinnlichen Freuden sind? daß die
Schlechtigkeit Überfluß an Angenehmem hat und daß die
Seele selbst nicht bloß schlechte, sondern sogar viele
schlechte Arten des Vergnügens verschafft? besonders Übermut, Selbstüberhebung und Aufgeblasenheit, die sich über
andere erhebt, und blinde einsichtslose Vorliebe für das
Eigene, schlaffe Weichlichkeit, unmäßige Freude über Kin-
dereien, Geschwätzigkeit, Hochmut, Schmähsucht, Faulheit
und Zerfahrenheit eines trägen, über sich selbst einschlafen-
den Geistes. Dies alles beseitigt die Tugend; sie zupft dich
beim Ohr und prüft erst das Vergnügen, ehe sie es zuläßt,
und wenn sie auch dies oder jenes gebilligt hat, so legt sie
doch keinen Wert darauf (genug, daß sie es zuläßt) und
nicht der Genuß, sondern das Maßhalten macht ihr Freude.
Wenn aber die Mäßigung das Vergnügen vermindert, so ist
sie ja ein Frevel am höchsten Gut. Du umarmst das Vergnügen, ich beschränke es; du genießest das Vergnügen, ich
mache Gebrauch davon; du hältst es für das höchste Gut,
ich nicht einmal für ein Gut; du tust alles des Vergnügens
wegen, ich nichts. Wenn ich sage, daß ich nichts des Vergnügens wegen tue, so sage ich dies im Sinne des Weisen,
dem du doch allein wahres Vergnügen zugestehst.

11. Den aber nenne ich nicht einen Weisen, über welchem
noch irgend etwas steht, vollends gar das Vergnügen. Wenn
er von diesem eingenommen ist, wie wird er der Anstrengung
widerstehen und der Gefahr, der Armut und so vielen
Schrecknissen, die des Menschen Leben umschwirren? Wie
wird er den Anblick des Todes, wie den des Schmerzes
ertragen, wie Gewitter und Erdbeben und eine Menge der
heftigsten Feinde? Wenn er sich von einem so weichlichen
Gegner hat besiegen lassen. Alles, was das Vergnügen ihm
anraten wird, wird er tun. Siehst du nicht, wieviel es ihm
anraten wird? »Es kann«, sagst du, »nichts Schimpfliches

anraten, weil es der Tugend beigesellt ist.« Nun, da siehst du abermals, was für ein höchstes Gut das ist, das einen Wächter braucht, um überhaupt ein Gut zu sein. Wie aber wird die Tugend ein Vergnügen beherrschen können, dem sie nachgeht, da das Nachgehen Sache des Gehorchenden ist, das Beherrschen aber Sache des Gebietenden? Stellst du das hinten hin, was gebietet? Ein vortreffliches Amt aber hat bei euch die Tugend, daß sie das Vergnügen vorher kosten muß! Doch wir werden sehen, ob sich bei denen, welche die Tugend so schmählich behandeln, noch Tugend findet, die doch ihren Namen nicht mehr führen kann, wenn sie ihre Stelle aufgegeben hat. Unterdessen will ich dir viele zeigen, die in Vergnügungen schwimmen, die das Glück mit seinen Gaben überschüttet hat, und von denen du doch eingestehen mußt, daß sie schlechte Menschen sind. Betrachte einen Nomentanus und Apicius, welche die Güter der Länder und Meere, wie sie es nennen, zusammenlesen und die Tiere aller Zonen auf ihren Tischen haben. Siehe, wie sie von ihrem Rosenlager aus nach ihrer Küche blicken, wie sie ihre Ohren an den Tönen des Gesanges, ihre Augen an Schauspielen, ihren Gaumen an Leckerbissen weiden. Mit sanften und linden Wärmemitteln wird ihr ganzer Körper gereizt, und damit unterdessen auch die Nase nicht feiere, so wird der Ort selbst, wo sie der Üppigkeit opfern, mit mancherlei Wohlgerüchen erfüllt. Von diesen wirst du doch gewiß sagen, daß sie im Vergnügen leben, und doch kann ihnen nicht wohl sein, weil sie ihre Freude an etwas haben, was kein Gut ist.

12. »Es wird ihnen freilich nicht wohl sein«, erwidert man, »weil so manches dazwischen kommt, was ihren Geist verwirrt, und einander widersprechende Meinungen ihr Gemüt beunruhigen.« Das gebe ich zu; nichtsdestoweniger aber werden jene törichten, unbeständigen und der Reue ausgesetzten Menschen großes Vergnügen genießen, so daß man gestehen muß, sie seien ebensoweit von allem Ungemach entfernt wie von einer guten Gemütsverfassung, daß sie in heiterem Wahnsinn leben und lachender Tollheit. Die Ver-

gnügungen der Weisen dagegen sind gemäßigt und bescheiden, gedämpft und äußerlich kaum bemerkbar, sie kommen von selbst, ohne herbeigerufen zu sein, und die Genießenden empfangen sie ohne besondere Freude; sie mischen und schalten sie dem Leben ein wie Spiel und Scherz unter den Ernst. Man höre also auf, nicht Zusammenpassendes zu verbinden und in die Tugend Vergnügen zu verflechten. Jener, der sich in Vergnügungen stürzt, immer rülpsend und berauscht, glaubt wohl, weil er in Vergnügen zu leben versteht, auch in Tugend zu leben; denn er hört ja, das Vergnügen lasse sich von der Tugend nicht trennen; dann gibt er seinen Lastern den Titel der Weisheit und bekennt sich laut zu Dingen, die er lieber verbergen sollte. Nicht Epikur ist es, der sie zu einem üppigen Leben verführt, sondern, den Lastern ergeben, verstecken sie ihre Üppigkeit im Schoße seiner Philosophie und laufen dahin zusammen, wo sie das Vergnügen preisen hören. Und sie fassen wahrlich das Wort Vergnügen nicht so ernst und streng wie Epikur, sondern nur zu seinem Namen eilen sie herbei, indem sie für ihre Lüste irgendeinen Schirm und Schleier suchen. So verlieren sie auch noch das einzige Gute, was sie bei ihrer Schlechtigkeit hatten: die Scheu, zu sündigen. Denn nun loben sie das, worüber sie erröten sollten, und rühmen sich des Lasters; und so kann sich auch die Tugend nicht wieder aufraffen, da der schändliche Müßiggang einen ehrbaren Titel bekommen hat.

13. Das ist der Grund, warum jenes Anpreisen des Vergnügens verderblich ist, weil sich nämlich die sittlich guten Vorschriften im Innern der Lehre verbergen, das Verführerische aber allen sichtbar ist. Ich nun bin der Meinung (die ich, auch wenn es meinen Genossen aus der stoischen Schule nicht recht sein sollte, hier aussprechen will), daß Epikurs Lehren rein und richtig sind, ja, wenn man sie näher betrachtet, sogar streng; denn jenes Vergnügen kommt auf etwas sehr Kleinliches und Winziges hinaus, und dasselbe Gesetz, das wir für die Tugend aufstellen, stellt er für das Vergnügen auf. Er befiehlt, daß es der Natur gehorche; was

aber der Natur genügt, ist für die Üppigkeit viel zu wenig. Wie also? Ein jeder, der träge Muße und abwechselnde Genüsse des Gaumens und der Wollust Glückseligkeit nennt, sucht für eine schlechte Sache einen guten Gewährsmann, und während er, von einem schmeichelnden Namen angezogen, zu ihm kommt, geht er dem Vergnügen nach, nicht dem, von welchem er sprechen hört, sondern dem, das er schon mitbrachte; und hat er einmal angefangen, zu glauben, seine Laster stimmten zu den philosophischen Lehren, so frönt er ihnen nicht mehr schüchtern und geheim; nein, er schwelgt von da an mit frei erhobenem Haupte. Daher sage ich nicht wie die meisten der unsrigen (der Stoiker), Epikurs Schule sei eine Lehrerin schändlicher Handlungen, sondern das sage ich: sie steht in einem schlechten Rufe, sie ist mit Unrecht so verschrien. Wer kann das wissen als ein völlig Eingeweihter? Schon das Äußere selbst gibt Veranlassung zum Gerede und veranlaßt zu schlimmen Erwartungen. Es ist gerade so, wie wenn sich ein tapferer Mann in ein Frauenkleid steckt. Wenn du dir gleich bleibst, so ist der Glaube an die Wahrheit deiner Keuschheit gerettet; nie gibst du deinen Körper der Entehrung preis, wenn du auch in der Hand das Tamburin führst[1]. Wähle man also einen ehrbaren Namen und eine Aufschrift, die selbst schon das Gemüt entflammt, die Laster wegzutreiben, welche sogleich entnerven, wenn sie angezogen kommen. Jeder, der zur Tugend hingetreten ist, gibt Hoffnung auf eine edle Natur; wer aber dem sinnlichen Vergnügen nachgeht, der erscheint als ein entnervter, gebrochener, entarteter Mann, der gewiß der Schande verfallen wird, wenn ihm nicht jemand den Unterschied der Vergnügungen auseinandersetzt, damit er erfahre, welche davon innerhalb der Schranken des natürlichen Verlangens stehen bleiben und welche kopfüber stürzen und

---

[1] Das Tympanum, die Handpauke oder das Tamburin, brauchte man besonders beim phrygischen Kultus der Cybele, deren entmannte Priester bei feierlichen Aufzügen (oft auch in Frauenkleidern) jenes Instrument handhabten. Es ist daher hier Symbol unmännlicher Weichlichkeit und der Sinn der Stelle: Wenn ihr Epikureer wirklich keusch und züchtig lebt, so solltet ihr auch im Äußern jeden Schein von Üppigkeit und Weichlichkeit vermeiden.

kein Ziel finden, sondern um so unersättlicher werden, je mehr ihnen gewährt wird. Wohlan denn, die Tugend gehe uns voran, dann wird jeder Schritt ein sicherer sein. Übertriebenes Vergnügen schadet; bei der Tugend aber ist nicht zu befürchten, daß sie zu weit gehe, weil das Maß in ihr selbst liegt. Das ist kein Gut, was seine eigene Größe nicht ertragen kann.

14. Was kann denen, die eine auf Vernunft gegründete Natur empfangen haben, Besseres geboten werden als Vernunft? Und wenn dir diese Gesellschaft lieb ist, wenn es dir gefällt, in dieser Begleitung den Weg zu einem glückseligen Leben zu wandeln, so gehe die Tugend voran, das Vergnügen aber begleite dich und umschwebe dich wie ein Schatten. Die Tugend, das Erhabenste von allem, dem Vergnügen als Magd dahingeben, vermag nur, wer keines hohen Gedankens fähig ist. Die Tugend sei stets voran, sie trage die Fahne: wir werden nichtsdestoweniger Vergnügen haben, aber wir werden seine Gebieter und Regierer sein; es wird durch Bitten einiges von uns erlangen, aber nichts erzwingen. Diejenigen aber, welche dem Vergnügen die erste Stelle eingeräumt haben, entbehren beides; denn die Tugend lassen sie fahren, das Vergnügen aber haben sie nicht, sondern das Vergnügen hat sie selbst, und sie werden entweder durch Mangel daran gequält oder durch Überfluß erstickt, elend, wenn sie davon verlassen, noch elender, wenn sie damit überschüttet werden! So wie die in ein Meer voll Untiefen Geratenen bald auf dem Trockenen sitzen, bald auf reißenden Wogen hin und her treiben. So geht es aber bei Mangel an Mäßigung und Vorliebe für etwas Eitles; wer Schlechtes statt Gutem erstrebt, für den ist die Erfüllung seiner Wünsche gefährlich. Wie wir auf wilde Tiere mit Anstrengung und Gefahr Jagd machen und selbst, wenn sie gefangen, ihr Besitz eine mißliche Sache ist (denn oft zerfleischen sie ihre Herren): so pflegen die, welche großes Vergnügen haben, in großes Übel zu geraten, und was sie erjagt hatten, hat sie gefangengenommen. Je zahlreicher und größer es ist, desto

mehr ist er ein Sklave, den der große Haufe glücklich nennt.
Ich will noch länger bei diesem Bilde verweilen. Gleichwie
der Jäger, welcher die Lagerstätten des Wildes aufspürt und
hohen Wert darauf legt, das Wild in der Schlinge zu fangen
und rings mit Hunden den mächtigen Forst zu umstellen,
um ihrer Spur zu folgen, wie er das Wichtigere im Stich läßt
und vielen Geschäften sich entzieht: so setzt der, welcher
dem Vergnügen nachjagt, alles andere ihm nach und achtet
vor allem seine Freiheit nicht, sondern bringt sie dem Bauche
zum Opfer und erkauft sich nicht Vergnügungen, sondern
verkauft sich an sie.

15. »Was jedoch hindert«, sagt man, »Tugend und Vergnügen zu verschmelzen und so das höchste Gut zu schaffen,
daß ein und dasselbe zugleich sittlich gut und angenehm
sei?" — Weil ein Teil der sittlichen Vollkommenheit selbst
nicht anders als sittlich gut sein kann und das höchste Gut
die ihm eigentümliche Reinheit nicht besitzen wird, wenn es
etwas Unedles an sich hat. Nicht einmal die Freude, welche
aus der Tugend entspringt, bildet, obgleich sie etwas Gutes
ist, einen Teil des an und für sich Guten, ebensowenig, als
Fröhlichkeit und Ruhe der Seele, auch wenn sie aus den
schönsten Ursachen hervorgehen. Es sind allerdings Güter,
aber solche, die aus dem höchsten Gute entspringen, nicht
aber dasselbe ausmachen. Wer aber Tugend und Vergnügen
zusammenwirft und nicht einmal zu gleichen Teilen, der
stumpft durch die Gebrechlichkeit des einen Gutes auch alle
Lebenskraft des andern ab, und die Freiheit, die nur dann
unüberwindlich ist, wenn sie nichts kennt, das größeren
Wert hat als sie selbst, bringt er in Sklaverei. Denn — was
eben die äußerste Knechtschaft ist — das Glück fängt an,
ihr zum Bedürfnis zu werden; die Folge davon ist ein ängst-
liches, verdachtvolles, vor Zufällen zitterndes und bebendes
Leben; jeder Augenblick ist voll banger Erwartung. Da gibst
du der Tugend keinen festen, unerschütterlichen Grund und
Boden, sondern läßt sie auf einem wandelbaren Standpunkt
ruhen. Was aber ist so wandelbar, als die Erwartung des

Zufälligen und die Veränderlichkeit des Körpers und der auf
ihn einwirkenden Dinge? Wie kann einer der Gottheit gehorchen und alles, was ihm auch begegnen mag, mit Seelenruhe aufnehmen, ohne über sein Geschick zu klagen und sein
Schicksal sich zum Besten auszulegen, wenn er durch die
leisesten Berührungen von Freuden und Leiden erschüttert
wird? Aber nicht einmal ein guter Beschützer und Verteidiger
seines Vaterlandes, noch auch ein Beschirmer seiner Freunde
kann er sein, wenn er sich bloß von dem bestimmen läßt, was
ihm Vergnügen macht. Daher muß das höchste Gut sich auf
einen Punkt erheben, von wo es durch keine Gewalt herab-
gezogen werden kann, wohin weder der Schmerz, noch die
Hoffnung, noch die Furcht Zutritt haben, noch irgend etwas,
was das Recht des höchsten Gutes beeinträchtigen könnte.
Dahin aber kann sich einzig und allein die Tugend erheben;
nur durch Schritthalten mit ihr kann jene Höhe bewältigt
werden; sie wird mannhaft stehen und, was auch kommen
mag, nicht bloß duldend, sondern selbst willig ertragen und
überzeugt sein, daß jede schwierige Lage naturgesetzlich be-
dingt sei. Und wie ein braver Soldat seine Wunden ertragen,
seine Narben aufzählen und von Pfeilen durchbohrt noch
sterbend den Feldherrn lieben wird, für den er fällt: so wird
er jenes alte Gebot im Herzen tragen: folge der Gottheit.
Wer aber klagt und weint und seufzt, wenn er tun soll, was
ihm auferlegt ist, der wird dennoch durch Gewalt dazu gezwungen und wider Willen zur Ausführung der Befehle
genötigt. Ist es aber nicht Unsinn, sich lieber schleppen zu
lassen, als willig zu folgen? Wahrlich, ebenso wäre es Torheit und Verkennung seiner Lage, zu trauern über ein hartes
Geschick, oder sich zu wundern und unwillig zu ertragen,
was Guten wie Schlechten zustößt, ich meine Krankheiten,
Todesfälle, Gebrechlichkeit und was sonst Widerwärtiges
im menschlichen Leben vorkommt. Alles, was nach der Einrichtung des Weltalls zu erdulden ist, laß uns mit hohem
Geiste auf uns nehmen; wir sind ja dazu verpflichtet, das
Los der Sterblichen zu ertragen und uns nicht in Verwirrung
setzen zu lassen durch etwas, was zu vermeiden nicht in

unserer Macht steht. Wir sind in einem Königreiche geboren: der Gottheit gehorchen, ist Freiheit.

16. Also in der Tugend liegt die wahre Glückseligkeit. Welchen Rat wird sie dir erteilen? Daß du nichts für ein Gut oder für ein Übel halten sollst, was dir weder durch Tugend noch durch Lasterhaftigkeit zuteil werden kann; sodann, daß du unerschütterlich seist, selbst wenn Böses aus dem Guten hervorgeht, auf daß du der Gottheit ähnlich wirst, soweit dies möglich ist. Was aber verheißt sie dir dafür? Etwas Großes und Göttergleiches. Du wirst zu nichts gezwungen werden; du wirst keines Menschen bedürfen; du wirst frei, sicher, schadlos sein; nichts wirst du vergebens versuchen, in nichts wirst du gehindert sein; alles wird dir nach Wunsch gehen; nichts Widerwärtiges wird dir begegnen, nichts gegen deine Erwartung und deinen Wunsch. Wie also? Genügt die Tugend, um glückselig zu leben? Warum sollte sie, die Vollendete und Göttliche, nicht genügen, ja mehr als genug sein? Denn was kann dem fehlen, der über jedes Verlangen hinaus ist? Was braucht der von außen, der alle Schätze in sich hat? Dennoch ist dem, der nach der Tugend strebt, mag er auch schon weit vorgeschritten sein, manche Gunst des Schicksals nötig, da er noch mit menschlichen Verhältnissen ringt, bis er einmal diesen Knoten und jede Fessel der Sterblichkeit löst. Worin also besteht der Unterschied? Darin, daß einige angebunden, andere gefesselt, andere auch noch geknebelt sind. Wer vorwärts geschritten ist und sich höher erhoben hat, trägt, zwar noch nicht frei, aber doch schon so gut wie frei, nur eine lockere Fessel.

17. Da möchte nun einer von denen, welche die Philosophie anbellen, wie sie zu tun pflegen, sagen: »Warum bist du im Reden stärker als im Handeln? Warum ordnest du dich in deiner Meinung einem Vornehmeren unter, achtest das Geld für ein dir notwendiges Mittel, wirst durch einen Verlust beunruhigt, vergießest Tränen bei der Nachricht vom Tode

deiner Gattin oder eines Freundes, achtest darauf, was die
Leute über dich sagen, und lässest dich durch boshafte Reden
anfechten? Warum ist dein Feld besser angebaut, als es das
natürliche Bedürfnis erheischt? Warum speisest du nicht
nach deiner eigenen Vorschrift? Warum hast du so glänzenden Hausrat? Warum wird bei dir Wein getrunken, der älter
ist als du selbst? Wozu wird er nach Jahrgängen geordnet?
Wozu werden Bäume gepflanzt, die nichts als Schatten
geben? Warum trägt deine Frau das Vermögen eines wohl-
habenden Hauses an ihren Ohren? Warum ist deine Dienerschaft so kostbar gekleidet? Warum ist es eine Kunst, bei dir
aufzuwarten, und warum wird das Silbergerät nicht so zufällig und wie es gerade beliebt, auf den Tisch gestellt,
sondern kunstvoll serviert? Und warum gibt es bei dir einen
Meister in der Kunst, das Fleisch zu zerlegen?« Füge, wenn
du willst, noch hinzu: »Warum hast du Besitzungen jenseits
des Meeres? Warum mehr, als du kennst? Zu deiner Schande
bist du entweder so nachlässig, daß du deine wenigen Sklaven nicht kennst, oder so verschwenderisch, daß du eine
größere Anzahl hast, als daß dein Gedächtnis ausreichte, sie
zu kennen.« Ich will dir selbst später noch helfen; ich will
mir selbst Vorwürfe machen und mehr, als du glaubst: für
jetzt erwidere ich dir nur folgendes: Ich bin kein Weiser,
und — um deiner üblen Meinung noch mehr Nahrung zu
geben — ich werde es auch nie sein. Fordere also von mir
nicht, daß ich den Besten gleich sei, sondern nur besser als
die Schlechten. Das ist mir schon genug, wenn ich täglich
etwas von meinen Fehlern ablege und mir meine Verirrungen vorwerfe. Ich bin noch nicht zur Gesundheit gelangt und
werde auch nicht dazu gelangen; ich bereite mir mehr Lin-
derungs- als Heilmittel für mein Podagra, zufrieden damit,
wenn es mich nur seltener befällt und weniger zwackt. Freilich mit eurem Gehwerk verglichen, bin ich Gebrechlicher
noch ein Läufer.

18. Das rede ich nicht in meinem Namen, denn ich treibe
noch auf dem Meere aller Laster, sondern im Namen eines

Solchen, der schon etwas ausgerichtet hat. »Anders«, sagt man, »sprichst du, anders lebst du.« Dies, ihr böswilligen und gerade den Trefflichsten am feindlichsten gesinnten Menschen, hat man dem Plato, dem Epikur, dem Zeno vorgeworfen. Denn diese alle sprachen ja nicht davon, wie sie selbst lebten, sondern wie man leben sollte. Von der Tugend rede ich, nicht von mir, und wenn ich die Laster schmähe, so schmähe ich zuerst meine eigenen; wenn es mir möglich ist, werde ich schon so leben, wie man soll. Und jene tief in Gift getauchte Böswilligkeit soll mich nicht von dem Trefflichsten abschrecken; selbst jenes Gift, womit ihr andere bespritzt, euch selbst aber tötet, soll mich nicht hindern, ein Leben zu preisen, nicht wie ich es führe, sondern wie ich weiß, daß es geführt werden müsse, noch der Tugend nachzugehen, wenn auch in gewaltigem Abstande, wenn auch nur wankend. Soll ich denn etwa erwarten, daß der Böswilligkeit irgend etwas unantastbar sei, der weder ein Rutilius noch ein Cato heilig war? Warum sollte nicht Leuten, denen selbst der Zyniker Demetrius nicht arm genug ist, jemand allzu reich vorkommen? Der äußerst strenge Mann, der gegen jedes Bedürfnis der Natur kämpfte, der ärmer war als alle übrigen Zyniker, der, wenn jene sich etwas zu besitzen versagten, es sich sogar zu wünschen verbot, der, sagen sie, sei nicht arm genug gewesen. Siehst du wohl? Er ist nicht nur ein Lehrer der Tugend, sondern auch der Armut.

19. Man sagt, Diodorus, ein epikurischer Philosoph, der seinem Leben mit eigener Hand ein Ende machte, habe nicht nach Epikurs Grundsätzen gehandelt, als er sich die Kehle abschnitt. Die einen wollen seine Tat für Wahnsinn angesehen wissen, die andern für Unbesonnenheit. Er indessen hat glückselig und voll guten Gewissens, als er vom Leben schied, sich selbst ein Zeugnis ausgestellt und die Ruhe eines im Hafen vor Anker liegenden Lebens gepriesen, indem er — was ihr ungern hört, als müßtet ihr es auch so machen — sagte: Nun denn, ich habe gelebt und die Bahn des Geschickes vollendet. Ihr schwatzt über das Leben des einen und über

den Tod des andern und bellt den Namen großer, irgendwie
außerordentlicher Männer an, wie kleine Hunde, wenn ihnen
unbekannte Leute in den Weg kommen. Denn es kommt
euch zustatten, wenn niemand als gut erscheint, weil fremde
Tugend ein Vorwurf für eure Schlechtigkeit wäre. Neidisch
stellt ihr das Strahlende neben euern Schmutz und seht nicht
ein, mit welchem Nachteil für euch ihr solches tut. Denn
wenn die, welche der Tugend folgen, habsüchtig, wollüstig,
ehrgeizig sind, was seid dann ihr, denen sogar der Name der
Tugend verhaßt ist? Ihr behauptet, es leiste keiner das, was
er anpreise, und es lebe keiner nach seiner Rede. Was Wunder, da das, was sie in ihren Reden verherrlichen, so helden-
mütig, so ungeheuer, so über alle Stürme des Menschenlebens erhaben ist? Da sie sich doch von dem Kreuze los-
zumachen streben, in welches jeder von euch selbst seine
Nägel einschlägt?! Zum Tode geschleppt, hängt doch jeder
von ihnen nur an *einem* Pfahle. Diejenigen aber, die sich
selbst zur Strafe leben, sind an ebensovielen Kreuzen ausge-
spannt, als Leidenschaften an ihnen zerren; und wenn es
über andere hergeht, sind ihre bösen Zungen sehr gewandt.
Ich möchte glauben, sie würden das bleiben lassen, wenn
nicht manche noch vom Galgen herab die Zuschauer an-
spuckten.

20. Die Philosophen leben selbst nicht, wie sie lehren?
Viel leisten sie schon dadurch, daß sie es vortragen, daß sie
ein Ideal der Sittlichkeit aufstellen. Denn freilich, wenn sie
ganz dem gleich handelten, was sie sprechen, wer wäre dann
glückseliger als sie? Indessen hat man keinen Grund, treffliche Worte und Herzen voll guter Gedanken zu verachten.
Heilsame Studien sind lobenswert, wenn es auch am Voll-
bringen fehlt. Was Wunder, wenn die, welche sich an steile
Höhen gewagt haben, den Gipfel nicht erreichen! Wer
Großes versucht, ist bewundernswert, auch wenn er fällt.
Es ist ein edles Unternehmen, im Vertrauen auf die Natur,
nicht auf seine eigenen Kräfte, Hohes zu wagen, zu versuchen und im Geiste noch Größeres sich vorzunehmen, als

selbst von den mit einem gewaltigen Geiste Ausgerüsteten vollführt werden kann. »Ich will mit derselben Miene den Tod mir ankündigen hören, womit ich ihn bei anderen anschaue; ich will mich Mühsalen, wie groß sie auch sein mögen, unterziehen, und der Geist soll des Körpers Stütze sein; ich will Reichtümer, mag ich sie haben oder entbehren, gleichermaßen verachten, weder traurig, wenn sie wo anders aufgehäuft liegen, noch mutiger, wenn sie um mich her schimmern; es soll mich nicht rühren, mag das Glück kommen oder entweichen; ich will alle Ländereien als mir, die meinigen als allen gehörig betrachten; ich will in der Überzeugung leben, ich sei für andere geboren, und der Natur dafür danken; denn wie konnte sie besser für mich sorgen? Mich, den Einzigen, hat sie allen, mir, dem Einzigen, alle geschenkt. Alles, was ich besitze, will ich weder auf schmutzige Weise hüten, noch verschwenderisch verstreuen; ich will nichts zu besitzen glauben, denn als ein gütiges Geschenk; ich will meine Wohltaten weder nach Zahlen noch nach Summen schätzen und nach keinem andern Werte, als der Empfänger ihnen beilegt; nie soll mir das viel sein, was ein Würdiger empfängt; nichts will ich der Meinung, alles meiner Überzeugung wegen tun, und alles wie vor den Augen des Volkes tun, was ich nur mir bewußt tue. Die Stillung des Naturbedürfnisses soll für mich das Ziel des Essens und Trinkens sein, nicht das Anfüllen und Entleeren des Magens. Gefällig gegen Freunde, mild und nachgiebig gegen Feinde, will ich mich erbitten lassen, noch ehe ich gebeten werde; anständigen Bitten will ich entgegenkommen. Ich will mir bewußt sein, mein Vaterland sei die Welt und seine Vorsteher die Götter, die über mir und um mich her stehen als Richter über meine Taten und Worte. Und sobald entweder die Natur mein Leben zurückfordern oder mein Entschluß es hingeben wird, so werde ich mit dem Zeugnisse abtreten, daß ich ein gutes Gewissen, edles Bestreben geliebt habe und daß niemandes Freiheit durch mich beschränkt worden sei, am wenigsten meine eigene.«

21. Wer so zu handeln sich vornimmt, dazu entschlossen ist und den Versuch dazu macht, nimmt seinen Weg zu den Göttern, und wahrlich, wenn er auch nicht darauf bleibt, so »schlägt doch rühmliches Wagnis ihm fehl«. Ihr freilich, die ihr die Tugend und ihre Verehrer hasset, tut nichts Ungewöhnliches; kranke Augen scheuen die Sonne, und Tieren der Nacht ist das helle Tageslicht zuwider, sie werden stutzig bei seinen ersten Strahlen und suchen allenthalben ihre Schlupfwinkel auf und verkriechen sich lichtscheu in irgendeine Spalte. Seufzt und übt eure unselige Zunge im Schmähen der Guten; schnappt und beißt nach ihnen: ihr werdet viel eher eure Zähne abbrechen, als sie eindrücken.

»Warum«, sagt ihr, »nennt sich jener einen Jünger der Philosophie und lebt doch als ein Reicher? Warum verachtet er die Reichtümer und besitzt sie doch? Warum verachtet er das Leben und lebt doch? Warum die Gesundheit und pflegt sie doch aufs sorgfältigste und wünscht sich die allerbeste? Auch die Verbannung hält er für ein leeres Wort und sagt: Was ist es denn für ein Unglück, die Gegend zu wechseln? Und gleichwohl wird er, wo möglich, im Vaterland zum Greise! Zwischen längerer und kürzerer Zeit, meint er, sei kein Unterschied: und doch verlängert er, wenn ihn nichts hindert, seine Lebenszeit und sieht sich noch in hohem Alter mit Vergnügen frisch.« Ja, er erklärt, man müsse jene Dinge verachten, nicht damit man sie überhaupt nicht besitze, sondern damit man sie nicht mit Angst besitze; er scheucht sie nicht von sich hinweg, aber wenn sie ihn verlassen, sieht er ihnen sorglos nach. Reichtum zum Beispiel — wo soll ihn das Glück sicherer niederlegen als da, wo es ihn ohne Klage des Zurückgebenden wieder abholen kann? Als Marcus Cato den Curius und Coruncanius und jenes Zeitalter pries, wo der Besitz von einigen Silberblechlein ein vom Zensor zu ahndendes Verbrechen war, besaß er selbst vierzig Millionen Sesterzien, ohne Zweifel weniger als Crassus, aber mehr als Cato Censorius; wenn man sie aber vergleicht, so übertraf er seinen Urgroßvater um eine viel größere Summe des Vermögens, als er vom Crassus übertroffen wurde. Und wenn

ihm noch größere Schätze zugefallen wären, er würde sie
nicht verachtet haben; denn der Weise achtet sich keinerlei
Gaben des Zufalls unwert. Er liebt die Reichtümer nicht,
aber er zieht sie der Armut vor; er nimmt sie nicht in seine
Seele, wohl aber in sein Haus auf, und er verschmäht sie
nicht, wenn er sie besitzt, sondern hält sie zusammen, und
es ist ihm lieb, daß seiner Tugend größere Mittel zu Gebote
stehen.

22. Kann aber ein Zweifel sein, daß ein Weiser im Reichtum größere Mittel besitzt, seine Gesinnung zu entfalten,
als in der Armut? da ja bei dieser nur die eine Seite der
Tugend sich äußern kann, sich nicht beugen und niederdrücken zu lassen, im Reichtum aber die Mäßigung, die
Freigebigkeit, die Wirtschaftlichkeit, die gute Einteilung und
die Großherzigkeit sich ein weites Feld eröffnet sieht. Der
Weise wird sich nicht verachten, wenn er auch von der
kleinsten Statur ist: aber es wird ihm doch lieb sein, wenn
er hohen Wuchses ist; auch schwächlichen Körpers und nach
Verlust eines Auges wird er sich wohlbefinden, lieber wird
er aber Körperstärke zu besitzen wünschen, jedoch so, daß
er weiß, es gebe in ihm noch etwas Stärkeres. Kränklichkeit
wird er ertragen, aber Gesundheit wünschen. Obgleich
manches für das Wesentliche der Sache nur von geringer
Bedeutung ist und ohne Vernichtung des Hauptgutes hinweggenommen werden kann, so trägt es, vorhanden, doch
etwas zu einer beständigen und aus der Tugend entspringen-
den Freudigkeit bei. Reichtum stimmt und erheitert den
Weisen so wie den Schiffenden günstiger Fahrwind, wie ein
schöner Tag und ein sonniger Ort in Winterszeit und Frost.
Wer von den Weisen ferner (ich spreche von den Unsrigen,
denen die Tugend für das einzige Gut gilt) leugnet, daß auch
das, was wir gleichgültige Dinge nennen, einen gewissen
Wert in sich hat und daß eins wichtiger ist als das andere?
Einige davon werden sehr, andere weniger geschätzt. Damit
du also nicht irrest: Reichtum gehört zu den wichtigeren
Dingen. »Warum also«, sagst du, »verlachst du mich, da er

bei dir denselben Rang einnimmt wie bei mir?« Willst du
erfahren, wie er bei mir so gar nicht denselben Rang einnimmt? Mir wird der Reichtum, auch wenn er schwindet,
nichts entführen als sich selbst; du aber wirst erstarrt sein
und dir vorkommen, als seist du ohne dich selbst zurückgeblieben, wenn er von dir gewichen ist. Bei mir nimmt der
Reichtum allerdings einen gewissen Rang ein, bei dir aber
den höchsten und bedeutendsten; ich bin im Besitz des Reichtums, dich aber hat der Reichtum im Besitz.

23. Höre also auf, den Philosophen den Besitz des Geldes
zu verbieten; noch niemand hat die Weisheit zur Armut
verdammt. Ein Philosoph mag reiche Schätze besitzen, aber
sie sind keinem anderen entzogen, nicht mit fremdem Blute
befleckt, ohne Frevel gegen irgendeinen und ohne schmutzige
Geschäfte erworben; ihre Verausgabung ist ebenso ehrenhaft
wie ihr Zufluß, niemand seufzt über sie, denn ein Übelwol-
lender. Häufe sie, so hoch du willst: sie sind ehrenhaft; und
wenn auch vieles dabei ist, was ein jeder sein nennen möchte,
so findet sich doch nichts darunter, was jemand sein Eigentum nennen könnte. Er wird allerdings die Freigebigkeit des
Schicksals nicht von sich weisen und eines ehrlich erworbe-
nen Vermögens sich weder rühmen noch schämen. Und doch
wird er auch einen Grund haben, sich desselben zu rühmen,
wenn er bei offenem Hause und vor der ganzen Stadt sagen
kann. »Was einer als das Seine erkennt, das mag er nehmen.«
O des großen und auf die edelste Art reichen Mannes, wenn
er nach diesem Aufruf noch ebensoviel besitzt; ich meine so:
wenn er ruhig und ohne Bedenken dem Volke das Durchsuchen seiner Habe gestatten könnte, wenn niemand etwas
bei ihm gefunden hat, woran er Hand legen konnte, dann
mag er kecklich und vor aller Welt ein Reicher sein. Der
Weise wird keinen Groschen über seine Schwelle kommen
lassen, der auf unrechte Weise einginge; er wird aber ebenso
auch große Schätze als ein Geschenk des Glücks und als eine
Frucht seiner Tugend nicht verschmähen, noch ihnen den
Zutritt versagen. Denn warum sollte er ihnen nicht einen

Platz gönnen, wo sie so gut aufgehoben sind? Mögen sie kommen, mögen sie als Gäste einkehren. Er wird weder mit ihnen prunken noch sie verstecken. Das eine verriete eine alberne, das andere eine ängstliche und kleinliche Seele, als hielte sie ein großes Gut im Schoße. Er wird sie auch, wie ich schon sagte, nicht zum Hause hinauswerfen. Denn was sollte er dabei sagen? Etwa: »Ihr seid unnütz«, oder: »Ich verstehe es nicht, den Reichtum zu gebrauchen?« So wie er, auch wenn er einen Weg zu Fuß machen kann, doch lieber einen Wagen besteigen wird; so wird er, wenn er reich werden kann, allerdings Schätze wünschen und besitzen, aber als eine unbeständige und leicht wieder entfliehende Sache, und nicht zulassen, daß sie einem andern oder ihm selbst drückend werden. Wieso? Er wird Schenkungen machen — was spitzt ihr die Ohren, was öffnet ihr die Taschen? — Er wird Schenkungen machen entweder an Gute oder an solche, die er gut machen kann. Er wird Schenkungen machen, indem er mit größter Überlegung die Würdigsten auswählt, weil er sich erinnert, daß man sowohl von dem Ausgegebenen als dem Eingenommenen Rechenschaft geben muß. Er wird Schenkungen machen aus rechten und löblichen Beweggründen; denn wo es auf schändliche Weise weggeworfen wird, ist ein Geschenk übel angebracht. Er wird offene, aber nicht durchlöcherte Taschen haben, aus denen vieles herausgeht, aber nichts herausfällt.

24. Man irrt, wenn man glaubt, daß Schenken eine leichte Sache sei. Es hat recht viel Schwierigkeiten, wenn man mit Überlegung geben und nicht nach Zufall und Laune verschleudern will. Um den einen mache ich mich verdient, dem andern gebe ich nur; dem einen springe ich bei und erbarme mich seiner; den andern beschenke ich, weil er es verdient, daß ihn die Armut nicht herabwürdigt und im Drucke hält. Manchen werde ich nichts geben, auch wenn es ihnen fehlt; weil es ihnen, auch wenn ich gegeben hätte, bald wieder fehlen würde; manchen dagegen werde ich es anbieten, manchen sogar aufdrängen. Ich kann hierin nicht

nachlässig verfahren: niemals leihe ich mehr aus, als wenn ich schenke. »Wie?«, sagst du, »du schenkst, um es wieder zu verlangen?« Nein, um es nicht verloren zu geben. Mein Geschenk sei da niedergelegt, von wo es nicht zurückgefordert zu werden braucht, aber zurückgegeben werden kann. Eine Wohltat muß so angebracht werden wie ein tief vergrabener Schatz, den man nicht ausgräbt, es müßte denn notwendig sein. Das Haus des reichen Mannes selbst — wieviel Gelegenheit hat es, wohlzutun! Denn wer beschränkt die Freigebigkeit bloß auf römische Bürger? Allen Menschen zu nützen, befiehlt die Natur; ob es Sklaven oder Freie sind, Freigeborene oder Freigelassene, von gesetztlich erworbener oder geschenkter Freiheit, welchen Unterschied macht das? Wo immer ein Mensch sich findet, da hat eine Wohltat ihre Stelle. Er kann daher sein Geld auch innerhalb seiner Schwelle verschenken und Freigebigkeit üben, die ihren Namen nicht davon hat, weil man Freien gibt, sondern weil sie aus einer freien Seele entspringt. Sie wird von dem Weisen nie Ehrlosen und Unwürdigen an den Hals geworfen, noch wird sie so erschöpft, daß sie nicht, sobald sie einen Würdigen findet, gleichsam aus dem Vollen strömen könnte. Ihr dürft also nicht falsch verstehen, was die Jünger der Weisheit so edel, mutig und beherzt sagen; und merket vor allem darauf: etwas anderes ist einer, der sich der Weisheit befleißigt, etwas anderes einer, der sie schon erreicht hat. Jener wird dir sagen: ich spreche sehr schön, aber ich bin noch in viel Schlechtem befangen; du darfst nicht verlangen, daß ich nach meiner Regel lebe; ich arbeite eben noch an mir und bilde und erhebe mich nach einem hohen Vorbilde: bin ich erst so weit fortgeschritten, als ich mir vorgesetzt habe, dann verlange, daß meine Handlungen meinen Reden entsprechen. Wer aber das höchste der menschlichen Güter bereits erreicht hat, wird anders mit dir verhandeln und sagen: Zuerst hast du gar kein Recht, dir ein Urteil über Bessere zu erlauben; mir aber ist es bereits geglückt, den Schlechten zu mißfallen, was ein Beweis des Rechten ist. Doch, um dir Rechenschaft zu geben, was ich keinem Sterblichen ver-

weigere, so höre, was du von mir zu erwarten hast und wie
hoch ich die Dinge in der Welt anschlage. Ich leugne, daß
Reichtum ein Gut sei; denn wäre er es, so würde er die
Menschen gut machen. Weil nun aber das kein Gut genannt
werden kann, was sich bei Schlechten findet, so versage ich
ihm diesen Namen. Übrigens gestehe ich, daß man ihn wohl
besitzen darf, daß er nützlich ist und dem Leben viele Vorteile bringt.

25. Wie nun weiter? Vernehmt jetzt, warum ich ihn nicht
unter die Güter rechne und was ich anderes damit ausrichte,
als ihr, weil wir nun einmal beide darin übereinstimmen, daß
man ihn besitzen dürfe. Stelle mich in das reichste Haus,
stelle mich dahin, wo Gold und Silber in gewöhnlichem Gebrauche ist; ich werde mir auf jene Dinge nichts einbilden,
die, wenn sie auch bei mir, doch außerhalb meiner sind.
Versetze mich auf die Pfahlbrücke und stoße mich unter die
Bettler: ich werde darum nicht weniger von mir halten, wenn
ich unter denen sitze, die ihre Hand nach einem Almosen
ausstrecken. Denn was liegt daran, ob mir der Bissen Brot
fehlt, da ich die Freiheit habe, zu sterben, wenn ich will?
Wie also steht es? Jenes glänzende Haus ist mir lieber als
die Brücke. Stelle mich zwischen glänzenden Hausrat und
üppigen Prunk: ich werde mich um nichts glücklicher dünken, weil ich eine reiche Hülle trage und meinen Gästen
Purpurteppiche unterbreiten kann. Ich werde aber auch um
nichts elender sein, wenn mein müder Nacken auf einem
Heubündel ruht, wenn ich auf einem Polster, wie man's im
Zirkus hat, liege, wo durch die Nähte der alten Leinwand
das Flockwerk herausdringt. Wie also? Ich will lieber in
verbrämtem Kleide und Mantel zeigen, welche Gesinnung
ich habe, als mit nackten oder nur halbbedeckten Schultern.
Möge mir auch jeder Tag nach Wunsch verfließen, mögen
sich neue Freudenfeste an die früheren reihen: ich werde
deshalb nicht wohlgefällig auf mich blicken. Laß sich diese
Gunst der Verhältnisse ins Gegenteil verwandeln, möge von
allen Seiten her mein Gemüt von Verlusten, Trauerfällen,

mancherlei Angriffen erschüttert werden, möge keine Stunde
ohne irgendeine Klage sein: ich werde mich unter dem
größten Elend doch nicht elend nennen, deshalb keinen Tag
verwünschen; denn es ist dafür gesorgt von meiner Seite,
daß mir kein Tag ein unglückseliger sei. Wie also steht es?
Ich will mich lieber in der Freude mäßigen, als den Schmerz
unterdrücken. So wird auch der berühmte Sokrates zu dir
sagen: »Mache mich zum Besieger aller Nationen; jener
prachtvolle Wagen des Bacchus trag mich im Triumphe vom
Aufgang der Sonne bis nach Thebä; Könige mögen mich um
das Recht der Penaten bitten: dann gerade will ich am meisten bedenken, daß ich ein Mensch bin, wenn man mich überall als einen Gott begrüßt.« Mit dieser schwindelnden Höhe
stelle auf einmal eine jähe Wandlung zusammen: ich soll
von fremder Sänfte aus den Triumphzug eines übermütigen
und rohen Siegers verherrlichen: vor dem Wagen eines
andern hergetrieben, werde ich nicht niedriger sein, als da
ich auf dem meinigen stand. Dennoch will ich lieber Sieger
als Gefangener sein. Das ganze Reich des Glücks laß mich
verachten, und doch werde ich, wenn mir die Wahl gelassen
wird, das Bessere daraus erwählen. Alles, was mir zukom-
men mag, wird gut sein; und doch wünsche ich lieber, daß
mir Leichteres und Angenehmeres begegne und was dem,
der damit zu tun hat, weniger zu schaffen macht. Denn du
darfst nicht glauben, daß irgendeine Tugend ohne Anstrengung sei; aber einige Tugenden bedürfen der Sporen, andere
des Zügels. Wie der Körper an einem jähen Abhang zurückgehalten, einer schroffen Anhöhe gegenüber angetrieben
werden muß; so stehen einige Tugenden über einem jähen
Abhange, andere unten an einer Anhöhe. Ist es nun wohl
zweifelhaft, daß Geduld, Seelenstärke, Beharrlichkeit, und
welche Tugenden sonst noch sich den Widerwärtigkeiten
entgegenzustellen und das Schicksal zu überwinden haben,
emporstreben, sich dagegen stemmen und ankämpfen sollen?
Wie? Ist es nicht ebenso offenbar, daß Freigebigkeit, Mäßigung und Sanftmut eine abschüssige Bahn gehen? Bei diesen

nehmen wir das Gemüt zusammen, damit es nicht vorwärts-
stürze, bei jenen ermuntern und spornen wir es. Bei der
Armut müssen wir also jene entschlossensten Tugenden anwenden, die standhaft zu kämpfen verstehen, beim Reichtum dagegen jene vorsichtigeren, die mit leisem Schritt auf-
treten und das eigene Gewicht hemmen.

26. Da nun einmal diese Teilung besteht, so will ich lieber
von denjenigen Tugenden Gebrauch machen, die sich ruhiger
üben lassen, als von denen, welche Blut und Schweiß kosten,
wenn man sich darin versucht. So lebe ich also, sagt der
Weise, nicht anders, als ich rede, aber ihr versteht es anders.
Nur der Klang der Worte dringt zu euern Ohren; was sie
aber bedeuten, danach fragt ihr nicht. »Was für ein Unterschied ist also zwischen mir, dem Toren, und dir, dem Weisen, wenn wir beide zu besitzen wünschen?« Ein gar großer.
Bei dem Weisen nämlich steht der Reichtum in Dienstbar-
keit, bei dem Toren übt er die Herrschaft. Der Weise gestattet dem Reichtum nichts, euch gestatten die Reichtümer
alles. Ihr gewöhnt und hängt euch daran, als ob euch jemand den ewigen Besitz derselben versprochen hätte; der
Weise denkt gerade dann am meisten über die Armut nach,
wenn er mitten im Reichtum sitzt. Nie traut ein Feldherr so
dem Frieden, daß er sich nicht auf den Krieg gefaßt mache,
der, wenn er auch noch nicht geführt wird, doch immer erklärt ist. Euch nimmt ein schönes Haus gefangen, als ob es
nicht verbrennen oder einstürzen könnte, euch Schätze, als
ob sie über alle Gefahr hinaus und größer wären, als daß
das Geschick Macht genug hätte, sie zu verzehren. Sorglos
spielt ihr mit eurem Reichtum und trefft keine Vorkehrungen
gegen die ihm drohenden Gefahren, so wie Barbaren, wenn
sie eingeschlossen und ohne Kenntnis der Kriegsmaschinen
sind, der Arbeit der Belagerer meist lässig zuschauen und
nicht begreifen, worauf jene, die in der Ferne aufgestellt
werden, abzielen. Gerade so geht es euch; ihr träumet hin
in eurem Besitz und bedenkt nicht, wie viele Unfälle von

allen Seiten her drohen, welche im Augenblick kostbare
Beute davontragen können. Wer dem Weisen seinen Reichtum nimmt, wird ihm doch das Seinige alles lassen; denn er
lebt der Gegenwart, froh und unbekümmert um die Zukunft.
»Ich habe mich«, sagt Sokrates oder irgendein anderer, der
gegen menschliche Zufälle dieselbe Macht und Gewalt hat,
»von nichts mehr überzeugt, als daß ich meinen Lebensweg
nicht nach euern Meinungen bestimmen darf. Bringet von
überallher eure gewohnten Worte herbei: ich werde nicht
glauben, daß ihr schmähet, sondern gleich elenden Kindern
wimmert.« So wird der Mann sprechen, dem Weisheit zuteil
geworden ist, den sein von Gebrechen freies Gemüt auf
andere schelten heißt, nicht weil er sie haßt, sondern um
sie zum Schweigen zu bringen. Dazu wird er noch sagen:
»Eure Achtung kümmert mich nicht meinet-, sondern euretwegen, die Tugend hassen heißt sich selbst aufgeben. Ihr
tut mir kein Unrecht an, ebensowenig als den Göttern diejenigen, welche ihre Altäre umstürzen; allein euer böser
Vorsatz und euer böser Ratschluß wird auch da offenbar,
wo er nicht schaden konnte. Eure Faseleien ertrage ich ebenso
wie der allgütige und allmächtige Jupiter die Albernheiten
der Dichter, von denen der eine ihm Flügel andichtet, ein
anderer Hörner, der eine ihn als Ehebrecher und Nachtschwärmer aufführt, ein anderer als grausam gegen die Götter, wieder ein anderer als unbillig gegen die Menschen, der
eine als Verführer geraubter und obendrein mit ihm verwandter Freigeborenen, ein anderer als Vatermörder und Eroberer eines fremden, und zwar des väterlichen Reiches. Dadurch aber ist nichts anderes bewirkt worden, als daß den
Menschen die Scheu vor dem Sündigen benommen wurde,
wenn sie an solche Götter glaubten. Obgleich mich jenes
nicht verletzt, so ermahne ich euch doch um euretwillen;
achtet die Tugend, glaubt denen, die ihr lange nachgestrebt
haben und euch zurufen, daß sie nach etwas Großem streben,
das von Tag zu Tag größer erscheint, und ehrt die Tugend
selbst wie die Götter, und ihre Bekenner wie deren Priester;

und so oft dieses heiligen Namens Erwähnung geschieht,
sollt ihr ehrerbietig stillschweigen[1].

27. Und es ist viel nötiger, daß euch befohlen wird, still
und achtsam zuzuhören, so oft ein Ausspruch von jenem
Orakel getan wird. Wenn einer, die Klapper[2] schüttelnd,
nach Vorschrift Lügen vorträgt; wenn ein Meister im Ein-
schneiden in die Arme[3] mit erhobener Hand Arme und
Schultern von Blut triefen läßt; wenn einer, auf den Knien
rutschend, heult, und ein Greis, in Linnen gekleidet und
einen Lorbeerzweig nebst einer Leuchte am hellen Tage ein-
hertragend[4], ruft, es sei irgendeiner der Götter erzürnt: so
lauft ihr zusammen und horcht und versichert, einer des
andern Betörung nährend, der Mann sei sicherlich ein Gott-
begeisterter. Siehe, Sokrates ruft laut aus jenem Kerker, den
er durch seinen Eintritt reinigte und zu höheren Ehren
brachte als die Kurie: »Was ist das für Wahnsinn? Was
ist das für ein Wesen, Göttern und Menschen feindselig,
daß ihr die Tugend verunglimpft und am Heiligen durch
böswillige Reden frevelt? Wenn ihr es könnt, so preist die
Guten, wo nicht, so geht vorüber. Müßt ihr eure schändliche Frechheit durchaus auslassen, so gehet einer auf den
andern los; denn, wenn ihr gegen den Himmel raset, so
sage ich zwar nicht, daß ihr einen Frevel gegen das Heilige
begeht, wohl aber, daß ihr eure Mühe verschwendet. Ich gab
einst dem Aristophanes Stoff zu seinen Witzeleien; die ganze
Schar der Lustspieldichter hat ihre giftige Lauge über mich
ausgegossen. Doch meine Tugend ward gerade durch diese
Angriffe verherrlicht; denn es gereicht ihr zum Vorteil, her-

[1] »Favete linguis.« Es war dies die gewöhnliche Formel, womit die Priester
bei feierlichen Handlungen Stillschweigen geboten, damit niemand ein unheili-
ges Wort vorbrächte, welches den Zorn der Götter reizen und so der heiligen
Handlung schaden könnte.

[2] Sistrum, eine metallene Klapper, die beim Isiskultus der Ägypter gebraucht wurde. Überhaupt kommen hier mehrere Anspielungen auf fanatische
Religionskulte des Auslands vor.

[3] Eine Sitte fanatischer Priester der Bellona und Cybele in Phrygien.

[4] Der Lorbeer war bei den Ägyptern Symbol weissagender Begeisterung und
die Leuchte Symbol der Reinigung.

vorgezogen und geprüft zu werden, und niemand erkennt besser, wie groß sie ist, als wer ihre Kraft durch Angriffe auf sie zu fühlen bekam. Die Härte des Kiesels ist niemand besser bekannt als dem, der darauf schlägt. Ich bin gleich einem einsamen Felsen in seichtem Meere, den die Wogen von allen Seiten umtosen und den sie doch nicht von der Stelle rücken oder zerstören können. Springt auf mich los, macht einen Angriff: ich werde euch durch Ausharren besiegen. Alles, was auf Festes und Unüberwindliches einstürmt, übt seine Kraft zu eigenem Verderben. Nun denn, so sucht euch einen weichen und nachgebenden Stoff, worin eure Geschosse haften. Und ihr wollt die Gebrechen anderer aufspüren und über jemand zu Gericht sitzen? Warum, fragt ihr, wohnt dieser Philosoph so geräumig, warum speist dieser so köstlich? Selbst mit einer Menge von Geschwüren bedeckt, bemerkt ihr jedes Hitzbläschen an andern. Das ist gerade so, wie wenn einer, den verderbliche Krätze verzehrt, Muttermale oder Warzen an einem sonst tadellos schönen Körper verspottet. Macht es dem Plato zum Vorwurf, daß er Geld verlangt habe für seinen Unterricht, dem Aristoteles, daß er es genommen, dem Demokrit, daß er es geringgeschätzt, dem Epikur, daß er es vertan! Mir selbst werft meine Liebe zu Alcibiades und Phädrus vor! O wie wärt ihr doch in der Tat glücklich zu preisen, wenn es euch nur erst gelungen wäre, unsere Fehler nachzuahmen! Warum betrachtet ihr nicht lieber eure eigenen Gebrechen, die euch von allen Seiten stechen, einige von außen wütend, andere in den Eingeweiden selbst brennend? Freilich, ihr kennt euren Zustand zu wenig; aber es steht' mit den menschlichen Verhältnissen nicht so, daß ihr Zeit genug hättet, eure Zunge zur Schmähung derer in Bewegung zu setzen, hinter denen ihr weit zurück seid.«

28. Das seht ihr nicht ein und nehmt eine Miene an, die zu eurem Zustand gar nicht paßt, so wie viele ruhig im Zirkus oder im Theater sitzen, die schon eine Leiche oder ein Unfall zu Hause erwartet. Ich dagegen, von meiner Höhe herabschauend, sehe, welche Ungewitter euch entweder dro-

hen, nur etwas langsamer ihren Wolkenschleier zerreißen, oder schon näher an euch herangekommen sind, um euch und eure Habe hinwegzuraffen. Und wie? Treibt nicht auch jetzt — freilich wißt ihr selbst nicht, wie euch geschieht — ein Wirbelwind eure Seelen im Kreise herum und verwirrt sie, so daß ihr das Nämliche zugleich flieht und sucht und bald in die Höhe gehoben, bald in die Tiefe geschmettert werdet?

VON DER GEMÜTSRUHE

Serenus an Seneca

1. Wenn ich mich selbst aufmerksam durchforsche, lieber Seneca, so gewahre ich manche Fehler offen daliegend, so daß ich sie mit Händen greifen kann, manche aber verborgener und versteckt, wieder andere nicht anhaltend, sondern mit Unterbrechungen wiederkehrend; und diese möchte ich gerade die lästigsten nennen, herumschweifenden Feinden gleich, die nur gelegentlich anstürmen, so daß man weder gerüstet bleiben kann, wie im Kriege, noch sorglos, wie im Frieden. Besonders jedoch finde ich den Zustand an mir (warum sollte ich dir, als meinem Arzte, nicht die Wahrheit gestehen?), daß ich weder mit voller Sicherheit frei bin von dem, was ich fürchtete und haßte, noch auch wieder ihm unterworfen. Ich befinde mich in einem Zustande, der zwar nicht gerade der schlimmste, aber doch höchst kläglich und verdrießlich ist; ich bin weder krank, noch gesund.

Sage mir nicht, daß der Anfang aller Tugend unvollkommen sei, daß ihr erst mit der Zeit Dauer und Stärke komme. Ich weiß recht gut, daß auch das, was nach äußerem Glanze ringt, wie Amtswürden und rednerischer Ruhm und alles, was fremdem Urteile unterworfen ist, erst mit der Zeit erstarkt. Mag es nun bei einer Sache auf inneren Gehalt abgesehen sein oder nur auf äußeren Anstrich, so gehören Jahre dazu, bis es allmählich die Farbe der Dauer annimmt: allein ich fürchte, daß die Gewohnheit, die den Dingen Beständigkeit verleiht, jenen fehlerhaften Zustand bei mir tiefer wurzeln läßt. Ein langer Umgang flößt uns Liebe mit dem Bösen sowohl als mit dem Guten ein. Die eigentliche Beschaffenheit des zwischen beiden unschlüssigen Gemüts, das sich

weder dem Rechten, noch dem Verkehrten entschieden zu-
neigt, kann ich dir nicht sowohl auf einmal, als vielmehr nur
in einzelnen Teilen dartun. Ich will dir die Symptome angeben, du magst dann einen Namen für die Krankheit finden.

Mich erfüllt, ich gestehe es, eine große Liebe zur Sparsamkeit; mir behagt kein prunkhaftes Lager, kein aus dem
Putzschrank hervorgeholtes Kleid, mit schweren Gewichten
und tausend Pressen bearbeitet, sondern ein wohlfeiles Haus-
kleid, das weder mit Angst aufbewahrt, noch angelegt wird.
Mir behagt eine Mahlzeit, die weder eine zahlreiche Dienerschaft zubereitet, noch begafft, die nicht viele Tage vorher
bestellt ist und von den Händen vieler Diener serviert wird,
sondern leicht zu beschaffen und einfach ist, die nichts Ge-
suchtes und Kostbares hat, die man überall haben kann, die
weder der Kasse, noch dem Körper beschwerlich ist und nicht
da wieder zurückkommen wird, wo sie hineinging. Als
Diener gefällt mir ein ungeschmückter und einfacher Sklave,
dazu massives Silber, wie es mein Vater auf dem Lande
hatte, ohne den Namen irgendeines Künstlers, und ein Tisch,
nicht durch Verschiedenheit der Maser ausgezeichnet und
durch öfteren Wechsel seiner prachtliebenden Besitzer in der
Stadt bekannt, sondern zum Gebrauche hingestellt, ohne daß
er die Blicke eines Gastes durch Wohlgefallen fesselt oder
von Neid entflammt.

Wenn mir nun auch dies gut behagt, so blendet doch
meinen Geist eine glänzende Pagenschar, eine Dienerschaft,
sorgfältiger als bei einem Aufzuge gekleidet und mit Gold
geschmückt, und ein Schwarm glänzender Sklaven; dann
ein Haus, kostbar, wohin man nur tritt, mit in allen Ecken
ausgestreuten Reichtümern, selbst mit schimmerndem Pla-
fond, und ein Volkshaufe, der das hinschwindende Erbgut
überall umlagert und begleitet. Und dann die bis auf den
Grund durchsichtigen und die Gastmähler selbst umfluten-
den Wasserbäche, welche die Tafel umfluten[1] und die ihres
Schauplatzes würdigen Schmausereien. Wenn ich nun so aus

---

[1] Kanäle mit kristallhellem Wasser waren der Kühlung wegen selbst in die
Speisezimmer luxuriöser Römer geleitet.

dem alten Moder meines ärmlichen Lebens hervorkomme, da umströmt mich die Üppigkeit mit großem Glanze und umlärmt mich von allen Seiten. Da flimmert mir's denn ein wenig vor den Augen, und ich erhebe gegen sie leichter den Mut als den Blick. Daher ziehe ich mich zurück, nicht schlechter, aber verstimmt, und trage in meiner Armseligkeit meinen Kopf nicht mehr so hoch, es nagt im stillen an mir und es beschleicht mich ein Zweifel, ob nicht jenes doch besser sei; nichts davon ändert meine Gesinnung, alles aber regt mich auf. Ich finde es gut, den kräftigen Ermahnungen meiner Lehrer zu folgen und mich in Staatsgeschäfte zu stürzen; ich finde es gut, Ehrenstellen und Ehrenzeichen anzunehmen, nicht dem Purpur oder den Rutenbündeln zuliebe, sondern um meinen Freunden und Verwandten und allen meinen Mitbürgern, ja am Ende der ganzen Menschheit dienstfertiger und nützlicher zu sein. Dann wieder folge ich willig dem Zeno, dem Kleanthes, dem Chrysippus, von denen sich doch keiner den Staatsgeschäften widmete, obwohl sie andere dazu veranlaßten. Hat etwas mein Gemüt, das der Stöße ungewohnt ist, erschüttert, ist mir etwas zugestoßen, das entweder meiner unwürdig ist, wie das im menschlichen Leben oft vorkommt, oder mir nicht leicht genug gelingen will, oder erfordern wertlose Dinge zu viel Zeit, so wende ich mich zu meiner Muße zurück, und so wie das Vieh, auch wenn es ermüdet ist, mit schnelleren Schritten dem Stalle zueilt, so behagt es mir, mein Leben wieder in seine vier Wände einzuschließen. Dann soll mir niemand einen Tag rauben; denn niemand kann mir etwas geben, was solchen Aufwand wert wäre. Meine Seele vertiefe sich in sich selbst, baue sich selbst an, treibe nichts Fremdartiges, nichts, was vor den Richter gehört; willkommen sei nur die Ruhe, die von den Angelegenheiten des Ganzen und der Einzelnen nichts weiß.

Aber wenn dann wieder eine kräftigere Lektüre meinen Mut erhoben hat und edle Beispiele mir einen Sporn gegeben haben, da möchte ich sogleich auf das Forum rennen, dem einen meine Fürsprache, dem andern meine Dienste

widmen, die, wenn sie auch nichts nützen sollten, doch den
Versuch machen werden, zu nützen, oder den Übermut eines
durch sein Glück hoffärtig Gemachten auf öffentlichem Markte
in seine Schranken zurückweisen. Bei meinen Studien meine
ich, es sei wahrhaftig besser, die Gegenstände selbst ins
Auge zu fassen und ihretwegen zu sprechen, im übrigen
aber die Worte den Sachen selbst anheimzugeben, so daß
der unstudierte Vortrag ihnen folge, wohin sie führen. Wozu
ist es nötig, Reden auszuarbeiten, die Jahrhunderte durch-
dauern sollen? Willst du etwa dafür sorgen, daß die Nach-
kommen nicht von dir schweigen sollen? Du bist zum Sterben geboren: wenig Umstände macht eine stille Leiche. Daher
schreibe, um Zeit zu gewinnen, bloß für deinen Gebrauch,
nicht des Ruhmes wegen, in einfachem Stile; geringe Anstrengungen braucht, wer immer nur für einen Tag studiert.

Wenn sich dann aber die Seele durch großartige Gedanken
wieder erhoben hat, so ist sie auch ehrgeizig nach Worten,
und es drängt sie, wie in ihren Hoffnungen, so auch im Ausdruck einen höheren Schwung zu nehmen und eine der
Würde des Gegenstandes entsprechende Rede zu halten.
Dann lasse ich mich, die Regeln und die beengende Kritik
vergessend, zu höherem Fluge fortreißen und spreche nicht
mehr mit *meinem* Munde.

Um nicht das einzelne weiter zu verfolgen: in allen Verhältnissen hängt mir diese Schwäche eines sonst guten Willens an, und ich fürchte, ich möchte ihm allmählich ganz
untreu werden, oder, was noch ängstlicher ist, immer gleich
einem, der fallen will, in der Schwebe hangen, und es möchte
vielleicht noch Schlimmeres kommen, als ich selbst voraus-
sehe. Denn unsre eignen Verhältnisse blicken wir immer
sehr zärtlich an, und immer steht die Vorliebe einem richtigen Urteil im Wege. Ich glaube, viele hätten zur Weisheit
gelangen können, wenn sie nicht gemeint hätten, sie wären
schon zu ihr gelangt, wenn sie nicht manches sich verhehlt
hätten, über manches mit offnen Augen hinweggegangen
wären. Denn du darfst nicht glauben, daß wir mehr durch
fremde, als durch eigene Schmeichelei zugrunde gehen. Wer

wagt es, sich selbst die Wahrheit zu sagen? Wer schmeichelt nicht, unter eine Schar von Lobrednern und Schmeichlern gestellt, sich selbst am allermeisten? Daher bitte ich dich, wenn du ein Mittel hast, diesem meinem Schwanken Einhalt zu tun, mich für wert zu halten, dir meine Ruhe verdanken zu dürfen. Daß dieses Wogen des Gemüts nicht gefährlich sei und nichts Stürmisches mit sich bringe, weiß ich; um dir aber das, worüber ich klage, durch ein passendes Gleichnis auszudrücken: nicht von einem Sturme werde ich geplagt, sondern von der Seekrankheit. Sei nun dies Übel, wie es wolle, befreie mich von ihm, und komme dem zu Hilfe, der im Angesicht des Landes in Not schwebt.

Seneca an Serenus

2. Ich sinne wahrhaftig schon lange im stillen nach, lieber Serenus, womit ich deinen Gemütszustand vergleichen soll, und ich kann ihn mit keinem andern Beispiele in nähere Verwandtschaft bringen als mit dem von Menschen, die, von einer langen und schweren Krankheit befreit, noch mitunter von kleinen Fieberschauern und leichten Anfällen heimgesucht, und wenn sie auch noch diesen Überresten der Krankheit entflohen sind, doch noch von den Besorgnissen beunruhigt werden und, schon genesen, doch noch von den Ärzten ihren Puls fühlen lassen und jede Wärme ihres Körpers verdächtig finden. Bei diesen, mein Serenus, ist nicht etwa der Körper noch nicht völlig gesund, sondern er ist an die Gesundheit noch zu wenig gewöhnt, wie auch ein Meer oder ein See, wenn er sich nach einem Sturme wieder beruhigt hat, immer noch in zitternder Bewegung ist. Du brauchst daher nicht jene stärkeren Mittel, die ich auch übergehen will, daß du dir bisweilen selbst entgegentrittst, zuweilen über dich selbst in Zorn gerätst, zuweilen dir hart zusetzt, sondern nur, was freilich erst zuletzt kommt, daß du dir selbst vertraust und auf rechtem Wege zu wandeln glaubst, nicht davon abgelenkt durch die sich durchkreuzenden Fuß-

stapfen vieler anderer, die bald hier-, bald dorthin laufen,
und wieder anderer, die um den Weg selbst herumirren. Was
du aber wünschest, ist freilich etwas Großes, Erhabenes und
Götterähnliches: nicht erschüttert zu werden. Diesen stetigen
Gemütszustand nennen die Griechen Euthymia, Wohlgemut-
heit, worüber ein herrliches Buch des Demokritus vorhanden
ist; ich nenne ihn *Gemütsruhe*; denn es ist nicht nötig, die
griechischen Worte nachzubilden und wörtlich zu übersetzen;
die Sache selbst, um die es sich handelt, ist durch irgendeinen
Ausdruck zu bezeichnen, der bloß die Bedeutung, nicht die
Gestalt der griechischen Benennung zu haben braucht.

Wir fragen also, wie das Gemüt sich immer gleichbleiben
und seinen ungestörten Gang gehen, mit sich selbst zufrieden
sein und seinen Zustand mit Vergnügen betrachten könne,
und dabei diese Freude nicht unterbreche, sondern in ruhi-
gem Zustande verbleibe, weder auf- noch abwoge. Das ist
die Gemütsruhe. Wie man zu ihr gelangen könne, laß uns
nun jetzt im allgemeinen erforschen; nimm dir von dem allgemeinen Mittel, so viel dir beliebt. Indessen muß das ganze
Übel ans Licht gezogen werden; daraus wird ein jeder seinen
Teil erkennen. Zugleich wirst du einsehen, wieviel weniger
Not dir dein Mißfallen an dir selbst macht als denen, die,
an einen glänzenden Posten gebunden und unter der Last
eines großen Namens seufzend, mehr aus Ehrgefühl als aus
Neigung in ihrer Verstellung beharren. Alle sind in derselben Lage, sowohl die, welche ihr Leichtsinn und der Überdruß und beständiger Wankelmut plagt, und denen immer
das besser gefällt, was sie aufgegeben haben, als auch die,
welche träg und schläfrig sind. Dazu füge noch die, welche
sich nicht anders als Leute, die schwer in Schlaf kommen
können, herumwälzen und sich bald so, bald wieder anders
zurecht legen, bis sie endlich vor lauter Müdigkeit zur Ruhe
kommen. Dadurch, daß sie die Verhältnisse ihres Lebens von
Zeit zu Zeit verändern, bleiben sie zuletzt in solchen, in
welchen sie nicht ein Überdruß des Wechsels, sondern nur
das zu Neuerungen träge Alter festhält. Nimm auch noch
diejenigen hinzu, die nicht aus Charakterstärke, sondern aus

Trägheit minder leichtsinnig sind. Sie leben nicht, wie sie eigentlich wollen, sondern wie sie nun einmal angefangen haben. Dabei gibt es noch unzählige Eigentümlichkeiten, aber nur *eine* Wirkung des Fehlers: Unzufriedenheit mit sich selbst. Diese entspringt aus Mangel an Selbstbeherrschung und aus ängstlichen oder nicht recht befriedigenden Begierden, wo sie entweder nicht wagen, was sie wünschen, oder es nicht erreichen und sich ganz der Hoffnung hingeben, und stets unbeständig und wankelmütig sind, was notwendig denen begegnen muß, die ihren Wünschen nachhängen. Ihr langes Leben lang sind sie in der Schwebe, sie lehren sich selbst unehrbare und schwierige Dinge und zwingen sich dazu; und wo die Mühe ohne Lohn ist, da peinigt sie die fruchtlose Entehrung, und sie trauern nicht über das Schlechte selbst, sondern darüber, es vergebens gewollt zu haben. Dann ergreift sie auch Reue über das schon Begonnene und Ängstlichkeit, etwas Neues zu beginnen, und es beschleicht sie jenes Schwanken der Seele, die keinen Ausweg findet, weil sie ihren Begierden weder zu gebieten, noch nachzugeben die Kraft hat, und jenes Zaudern eines sich nicht entfaltenden Lebens, und die Stumpfheit eines unter vereitelten Wünschen erstarrenden Gemüts. Das alles wird noch ärger, wenn sie aus Verdruß über Mißgeschick bei ihrer Tätigkeit ihre Zuflucht zu einem müßigen Leben nehmen und zu einsamen Studien, worein sich ihr zu öffentlichen Geschäften angeregtes, tatenlustiges und von Natur unruhiges Gemüt nicht finden kann, da es nämlich in sich selbst zu wenig Trostmittel hat; wenn daher der Reiz entschwunden ist, den die Geschäfte und das Hin- und Herlaufen gewähren, so kann er das Haus und die Einsamkeit in seinen vier Wänden nicht ertragen, und mit Widerwillen blickt er auf sich, wenn er sich selbst überlassen ist. Daher jener Überdruß und jenes Mißfallen an sich selbst, daher das Schwanken einer nirgends zur Ruhe kommenden Seele, die mit ihrer freien Zeit nichts Rechtes anzufangen weiß; ja wenn sie sich die Gründe ihrer Verstimmung zu gestehen schämt und auch das Ehrgefühl ihr Inneres foltert, so würgen sich ihre in einen engen Raum

ohne Ausgang eingeschlossenen Leidenschaften einander
selbst ab. Daher dann das Abhärmen und Hinwelken und die
tausend Wogen eines unentschlossenen Gemüts, welches
noch unerfüllte Hoffnungen in Spannung, Niedergeschlagen-
heit und Traurigkeit erhalten; daher jene Leute ihre Muße
verwünschen und sich beklagen, daß sie nichts zu tun haben;
daher ihr Neid, wenn andere emporkommen. Denn das heil-
lose Nichtstun nährt die Scheelsucht, und man wünscht, daß
alle gestürzt werden, weil man sich selbst nicht vorwärts
bringen konnte; und aus dieser Abneigung gegen die Fortschritte anderer und der Verzweiflung an seinen eigenen
zürnt dann das Gemüt auf sein Schicksal, klagt über den
Weltlauf, zieht sich in die Verborgenheit zurück und brütet
über seine eigene Bestrafung, unzufrieden und mißlaunig
über sich selbst. Denn von Natur ist die menschliche Seele
rührig und zur Tätigkeit geneigt; willkommen ist ihr jede
Gelegenheit, sich anzuregen und von sich selbst abzuziehen,
noch willkommener aber immer den unbedeutendsten Köp-
fen, die sich gern in Vielgeschäftigkeit aufreiben. Wie gewisse Geschwüre die Berührung und das Kratzen gern haben
und wie der häßlichen Krätze alles Vergnügen macht, was sie
reizt: nicht anders, möchte ich behaupten, gereicht solchen
Seelen, in welchen die Leidenschaft wie böse Geschwüre zum
Ausbruch gekommen sind, Anstrengung und Beunruhigung
zum Vergnügen. Denn es gibt Dinge, die auch unserem Körper eine Art von schmerzlichem Genuß bereiten, z. B. sich
umzuwenden auf die noch nicht ermüdete Seite und sich bald
diese, bald jene Stellung zu geben. Wie Achilles bei Homer,
der, bald vor-, bald rückwärts gebeugt, sich selbst in verschiedene Lagen bringt, wie es den Kranken eigen ist, daß
sie nichts lange zu ertragen vermögen und Veränderungen
als Heilmittel betrachten. Daher werden unstete Reisen
unternommen und Meeresküsten durchwandert, und der
Wankelmut, stets dem Gegenwärtigen abhold, versucht sich
bald zur See, bald zu Lande. Jetzt nach Campanien! — bald
ist die liebliche Gegend zum Ekel geworden. Unkultivierte
Länder wollen wir besehen: die bruttischen und lucanischen

Waldgebirge wollen wir durchstreifen; etwas Angenehmes wird doch in jenen Wüsteneien zu finden sein, woran die verwöhnten Augen von dem Anblick so schauerlicher Gegenden sich erholen können. Tarent laß uns aufsuchen und seinen gepriesenen Hafen, zum Winteraufenthalt unter milderem Himmel, eine Gegend, die selbst für ihre alte Bevölkerung reich genug ist [1]. Jetzt wieder nach Rom! schon zu lange hörten unsre Ohren nichts von seinem Beifallklatschen und Gelärme; auch möchte man sich wieder einmal an Menschenblut ergötzen. So unternimmt man eine Reise nach der andern, und Schauspiele wechseln mit Schauspielen, wie Lukretius sagt: Also flieht vor sich selbst beständig ein jeder. Aber was hilft es, wenn er sich nicht *entfliehen* kann? Er selbst folgt sich nach als der lästigste Begleiter. Nicht an den Orten liegt der Fehler, sondern in uns selbst. Wir sind zu kraftlos, um irgend etwas zu erdulden, und können weder Anstrengung noch Freudengenuß, weder Eigenes, noch Fremdes lange ertragen. Manche hat der Umstand in den Tod getrieben, daß sie bei öfterer Änderung ihrer Vorsätze wieder auf die gleichen zurückgerieten und keinen Raum für etwas Neues hatten. Da fing ihnen das Leben und die Welt an, selbst zum Ekel zu werden; und da kommt dann jener Gedanke rasender Genußsucht: »Wozu das ewige Einerlei?«

3. Du fragst, welches Heilmittel meiner Ansicht nach gegen solchen Lebensüberdruß anzuwenden sei? Das beste wäre, wie Athenodorus sagt, sich mit amtlichen Verrichtungen, Staatsverwaltung und bürgerlichen Dienstleistungen zu beschäftigen. Denn, wie manche in der Sonnenhitze und mit Übungen und Pflege des Körpers den Tag hinbringen und wie es für die Athleten das Allernützlichste ist, ihre Arme und ihre Kraft, der sie sich allein gewidmet haben, den größten Teil ihrer Zeit über zu stärken: ist es nicht so auch für uns, die wir unsern Geist auf den Kampf des bürgerlichen Lebens vorbereiten, das Allerbeste, in steter Tätigkeit zu sein? Denn hat einer einmal den Vorsatz gefaßt, sich

---

[1] Tarent hatte in früheren Zeiten eine weit größere Einwohnerzahl.

seinen Mitbürgern und der Menschheit überhaupt nützlich zu machen, so gewinnt er ja zugleich Übung und Fortschritt, wenn er sich mitten in das Geschäftsleben versetzt und öffentliche wie Privatgeschäfte nach besten Kräften verwaltet. Weil aber, sagt er weiter, bei dem so unsinnigen Ehrgeiz der Menschen, indem so viele Rabulisten das Rechte zum Schlimmsten verdrehen, die schlichte Einfalt nicht gar sicher ist und sich immer mehr Hinderndes als Förderndes findet, so muß man sich vom Markte und vom öffentlichen Leben zurückziehen; eine große Seele aber findet auch im Privatleben genug Gelegenheit, sich frei zu entwickeln, und bei Menschen, deren Tätigkeit zumeist in der Zurückgezogenheit sich äußert, ist es nicht wie bei den Löwen und wilden Tieren, deren Kraftdrang durch einen Käfig gehemmt wird. Sie muß sich jedoch nur so weit zurückhalten, daß sie, wo sich auch ihr stilles Wirken verborgen hat, sowohl den Einzelnen als dem Ganzen, durch Talent, Wort und Rat zu nützen entschlossen sei. Denn nicht bloß der ist dem Staate nützlich, der Amtsbewerber hervorzieht, Angeklagte in Schutz nimmt, und über Krieg und Frieden seine Stimme abgibt; wer die Jugend ermuntert, wer bei dem so großen Mangel guter Lehrer die Herzen in der Tugend unterweist, wer die dem Gelde und der Üppigkeit Nachrennenden ergreift, zurückzieht oder wenigstens aufhält: der wirkt auch als Privatmann für das Ganze. Oder leistet der, welcher unter Fremden und Bürgern oder als Stadtprätor den Parteien Recht spricht, mehr als derjenige, der lehrt, was Gerechtigkeit, was Frömmigkeit, was Geduld, was Charakterstärke, was Todesverachtung, was Göttererkenntnis, was für eine herrliche Sache ein gutes Gewissen sei? Wenn du also deine Zeit solchen Studien widmest, so wirst du ebensoviel nützen, als wenn du ein öffentliches Amt verwaltetest. Leistet ja doch auch nicht bloß derjenige Kriegsdienste, der in der Schlachtreihe steht und den rechten oder linken Flügel verteidigt, sondern auch der, welcher die Tore beschützt und auf einem, wenn auch minder gefährlichen, doch keineswegs unnötigen Posten steht und Wache hält und dem Zeughaus vorgesetzt ist:

lauter Dienstleistungen, die, wenn sie auch kein Blut kosten, dennoch bei den Jahren des Kriegsdienstes mit in Rechnung kommen. Ziehst du dich zu den Studien zurück, so wirst du jedem Überdruß am Leben entgehen und nicht aus Ekel am Tageslicht wünschen, daß es Nacht werde; du wirst weder dir selbst zur Last fallen, noch dich andern überflüssig machen; viele wirst du zur Freundschaft heranziehen und die Besten werden dir zuströmen. Denn nie bleibt die auch im Dunkel geübte Tugend verborgen, sie hat ihre Erkennungszeichen, und wer ihrer würdig ist, findet ihre Spuren. Freilich, wenn wir allen Umgang aufheben, dem Menschengeschlecht entsagen, und nur in uns selbst hineingekehrt leben, so wird dieser alles Strebens baren Einsamkeit die Gelegenheit zur Tätigkeit fehlen. Wir werden anfangen, hier ein Gebäude zu errichten, dort eins einzureißen, das Meer zurückdrängen und Wasser trotz aller Terrainschwierigkeiten herleiten und schlecht haushalten mit der Zeit, die uns die Natur gibt. Einmal geizen wir mit ihr, ein andermal verschwenden wir sie; teils wenden wir sie so an, daß wir Rechenschaft davon geben könnten, teils so, daß wir nichts davon übrig behalten, was am schlimmsten ist. Oft hat ein hochbejahrter Greis keinen andern Beweis, wodurch er zeigen kann, lange gelebt zu haben, als eben die Zahl seiner Jahre.

Mir, mein teuerster Serenus, scheint Athenodorus den Zeitverhältnissen zu viel nachgegeben und zu schnell sich zurückgezogen zu haben. Ich will nicht leugnen, daß man zuweilen zurückgehen müsse, aber nur allmählich, schrittweise, so daß man seine Fahnen und seine Kriegsehre rettet. Sicherer ist den Feinden gegenüber, wer mit den Waffen zum Unterhandeln kommt. So, glaube ich, muß die Tugend verfahren, und wer sich ihrer befleißigt. Wenn aber das Schicksal übermächtig ist und die Gelegenheit zum Handeln abschneidet, so darf man nicht sogleich den Rücken kehren und wehrlos entfliehen, einen Schlupfwinkel suchend, als ob es irgendeinen Ort gebe, wohin uns das Schicksal nicht verfolgen könne, sondern man muß sich nur spärlicher in Ge-

schäfte einlassen, und man wird schon bei gehöriger Auswahl etwas finden, worin man dem Staate nützen kann. Ist
einem nicht gestattet, Kriegsdienste zu tun, so sehe er sich
nach Ehrenstellen um. Muß einer als Privatmann leben, so
sei er ein Redner. Ist ihm Schweigen auferlegt, so helfe er
seinen Mitbürgern als stummer Anwalt. Erscheint ihm selbst
das Betreten des Forums gefährlich, so sei er in Häusern,
in Theatern, bei Gastmählern ein guter Kamerad, ein treuer
Freund, ein maßhaltender Tischgenosse. Hat er die Wirksamkeit des Bürgers verloren, so übe er die des Menschen.
Deshalb haben wir uns in großherziger Gesinnung nicht in
die Mauern einer einzigen Stadt eingeschlossen, sondern
uns zum Verkehr mit dem ganzen Erdkreis hinausbegeben
und die ganze Welt für unser Vaterland erklärt, um für die
Tugend einen weiteren Spielraum zu gewinnen. Ist dir die
Richtertribüne verschlossen, und wirst du von der Rednertribüne und den Volksversammlungen entfernt gehalten, so
schaue hinter dich, wie viele der Landstriche dir aufgetan
sind, wie zahlreiche Völkerschaften. Es wird dir niemals ein
so großer Teil von ihnen verbaut sein, daß dir nicht noch
ein größerer übrigbliebe. Doch siehe zu, daß dies nicht
ganz deine eigene Schuld sei. Du willst vielleicht den Staat
nicht anders verwalten, denn als Konsul oder als Prytane
oder als Ceryx oder als Sufes[1]. Wie? Ist das nicht gerade
so, wie wenn du nur als Feldherr oder Oberst Kriegsdienste
tun wolltest? Wenn auch andere das vorderste Glied ein-
nehmen, und dich das Los ins dritte Glied gestellt hat, so
diene da mit deinem Worte, deiner Aufmunterung, deinem
Beispiel, deinem Mute. Auch nachdem ihm die Hände abgehauen sind[2], findet einer noch Mittel, seiner Partei im
Treffen zu nützen. Etwas dergleichen tue auch du: wenn

---

[1] Lauter Namen der höchsten Staatsbeamten bei verschiedenen Völkern. Was
in Rom der Konsul, war bei den Athenern der Prytane, bei den Karthagern der
Sufes. Unter dem Ceryx versteht Seneca unstreitig das Oberhaupt solcher
Staaten, in denen der Oberpriester zugleich die höchste Magistratsperson war.
[2] Eine Anspielung auf den Athener Cynägyrus, der in der Schlacht bei
Marathon ein fliehendes feindliches Schiff erst mit beiden Händen und als diese
abgehauen worden waren, mit den Zähnen packte.

dich das Schicksal von der ersten Stelle im Staate entfernt
hält, so bleibe doch stehen und hilf durch dein Schreien;
und selbst wenn dir einer die Kehle zusammenpreßt, so
bleibe doch stehen und hilf durch dein Schweigen. Nie ist
der Dienst eines guten Bürgers ohne Nutzen; er nützt schon,
wenn man ihn nur hört oder sieht, durch seine Miene, seinen
Wink, durch schweigende Hartnäckigkeit, selbst durch seinen
Gang. So, wie manche Heilkräuter, die, ohne gekostet oder
berührt zu werden, durch den bloßen Geruch nützen: so ergießt die Tugend auch aus der Ferne und verborgen ihre
Segnungen, möge sie sich nun frei ergehen oder nur schüchtern sich zeigen dürfen, mag sie die Segel einzuziehen gezwungen sein, mag sie tatlos und stumm und in einen engen
Kreis eingeschlossen sein oder offenen Spielraum haben: in
jeder Lage schafft sie Nutzen. Wie? Glaubst du, daß das
Beispiel eines in edler Ruhe Lebenden wenig nütze? Daher
ist es das Allerbeste, Tätigkeit abwechseln zu lassen mit
Ruhe, so oft ein tätiges Leben durch zufällige Hindernisse
oder die Verhältnisse im Staate gehemmt wird. Denn nie ist
alles so ganz abgeschnitten, daß für keine edle Handlung
mehr Raum wäre. Kann man einen beklagenswerteren Staat
finden, als der der Athener war, da die dreißig Tyrannen
an ihm herumrissen? Dreizehnhundert Bürger, die Edelsten,
hatten sie ermordet und machten darum doch kein Ende,
sondern ihre Grausamkeit steigerte sich immer mehr. Und
in dem Staate, wo ein Areopag war, der ehrwürdigste Ge-
richtshof, wo ein Senat war und ein dem Senate ähnliches
Volk, da versammelte sich täglich jenes schreckliche Henker-
kollegium und die unglückselige Kurie war zu eng für die
Tyrannen. Konnte jener Staat in Ruhe bleiben, in dem es so
viele Tyrannen gab, als Trabanten vorhanden waren[1]? Auch
nicht einmal eine Hoffnung, die Freiheit wieder zu erlangen,
konnten die Gemüter hegen, und einer solchen Masse von
Elend gegenüber zeigte sich keine Aussicht zu irgendeiner
Abhilfe; denn woher sollten dem unglücklichen Staate so

---

[1] Die im Jahre 404 v. Chr. in Athen herrschenden 30 Tyrannen hielten
3000 Trabanten.

viele Harmodius [1] kommen? Sokrates jedoch lebte in seiner Mitte, tröstete die trauernden Väter, ermunterte die an der Republik Verzweifelnden, warf den für ihre Schätze fürchtenden Reichen die zu späte Reue über ihre gefährliche Habsucht vor und stellte allen, die ihm nachahmen wollten, ein herrliches Muster auf, indem er unter dreißig Herrschern als ein freier Mann einherschritt. Diesen hat jedoch Athen selbst im Kerker getötet, und die Freiheit konnte nicht die Freiheit des Mannes ertragen, welcher der ganzen Tyrannenschar getrotzt hatte. Hieraus magst du lernen, daß auch in einem bedrängten Staate ein weiser Mann Gelegenheit hat, sich auszuzeichnen, und daß in einem blühenden und glücklichen das Geld, der Neid und tausend andere Fehler auch ohne Waffen die Herrschaft führen. Je nachdem sich also der Staat gestaltet, je nachdem das Geschick es gestattet, darnach werden wir unsere Tätigkeit entweder ausdehnen oder beschränken, jedenfalls aber uns in Bewegung erhalten und nicht, von Furcht gefesselt, untätig sein. Der ist ein wahrer Mann, der, wenn ihn auch Gefahren rings umdrohen, wenn Waffen und Ketten um ihn her klirren, seine Tugend nicht scheitern läßt, noch sich verkriecht. Denn sich vergraben heißt nicht sich erhalten. Curius Dentatus, glaube ich, war es, welcher sagte, »er wolle lieber ein Toter sein, als wie ein Toter leben«. Das größte aller Übel ist, aus der Zahl der Lebenden zu scheiden, ehe man stirbt. Ist dein Leben in eine Periode des Staates gefallen, wo sich wenig für ihn tun läßt, so muß es deine Aufgabe sein, dich mehr der Muße und den Wissenschaften hinzugeben, gerade so, wie du bei einer gefahrvollen Schiffahrt zur rechten Zeit dem Hafen zusteuerst und nicht wartest, bis die Umstände dich loslassen, sondern dich selbst von ihnen losreißest.

4. Zuerst aber müssen wir den Blick auf uns selbst werfen, sodann auf die Geschäfte, die wir beginnen wollen, endlich

---

[1] Harmodius und Aristogiton hatten 110 Jahre früher im Jahre 514 den Hipparchus, den Sohn des Pisistratus, getötet und dadurch den Grund dazu gelegt, Athen von dieser Tyrannenherrschaft zu befreien.

auf die, für welche oder mit welchen wir zu wirken haben. Vor allem aber ist es nötig, sich selbst zu prüfen, weil wir gewöhnlich mehr zu können glauben, als wir wirklich können. Der eine fällt im Vertrauen auf seine Beredsamkeit; der andere mutet seinem Vermögen mehr zu, als es aushalten kann; ein dritter richtet seinen schwächlichen Körper durch übermäßige Anstrengungen zugrunde. Manche eignen sich nicht zu öffentlichen Geschäften, weil sie zu schüchtern sind; sie erfordern eine eiserne Stirn. Andere wieder passen nicht an den Hof wegen ihrer Unbeugsamkeit. Manche haben den Zorn nicht in ihrer Gewalt, und jeder Unwille reißt sie zu unbesonnenen Worten hin. Manche wissen ihren Witz nicht zu beherrschen und enthalten sich nicht gefährlicher Spöttereien. Für diese alle ist Ruhe nützlicher als ein Geschäftsleben. Eine heftige und ungeduldige Natur muß den Versuchungen einer Freiheit, die schädlich werden kann, aus dem Wege gehen.

5. Sodann muß man das prüfen, worauf man sich einläßt, und seine Kräfte mit den Gegenständen vergleichen, an die man sich wagen will. Denn immer muß der Bewegende mehr Kraft haben als die Last; Lasten, die größer sind als ihre Träger, müssen sie notwendig zu Boden drücken. Überdies sind manche Geschäfte nicht sowohl groß, als vielmehr folgenreich und machen sehr viel zu schaffen, und dergleichen muß man vermeiden, woraus eine neue und vielfache Beschäftigung entspringen wird. Auch muß man nichts anfangen, wovon der Rücktritt nicht freisteht; nur da muß man Hand anlegen, wo man das Ende entweder herbeiführen oder wenigstens hoffen kann. Was sich während der Arbeit weiter ausdehnt und nicht aufhören will, wo das Ende bestimmt war, das laß gehen.

6. Jedenfalls ist auch eine Auswahl der Personen zu treffen und zu fragen, ob sie es wert sind, daß wir ihnen einen Teil unseres Lebens opfern, ob ihnen der Verlust unserer Zeit auch wirklich zugute kommt. Denn manche bringen uns

unsere Dienstleistungen noch obendrein in Rechnung, als ob wir ihnen noch zu Dank verpflichtet wären, daß sie sich von uns Dienste erweisen lassen. Athenodorus sagt: er möge nicht einmal zu Tische gehen bei einem, der ihm dafür keinen Dank wisse. Du siehst, glaube ich, ein, daß er noch viel weniger zu solchen gegangen sein würde, die ihrem Tische gleichen Wert wie Freundesdiensten beilegen und die Gänge ihrer Mahlzeit als Geschenke anrechnen, als ob sie andere dadurch ehrten, daß sie Aufwand machten. Nimm ihnen Zeugen und Zuschauer, und ihre Küche wird ihnen kein Vergnügen mehr machen, wenn niemand davon weiß. Auch das ist zu erwägen, ob deine Natur fürs Geschäftsleben oder für ruhiges Studium und Nachdenken geeigneter ist, und dahin mußt du dich neigen, wohin dich die Kraft deines Talents führen wird. Isokrates führte den Ephorus mit Gewalt vom Forum hinweg, weil er glaubte, daß er zur Abfassung von Geschichtswerken tauglicher sei. Erzwungene Geistesarbeit ist wertlos; eine Arbeit, die dir nicht gemäß ist, hat keinen Wert.

7. Nichts jedoch erquickt den Geist so sehr wie treue und innige Freundschaft. Welch ein Glück ist es, wenn dir Herzen bereitet sind, in denen jedes Geheimnis sicher verborgen ist, deren Mitwisser du weniger zu fürchten hast als dein eigenes, deren Wort deinen Kummer lindert, deren Ausspruch dir Rat bringt, deren Heiterkeit deine Traurigkeit verscheucht, deren Anblick schon dich erfreut! Dazu nun wollen wir solche wählen, die, so viel nur irgend möglich, frei von Leidenschaften sind. Denn die Laster schleichen, springen auf den nächsten Besten über und schaden schon durch Berührung. Wie man daher bei der Pest dafür sorgen muß, daß man sich nicht zu Personen setzt, die schon von der Krankheit ergriffen sind, weil wir da Gefahr laufen und durch das bloße Anhauchen leiden können: so müssen wir uns auch bei der Wahl unserer Freunde Mühe geben, daß wir nur solche nehmen, die so wenig wie möglich mit Lastern behaftet sind. Gesundes mit Krankhaftem zu vermischen, ist

der Anfang der Krankheit; doch will ich dir damit nicht die Vorschrift geben, du solltest keinem nachgehen oder an dich ziehen, als einen Weisen; denn wo wirst du den finden, den wir schon so viele Jahrhunderte lang suchen? Der am wenigsten Schlimme muß für den Besten gelten. Du würdest kaum Gelegenheit zu einer glücklichen Wahl finden, wenn du unter lauter Platonen und Xenophonten und jenem Nachwuchs sokratischer Zucht die Guten aufsuchen dürftest, oder wenn dir Catos Zeitalter zu Gebote stünde, das sehr viele hervorbrachte, die wert waren, in Catos Jahrhundert geboren zu sein, aber ebenso auch viele Schlechtere, als zu irgendeiner andern Zeit lebten, und Urheber der größten Schandtaten. Denn beide Klassen von Leuten waren nötig, damit Cato verstanden werden konnte; er mußte ebensowohl treffliche Menschen haben, deren Beifall er sich erwerben konnte, als schlechte, an denen er seine Kraft zu erproben vermochte. Jetzt aber, bei einem solchen Mangel an Guten, wird wohl die Wahl etwas weniger bedenklich sein müssen. Besonders jedoch vermeide man Mürrische, die alles bejammern, denen jede Veranlassung zu Klagen willkommen ist. Mag ein solcher auch beständig sein in Treue und Wohlwollen, als ein stets beunruhigter und alles beseufzender Gefährte ist er doch ein Feind unserer Ruhe.

8. Laß uns nun zu den Vermögensverhältnissen übergehen, der reichsten Quelle menschlicher Mühsal. Denn, wenn du alles andere, wodurch wir geängstigt werden, Todesfälle, Krankheiten, Befürchtungen, Wünsche, Schmerzen und Mühen mit den Übeln vergleichst, die uns das Geld verursacht, so wird der letztere Teil den ersteren weit überwiegen. Daher muß man bedenken, wie viel geringer der Schmerz ist, nichts zu haben, als zu verlieren, und wir werden einsehen, daß bei der Armut um so weniger Verdruß ist, je weniger sie verlieren kann. Denn du bist im Irrtum, wenn du glaubst, daß die Reichen ihre Verluste mutiger ertrügen; den größten und den kleinsten Körpern macht eine Wunde gleichen Schmerz. Sehr fein sagt Bion: »es sei den Kahlköpfigen eben-

so unangenehm wie den Starkbehaarten, wenn ihnen Haare ausgerissen würden«. Dasselbe gilt von den Armen und Reichen: ihre Qual ist gleich; denn beiden ist ihr Geld ans Herz gewachsen und kann nicht ohne schmerzliche Empfindung davon losgerissen werden. Erträglicher jedoch und leichter ist es, wie ich schon sagte, etwas gar nicht bekommen, als es verlieren; daher wirst du diejenigen vergnügter sehen, die das Glück nie berücksichtigt hat, als die, welche es verlassen hat. Das hat Diogenes, ein Mann von außerordentlichem Geiste, eingesehen, und er hat dafür gesorgt, daß ihm nichts entrissen werden konnte. Nenne dies Armut, Mangel, Dürftigkeit, lege diesem sicheren Zustande jeden schmachvollen Namen bei, den du nur willst: ich werde erst dann glauben, er sei nicht glücklich, wenn du mir einen andern aufgefunden hast, dem nichts verlorengehen kann. Entweder ich irre, oder es ist königlich, unter Geizigen, Betrügern, Räubern und Dieben der einzige zu sein, dem nicht zu schaden ist. Wer am Glücke des Diogenes zweifelt, der kann auch an dem Zustande der unsterblichen Götter zweifeln, ob sie etwa nicht glücklich genug leben, weil sie keine Landgüter und Gärten, keine durch fremde Pflanzer kostspielige Ländereien, keine großen, auf dem Forum wuchernde Kapitalien besitzen. Schämst du dich nicht, wer du auch seist, der du Reichtümer anstaunst? Ei, so blicke doch in das Weltall; ohne Besitz wirst du die Götter sehen, die alles geben, nichts besitzen. Hältst du den für arm oder nicht vielmehr den unsterblichen Göttern ähnlich, der sich aller zufälligen Dinge entledigt? Nennst du den Pompejaner Demetrius deshalb glücklicher, weil er sich nicht schämte, reicher als Pompejus zu sein? Täglich wurde ihm die Zahl seiner Sklaven wie einem Feldherrn die seines Heeres gemeldet, während schon zwei Untersklaven[1] und ein etwas geräumigeres Bedientenzimmer Reichtum genug für ihn hätte sein sollen. Dem Diogenes aber entlief sein einziger Sklave, und er hielt es nicht der Mühe wert, ihn zurückzuholen, als

---

[1] Bei dem Herrn beliebte Sklaven hatten nicht selten wieder andere Sklaven zu ihrer Bedienung, und diese hießen vicarii.

man ihm denselben zeigte. »Es wäre ja eine Schande«, sagte er, »wenn Manes ohne den Diogenes leben könnte, Diogenes aber nicht ohne den Manes.« Es scheint mir, er habe sagen wollen: »Tue, was du willst, Schicksal; bei Diogenes hast du nichts mehr zu suchen. Es ist mir ein Sklave entlaufen? Nein, er ist als Freier davongegangen. Die Sklaven verlangen Kleidung und Unterhalt; so viele Magen der gefräßigsten Tiere wollen versorgt sein; man muß ihnen Kleider kaufen, ihre diebischen Hände bewachen und sie ihre Dienste unter Heulen und Verwünschungen verrichten sehen. Wie viel glücklicher ist der, der keinem irgend etwas zu verdanken hat, außer sich selbst, dem er es am leichtesten versagen kann!« Doch weil wir nun einmal solche Stärke nicht besitzen, so müssen wir wenigstens unser Vermögen beschränken, damit wir den Schlägen des Schicksals weniger ausgesetzt sind. Tauglicher zum Kriege sind Körper, die sich in ihre Rüstung schmiegen können als solche, die darüber hinausreichen und die ihre Größe von allen Seiten her den Wunden bloßstellt. Das beste Vermögensverhältnis ist das, welches weder bis zur Armut herabsinkt, noch weit von Armut entfernt ist.

9. Dieses Maß aber wird uns gefallen, wenn wir vorher schon an der Sparsamkeit Gefallen gefunden haben, ohne welche kein Reichtum genügt, noch groß genug ist, besonders da das Hilfsmittel in der Nähe ist, und die Armut sich in Reichtum verwandeln kann, wenn man die Mäßigkeit zu Hilfe ruft. Gewöhnen wir uns, allen Prunk von uns zu entfernen und die Dinge nach ihrem Nutzen, nicht nach ihrer Zierde zu schätzen. Sie Speise werde Herr über den Hunger, der Trank über den Durst, die Sinnenlust nehme ihren Lauf, soweit es nötig ist. Lernen wir unsere Glieder kräftig gebrauchen, Kleidung und Nahrungsmittel nicht nach den Beispielen der Mode einrichten, sondern wie es die Sitten der Vorfahren raten. Lernen wir die Enthaltsamkeit steigern, die Üppigkeit beschränken, den Gaumen beherrschen, den Jähzorn besänftigen, die Armut mit gleichgültigen Blicken be-

trachten, die Mäßigkeit ehren (auch wenn wir uns schämen, für die natürlichen Bedürfnisse wohlfeil erworbene Mittel zu verwenden), ungezügelte Hoffnungen und das in die Zukunft hinausstrebende Gemüt gleichsam in Fesseln halten und darauf denken, daß wir den Reichtum mehr von uns selbst als vom Glücke fordern. Nie kann die große Wandelbarkeit und Unbilligkeit des Schicksals in dem Grade abgewendet werden, daß nicht, wenn wir große Segel ausspannen, viele Stürme auf sie hereinbrechen sollten; man muß sich ins Enge ziehen, damit die Geschosse des Schicksals unwirksam vorbeifliegen. Daher sind Verbannung und Unglücksfälle bisweilen zu Heilmitteln ausgeschlagen und durch kleinere Widerwärtigkeiten größere beseitigt worden, wo die Seele auf Vorschriften nicht hörte und durch mildere Mittel sich nicht heilen ließ. Warum sollte es nicht rätlich sein, auch Armut, Schmach und Vernichtung des Wohlstandes als Mittel anzuwenden? Ein Übel muß das andere vertreiben. Gewöhnen wir uns also, daß wir unsere Mahlzeit ohne große Gesellschaft halten können, uns von wenigen Sklaven bedienen lassen, Kleider zu dem Zwecke anschaffen, zu dem sie erfunden sind, daß wir in einer engern Behausung wohnen können. Nicht nur beim Lauf und Wettrennen im Zirkus, sondern auch auf dieser Lebensbahn muß man einlenken können. Auch der Aufwand für wissenschaftliche Studien, der noch der edelste ist, hat nur so lange Berechtigung, als er vernünftiges Maß hält. Wozu unzählige Bücher und Bibliotheken, deren Besitzer sein ganzes Leben lang kaum die Titelverzeichnisse durchliest? Ihre Menge belästigt den Lernenden, statt ihn zu unterrichten, und viel besser ist es, wenn du dich wenigen Schriftstellern hingibst, als wenn du unter vielen herumirrst. Viermalhunderttausend Bücher verbrannten zu Alexandria. Ein anderer mag das loben als das schönste Denkmal königlichen Reichtums, wie z. B. Livius, welcher sagt, »es sei dies ein herrliches Werk des Geschmacks und der Fürsorge der Könige gewesen.« Das war kein Geschmack, keine Fürsorge, sondern wissenschaftliche Prachtliebe, ja, nicht einmal wissenschaftliche, da sie jene Bibliothek nicht der Wissenschaft zuliebe, sondern zur Schaustellung zusammengebracht hatten, so wie sehr viele, die nicht einmal so viel wissen wie manche Sklaven, die Bücher nicht als Hilfsmittel für Studien, sondern nur als Zierden ihrer Speisesäle betrachten. Man schaffe sich daher so viele Bücher an, als genug sind, aber keines des bloßen Prunkes wegen. Anständiger, sagst du, ist doch immer dieser Aufwand, als wenn sie das Geld für korinthische Gefäße und Gemälde verschwendet hätten. Was zu viel ist, ist immer vom Übel. Welchen Grund hast du, einem Menschen zu verzeihen, der nach Schränken von Zedernholz und Elfenbein angelt, der die Gesamtwerke unbekannter und verrufener Schriftsteller zusammensucht und mitten unter so vielen tausend Büchern gähnt, der seine Hauptfreude an den Rücken- und Titelschildern seiner Bücher hat? Du kannst gerade bei den geistlosesten Menschen alles finden, was von Reden und Geschichtwerken vorhanden ist, und bis an die Decke aufgetürmte Bücherschränke. Schon wird in Badezimmern und Prachtbädern eine Bibliothek als notwendige Zierde des Hauses glänzend hergerichtet. Ich würde das gelten lassen, wenn es aus übertriebener Liebe für die Wissenschaften entspränge: so aber werden jene auserlesenen und mit den Bildnissen ihrer Verfasser gezierten Werke der ehrwürdigsten Geister nur zum Schein und zum Schmuck der Wände angeschafft.

10. Setzen wir den Fall, du seist in irgendeine mißliche Lage des Lebens geraten, und es habe dir, ohne daß du es wußtest, das Schicksal entweder in öffentlichen oder in häuslichen Angelegenheiten eine Schlinge gelegt, die du weder lösen noch zerreißen kannst. Bedenke, daß Gefesselte ihre Last und die Hemmnisse ihrer Füße anfangs schwer ertragen, hernach aber, wenn sie sich vorgesetzt haben, darüber nicht entrüstet zu sein, sondern es zu dulden, so lehrt sie die Notwendigkeit, es mit Kraft, die Gewohnheit, es mit Leichtigkeit ertragen. Bei jeder Lebensweise wirst du Ergötzlichkeiten, Erholungen und Vergnügungen finden, wenn du anders dein

Leben nicht lieber für ein unglückliches halten, als beneidens-
wert machen willst. In keiner Hinsicht hat sich die Natur
um uns mehr verdient gemacht als dadurch, daß sie, wohl
wissend, zu welchen Drangsalen wir geboren werden, als
Linderungsmittel unserer Unfälle die Gewohnheit erfunden
hat, die uns schnell mit dem Schwersten vertraut macht.
Niemand würde aushalten, wenn die Fortdauer des Unglücks
dieselbe Kraft hätte wie der erste Schlag. Wir alle sind ans
Schicksal gefesselt: die Kette der einen ist von Gold und
weit, die der andern kurz und rostig. Aber was liegt daran?
Derselbe Gewahrsam umgibt alle, und angefesselt sind selbst
die, welche andere angefesselt haben; du müßtest denn etwa
die Kette an der Linken für leichter halten[1]. Den einen
fesseln Ehrenstellen, den andern Reichtümer; manche drückt
die vornehme Geburt, manche die Niedrigkeit; manchen
hängt fremde Herrschaft über dem Haupte, manchen die
eigene. Manche hält Verbannung, manche ein Priesteramt[2]
immer an demselben Orte. Das ganze Leben ist eine Knechtschaft. Deshalb muß man sich an seine Lage gewöhnen und
so wenig wie möglich darüber klagen, was sie aber angenehmes an sich hat, ergreifen. Nichts ist so bitter, daß ein
gelassenes Gemüt nicht einen Trost dabei fände. Kleine Be-
zirke haben oft durch die Kunst des Verteilens vielen Raum
gewährt, und geschickte Anordnung hat oft ein fußbreites
Stück Land bewohnbar gemacht. Rechne mit den Schwierigkeiten; auch das Harte läßt sich erweichen, das Enge erweitern, und das Schwere drückt einen, der es geschickt trägt,
weniger. Außerdem darf man die Begierden nicht ins Weite
hinausschweifen, sondern nur in die Nähe hinaustreten
lassen, weil sie sich nun einmal nicht ganz einschließen
lassen. Geben wir auf, was entweder gar nicht oder nur
schwierig ausgeführt werden kann, halten wir uns an das

---

[1] Bei den Römern waren der sicheren Bewachung wegen die Wachen mit
den Gefangenen zusammengekettet. Der Gefangene trug die Kette an der rechten, die Wache dieselbe an der linken Hand.

[2] Die Flamines oder Priester einer bestimmten Gottheit und eines bestimmten Tempels (z. B. des Jupiters, des Mars, des Quirinus) durften keine Nacht
außerhalb ihres Wohnorts zubringen.

Naheliegende und unsern Hoffnungen Entgegenkommende, und bedenken dabei, daß alles gleich unbedeutend ist, von außen zwar verschiedene Gestalten zeigt, von innen aber gleich nichtig ist. Auch wollen wir die Höherstehenden nicht beneiden: wo große Höhe ist, da ist auch jähe Tiefe. Jene dagegen, die ein ungünstiges Geschick auf einen bedenklichen Platz gestellt hat, werden sicherer sein, wenn sie den an sich stolzen Verhältnissen den Stolz benehmen und ihr Schicksal soviel wie möglich aufs Ebene herabheben. Viele zwar gibt es, die sich notgedrungen auf ihrem hohen Standpunkte halten müssen, von dem sie nicht anders als im Sturze herabkommen können: aber sie werden auch bezeugen, das eben sei ihre größte Last, daß sie andern lästig zu fallen gezwungen werden, und nicht in die Höhe gehoben, sondern in die Höhe gebannt sind. Durch Gerechtigkeit, durch menschenfreundliche Milde, durch wohlwollende Freigebigkeit mögen sie sich viele Hilfsmittel zu einem glücklichen Herabkommen bereiten, so daß sie in ihrer schwebenden Lage sorgloser sein können. Nichts jedoch wird uns in gleichem Grade vor diesen Wogen der Seele sicherstellen, als wenn wir ihrem Steigen immer ein gewisses Ziel setzen, und es nicht der Willkür des Schicksals überlassen, ihnen ein Ende zu machen; sondern sie sollen sich selbst mahnen, noch weit vor dem äußersten stehen zu bleiben. So werden auch manche Begierden den Geist schärfen; aber sie müssen eine Grenze haben und ihn nicht ins Maß- und Ziellose fortreißen.

11. Diese meine Worte sind an die noch Unvollkommnen, nur mittelmäßig Gebildeten und Geistesschwachen, nicht an den Weisen gerichtet. Dieser braucht nicht ängstlich und Schritt vor Schritt zu wandeln; denn er besitzt so viel Selbstvertrauen, daß er nicht Bedenken trägt, dem Schicksal entgegenzutreten, dem er nie das Feld räumen wird; und er braucht es nicht zu fürchten, weil er nicht bloß Sklaven, Besitztümer und Ehrenstellen, sondern auch seinen Körper, seine Augen und Hände und alles, was das Leben teurer

machen kann, und auch sich selbst unter die vom Zufall abhängigen Dinge rechnet und so lebt, als sei er sich selbst nur geliehen und müsse sich ohne Murren zurückgeben, wenn man ihn zurückfordert. Doch ist er deshalb in seinen Augen nicht wertlos, weil er weiß, daß er nicht sich selbst gehört; sondern er wird alles so sorgfältig und umsichtig tun, wie ein gewissenhafter und unsträflicher Mann das seiner Treue Anvertraute zu behüten pflegt. Jederzeit jedoch, wo der Befehl an ihn ergehen wird, sich zurückzugeben, wird er nicht gegen das Schicksal Klage erheben, sondern sprechen: »Ich danke für das, was ich in Besitz bekommen und gehabt habe. Zwar habe ich dein Besitztum um großen Pachtzins bebaut, doch, weil du es befiehlst, gebe ich es zurück und weiche dankbar und willig. Solltest du wollen, daß ich noch etwas von dir behalte, so will ich's auch jetzt noch bewahren; gefällt dir's anders, so gebe ich das verarbeitete und geprägte Silber, mein Haus und meine Dienerschaft zurück und setze dich wieder in ihren Besitz.« Spricht uns die Natur um das an, was sie uns zu allererst geliehen hat, so wollen wir auch zu ihr sprechen: »Nimm zurück den Geist, edler, als du ihn gegeben hast; ich suche keine Ausflüchte und fliehe nicht. Da hast du, willig, was du gabst, ohne daß ich's merkte; nimm es hin!« Zurückzukehren, woher man gekommen ist, was ist denn daran Schweres? Schlecht lebt, der nicht gut zu sterben weiß. Daher muß man vor allem dieser Sache ihren Wert entziehen und das Leben unter die Sklavendienste rechnen. »Wir nehmen es den Gladiatoren übel«, sagt Cicero, »wenn sie auf alle Art sich das Leben zu erhalten suchen; wir sind ihnen geneigt, wenn sie Verachtung desselben an den Tag legen.« Wisse, daß uns dasselbe begegnet; denn oft ist Todesfurcht gerade die Ursache des Todes. Dasselbe Schicksal, das sich mit uns ein Schauspiel bereitet, sagt zu dir: »Wozu soll ich dich aufsparen, du feiges und zitterndes Geschöpf? Um so mehr wirst du mit Wunden bedeckt und zerhauen werden, weil du deinen Nacken darzubieten unfähig bist. Du hingegen wirst nicht nur länger leben, sondern auch leichter sterben, der du das Schwert nicht mit zurückgezogenem Nacken, noch mit vorgehaltenen Händen, sondern mutvoll auffängst.« Wer den Tod fürchtet, wird nie etwas für den Lebenden tun: wer aber weiß, daß es ihm sogleich bei seinem Entstehen so bestimmt gewesen, der wird danach leben, und es mit derselben Geistesstärke dahin bringen, daß ihm nichts von dem, was sich ereignet, unerwartet kommt. Denn eben dadurch, daß er alles, was geschehen kann, schon im voraus so ansieht, als ob es in der Tat geschehen werde, wird er den Anfall eines jeden Übels schwächen. Was den Vorbereiteten und Erwartenden nichts Neues bringt, kommt den Sorglosen und nur an Glück Denkenden sehr ungelegen. Denn Krankheit, Gefangenschaft, Einsturz, Brand — nichts von allem kommt urplötzlich. Ich wußte es schon, in welche sturmbewegte Behausung die Natur mich eingeschlossen hatte; so oft schon hat sich in meiner Nähe ein Jammergeschrei erhoben, so oft schon ist die zu frühen Leichen vorangetragene Fackel und Wachskerze an meiner Schwelle vorübergeschritten; oft schon ertönte in der Nachbarschaft das Krachen eines einstürzenden Gebäudes; viele von denen, die das Forum, die Kurie, der Umgang mit mir verbunden hatte, hat die Nacht hinweggerafft, und oft schon hat der Tod die zum Freundesbund geschlungenen Hände auseinandergerissen. Darf ich mich wundern, daß zuweilen Gefahren an mich herantreten, die mich beständig umschwebt haben? Es gibt eine große Zahl von Menschen, die, im Begriff, zur See zu gehen, an den Sturm nicht denken. Bei einer guten Sache werde ich auch einen schlechten Gewährsmann nicht verschmähen. Publius, der bedeutender als manches tragische und komische Genie wirkt, so oft er seine possenhaften Albernheiten und auf die obersten Reihen im Theater berechneten Ausdrücke unterläßt, sagt unter anderem: »Jeden kann treffen, was einen trifft.« Wenn einer sich dies tief zu Herzen nimmt, wird er auch alle Unfälle anderer, von denen täglich eine ungeheure Menge vorkommt, so ansehen, als ob sie auch zu ihm freien Weg hätten: er wird sich viel eher waffnen, als er angegriffen wird. Zu spät wird der Geist zum Bestehen der Gefahr erst nach der Gefahr gerüstet. »Ich hätte nicht gedacht, daß dies geschehen werde.« Warum aber nicht? Wo ist der Reichtum, dem nicht Armut, Hunger und Bettelstab folgen könnte, wo ein Ehrenamt, dessen purpurverbrämtes Gewand und Augurstab und patrizische Ehrenkette nicht Entbehrung, Verbannung, Brandmarkung und tausenderlei Schandflecke und die äußerste Verachtung begleiten könnte? Wo ist ein Königsthron, für den nicht Umsturz, Zertrümmerung, ein Usurpator und Henker bereit stände? Und der Zwischenraum ist nicht groß, eine kurze Spanne Zeit liegt zwischen dem Throne und dem Knien vor einem andern. Erkenne also, daß jeder Zustand wandelbar ist, und daß alles, was irgendeinem zustößt, auch dir zustoßen kann. Du bist reich? Etwa reicher als Pompejus, dem Caligula, als ein eigenartiger Gastfreund, den Palast des Kaisers öffnete, um sein eignes Haus zu schließen, und ihm Brot und Wasser fehlen ließ? Er, dem so viele Flüsse gehört hatten, die auf seinem Grund und Boden entsprangen und mündeten, bettelte jetzt um ein paar Tropfen Wassers. An Hunger und Durst verschied er im Palaste seines Verwandten, während ihm der Erbe ein öffentliches Leichenbegängnis veranstaltete. Du hast die höchsten Ehrenämter verwaltet? Etwa so große oder so unverhoffte oder so ausgedehnte wie Sejanus? An dem Tage, wo ihm der Senat noch das Ehrengeleit gegeben hatte, riß ihn das Volk in Stücke. Von dem Mann, auf den Götter und Menschen alles gehäuft hatten, was nur zusammengebracht werden konnte, blieb nichts übrig, was der Henker hätte fortschleifen können. Du bist König? Ich will dich nicht auf Krösus verweisen, der auf Befehl den Scheiterhaufen bestieg und auch wieder auslöschen sah, um nicht nur sein Königreich, sondern auch seinen Tod zu überleben; nicht auf Jugurtha, der dem römischen Volke in demselben Jahre, wo es ihn noch gefürchtet hatte, ein Schauspiel wurde. Den afrikanischen König Ptolemäus, den armenischen Mithridates haben wir zwischen den Wachen des Gajus gesehen: der eine wurde in die Verbannung geschickt, der andere wünschte wohl, unter besserem

Schutze entlassen zu werden. Wenn du bei einem so großen Wechsel der auf- und abflutenden Ereignisse nicht alles, was geschehen kann, als einst wirklich geschehend annimmst, so gibst du dem Schicksal eine Gewalt über dich, die derjenige bricht, der das Zukünftige voraussieht. Das Nächste nun wird sein, daß wir uns mit nichts Überflüssigem oder nicht unnützer Weise abmühen, das heißt, daß wir nicht entweder nach etwas trachten, was wir nicht erlangen können, oder daß wir, wenn wir es erlangt haben, die Eitelkeit unserer heißen Wünsche zu spät nach vieler Scham erkennen; ich meine, daß unsere Mühe nicht umsonst oder der Erfolg nicht der Mühe wert sei. Denn, daraus folgt meist Betrübnis, wenn etwas nicht gelingt oder wenn man sich des Gelingens schämt.

12. Auch dem Hin- und Herrennen muß man Einhalt tun, welches einem großen Teile der Menschen eigen ist, die Häuser, Theater und Marktplätze durchschweifen. Sie bieten sich zu Geschäften für andere an und sehen aus wie Leute, die immer etwas tun wollen. Wenn du einen solchen beim Ausgehen aus dem Hause fragst: Wo willst du hin? Was hast du vor? so wird er dir antworten: »Wahrhaftig, ich weiß es selbst nicht; aber ich werde diesen oder jenen sehen, dieses oder jenes verrichten.« Ohne Zweck und Ziel schweifen sie umher, nach Geschäften suchend, und tun nichts, was sie sich vorgenommen, sondern auf was sie eben stoßen. Ihr Treiben könnte man nicht mit Unrecht eine rastlose Untätigkeit nennen; manche, die wie zu einer Feuersbrunst hinstürzen, könnte man wirklich bemitleiden, so rennen sie an die ihnen Begegnenden an und stürzen sich und andere zu Boden, während sie doch bloß dahin rennen, um einen zu begrüßen, der sie nicht wieder begrüßen wird, oder um die Leiche irgendeines unbekannten Menschen zu begleiten oder dem Gerichte eines viel Prozessierenden, der Verlobung einer sich oftmals Vermählenden beizuwohnen oder einer Sänfte zu folgen, die sie an manchen Stellen sogar selbst tragen. Dann in unnötiger Ermüdung nach Hause zurückkehrend, schwören sie, sie wüßten nicht, warum sie ausgegangen, wo

sie gewesen wären, und machen doch am folgenden Tage wieder dieselben Irrfahrten. Jede Arbeit muß irgendeinen Zweck, irgendeine Absicht haben. Nicht Tätigkeitstrieb, sondern falsche Vorstellungen von den Dingen sind es, die sie in Unruhe und Unverstand umhertreiben; denn auch sie regen sich nicht ohne Hoffnung auf irgendeinen Erfolg; aber es treibt sie nur ein Scheinbild irgendeiner Sache, dessen Nichtigkeit ihre befangene Seele sie nicht erkennen läßt. Auf gleiche Weise führen einen jeden, der nur ausgeht, um den Volkshaufen zu vergrößern, nichtige und geringfügige Ursachen in der Stadt umher, und ohne daß er etwas hat, worauf sich seine Mühe richtet, treibt ihn das anbrechende Morgenlicht aus dem Hause. Wenn er dann an vielen Türen vergebens geklopft und die anmeldenden Diener begrüßt hat, trifft er, von vielen abgewiesen, doch keinen von allen schwerer zu Hause als sich selbst. Mit diesem Übel hängt jener abscheuliche Fehler zusammen, das Horchen und Nachspüren nach öffentlichen und geheimen Vorgängen und das Wissen von vielen Dingen, die man weder ohne Gefahr erzählt, noch ohne Gefahr hört. Mit Rücksicht darauf, glaube ich, hat Demokrit also begonnen: »Wer ruhig leben will, der treibe sich nicht viel um, weder in Privat- noch in öffentlichen Angelegenheiten«, wobei er nämlich an unnötige Dinge denkt. Denn, wenn sie nötig sind, so muß man sowohl im Privatleben als im öffentlichen nicht bloß viele, sondern unzählige betreiben; wo aber keine heilige Pflicht uns ruft, da ist Einhalt geboten.

13. Denn wer vieles betreibt, räumt oft dem Schicksal Gewalt über sich ein; und doch ist es am sichersten, dasselbe nur selten auf die Probe zu stellen, übrigens aber stets daran zu denken und sich nichts von seiner Zuverlässigkeit zu versprechen. Ich werde zur See gehen, es müßte denn etwas vorfallen; ich werde Prätor werden, es müßte denn ein Hindernis eintreten; das Unternehmen wird mir wohl gelingen, es müßte denn etwas dazwischen kommen. Das nun eben ist es, weshalb wir behaupten, dem Weisen begegne nichts wider

Vermuten: wir nehmen ihn nicht von den Zufällen, wohl
aber von den Verirrungen der Menschen aus; und es geht
ihm nicht alles, wie er es wollte, aber wie er sich's dachte;
vor allem aber bedachte er, daß seinen Plänen etwas in den
Weg treten könne. Notwendig aber berührt der Schmerz über
einen vereitelten Wunsch das Gemüt minder hart, wenn man
sich seine Erfüllung nicht auf jeden Fall versprochen hat.

14. Wir müssen uns aber auch so nachgiebig machen, damit wir dem, was wir uns vorgenommen, nicht allzusehr
nachhängen; gehen wir leicht zu dem über, wozu das Geschick uns hinführt, und seien wir nicht in Furcht vor Veränderungen unserer Pläne oder unserer Lage, nur daß nicht
Wankelmut, der größte Feind unserer Ruhe, uns befalle.
Denn ist auf der einen Seite die Hartnäckigkeit eine ängstliche und traurige Sache, da ihr das Schicksal so oft etwas
abtrotzt, so ist auf der andern der Leichtsinn noch viel
drückender, da er nirgends einen festen Punkt hat. Beides ist
der Gemütsruhe hinderlich, sowohl nichts ändern als in
nichts sich fügen. Jedenfalls muß die Seele von allem Äußer-
lichen abgezogen werden und sich in sich selbst versenken;
sie vertraue sich selbst, finde ihre Freude an sich selbst,
beachte ihre eigenen Güter; sie ziehe sich, so viel möglich,
von allem Fremdartigen zurück, schließe sich an sich selbst
an, fühle nicht ihre Verluste und gebe auch dem Wider-
wärtigen eine milde Deutung. Als unserem Zeno ein Schiffbruch gemeldet wurde, und er vernahm, daß seine ganze
Habe im Meer verloren sei, sagte er: »Das Schicksal heißt
mich ungehinderter philosophieren.« Dem Philosophen Theo-
dorus drohte ein Tyrann den Tod, und zwar ohne Begräbnis.
»Hier hast du«, sprach er, »was dir so sehr gefällt. Diese
paar Tropfen Blut stehen dir zu Diensten. Und was das Begräbnis betrifft, oh, wie einfältig bist du, wenn du glaubst,
daß mir etwas daran liegt, ob ich über oder in der Erde ver-
wese.« Nachdem sich Canus Julius mit dem Gajus Caligula
lange herumgestritten, und dieser zu dem Weggehenden gesagt hatte: »Damit du dir nicht etwa mit einer falschen Hoff-

nung schmeichelst: ich habe schon Befehl gegeben, dich zum
Tode zu führen«, erwiderte jener: »Ich danke, gnädigster
Fürst.« Was er dabei dachte, ist mir zweifelhaft; denn viele
Deutungen bieten sich mir dar. Wollte er vielleicht den Fürsten beschimpfen und ihm zu verstehen geben, wie groß die
Grausamkeit seiner Regierung sei, unter welcher der Tod
eine Wohltat war? Oder war es ein Hieb auf den Unsinn des
Zeitalters? Denn auch diejenigen sagten Dank, deren Kinder
getötet und deren Güter weggenommen waren. Oder hat er
den Tod als eine Befreiung mit Freuden hingenommen? Was
es auch war, er hat eine hochherzige Antwort gegeben. Es
wird vielleicht einer sagen: Gajus konnte ja darauf befehlen,
daß er am Leben bleiben sollte. Das fürchtete Canus nicht:
die Festigkeit des Gajus in solchen Befehlen war bekannt.
Du glaubst es nicht, daß jener die zehn Tage bis zu seiner
Hinrichtung ohne allen Kummer hingebracht habe? Es ist
kaum für wahr zu halten, was jener Mann sagte, was er tat,
wie ruhig er war. Er spielte Schach[1], als der Hauptmann,
der die Schar der zum Tode Verurteilten fortschleppte, auch
ihm befahl sich aufzumachen. Auf diesen Ruf zählte er die
Figuren und sagte zu seinem Spielgenossen: »Daß du mir
ja nicht nach meinem Tode lügst, du habest gesiegt.« Dann
nickte er dem Hauptmann zu und sprach: »Du wirst bezeugen, daß ich um *eine* Figur voraus bin.« Du glaubst, Canus
habe auf jenem Brette ein Spiel getrieben? Spott trieb er.
Traurig waren die Freunde, daß sie einen solchen Mann verlieren sollten. »Warum seid ihr betrübt?« sprach er. »Ihr
forschet noch, ob die Seele unsterblich sei; ich werde es
gleich wissen.« Und selbst am Ende seines Lebens hörte er
nicht auf, nach Wahrheit zu forschen und aus seinem Tode
den Gegenstand einer Untersuchung zu machen. Es begleitete
ihn sein Philosoph, und schon war der Hügel nicht mehr
fern, auf welchem dem Kaiser, unserm Gott, sein tägliches
Opfer gebracht wurde. Jener sagte: »Was denkst du jetzt,

---

[1] Das Spiel mit latrunculis glich weit mehr unserem Schach- als unserem
Brettspiel. Daher ist auch im folgenden latrunculi nicht durch Steine, sondern
durch Figuren übersetzt, da sie nicht bloß zweierlei Farbe, sondern auch verschiedene Geltung und Bewegung hatten.

mein Canus? Oder wie ist dir zumute?« »Ich habe mir vorgenommen«, antwortete Canus, »in jenem schnellsten aller
Momente zu beobachten, ob die Seele merken wird, daß sie
ausscheidet«; und er versprach, wenn er darüber etwas erforscht habe, so wolle er bei seinen Freunden herumgehen
und ihnen Kunde bringen, wie der Zustand der Seele sei.
Siehe, welche Ruhe mitten im Sturme! Siehe, ein Geist, der
Unsterblichkeit würdig, der seinen Tod zur Feststellung der
Wahrheit benutzt, der, im Begriff, jenen letzten Schritt zu
tun, der scheidenden Seele Fragen vorlegt, und nicht nur bis
zum Tode, sondern auch aus dem Tode selbst noch etwas
lernt. Niemand hat länger philosophiert als er. Doch nicht
eilfertig wollen wir den großen und mit Bedacht so zu
nennenden Mann verlassen; wir wollen dich einem ewigen
Andenken übergeben, ruhmwürdiges Haupt du, des Gajus
größtes Opfer.

15. Doch es nützt nichts, bloß die Ursachen der Traurigkeit im Privatleben zu entfernen; denn es ergreift uns zuweilen ein Haß gegen das ganze menschliche Geschlecht. Es
bietet sich uns ein Schwarm so vieler vom Glück gekrönter
Schandtaten dar, während man bedenkt, wie selten die Ehr-
lichkeit ist und wie unbekannt die Unschuld, wie sich kaum
je die Treue zeigt, außer wo es nützt, dagegen aber die
gleich verhaßten Vorteile und Nachteile böser Lüste und der
Ehrgeiz, der sich bereits so gar nicht in seinen Schranken
hält, daß er durch Schändlichkeit glänzt. Da versinkt der
Geist in Nacht, und es bricht Finsternis herein, als ob die
Tugenden zugrunde gegangen wären, die man weder hoffen
darf, noch mit Vorteil besitzen kann. Wir müssen daher
unserm Gefühle eine solche Richtung geben, daß uns alle
Laster des großen Haufens nicht verhaßt, sondern lächerlich
erscheinen, und lieber dem Demokrit als dem Heraklit nachahmen. Denn dieser weinte, so oft er auf die Straße gegangen war, jener aber lachte; dem einen schien alles, was
wir tun, ein Jammer, dem andern eine Posse. So muß man
sich denn alles leichter machen und mit leichtem Sinne er-

tragen; es ziemt dem Menschen mehr, das Leben zu belachen, als es zu beweinen. Nimm noch hinzu, daß sich der
Lachende auch um das Menschengeschlecht mehr verdient
macht als der Trauernde. Jener läßt doch noch einige gute
Hoffnung übrig; dieser aber beweint törichterweise, was er
verbessern zu können verzweifelt; und einen größeren Geist
zeigt, wer bei Betrachtung des Ganzen lacht, als wer die
Tränen nicht halten kann; er läßt sich durch nichts aufregen
und hält nichts für groß, nichts für wichtig, ja, nicht einmal
für ernsthaft. Jeder stelle sich nur alles einzeln vor, weshalb
wir froh oder traurig sind, und er wird Bion recht geben,
wenn er sagt: »Das Leben des Menschen ist eine Komödie
und ein unausgeführt gebliebener Gedanke.« Es ist jedoch
besser, die Sitten der Menge und die Fehler der Menschen
mit Gelassenheit aufzunehmen und weder darüber zu lachen
noch zu weinen. Denn sich fremder Mängel wegen zu quälen,
ist ewiges Elend, sich an fremden Übeln zu ergötzen, ein des
Menschen unwürdiges Vergnügen, so wie es eine unnütze
Höflichkeit ist, zu weinen und ein betrübtes Gesicht zu
machen, weil einer seine Tochter begräbt. Auch bei deinen
eigenen Unfällen mußt du dich so benehmen, daß du dem
Schmerz nur so viel einräumst, als er wirklich verlangt, nicht
soviel die Gewohnheit fordert. Denn sehr viele vergießen
Tränen nur, um es sehen zu lassen, und haben so lange
trockene Augen, als ein Zuschauer fehlt, weil sie es für eine
Schande halten, nicht mit zu weinen, wenn alle es tun. So
tief ist der Übelstand eingewurzelt, sich nach anderer Meinungen zu richten, daß selbst die natürlichsten Gefühle, wie
der Schmerz, Sache der Verstellung werden.

Es gibt aber auch Fälle, die nicht ohne Grund traurig
machen und in Kummer versetzen, wenn nämlich das Gute
einen schlimmen Ausgang nimmt: wie wenn ein Sokrates im
Kerker sterben muß, ein Rutilius in der Verbannung leben,
ein Pompejus und Cicero ihren Schutzbefohlenen den Nacken
darbieten müssen, ein Cato, das lebendige Abbild aller Tugenden, sich ins Schwert stürzt mit dem Ausruf, daß es mit
ihm und der Republik zugleich aus sei. Das muß uns in der

Tat quälen, wenn das Schicksal so ungleiche Belohnungen
gewährt; und was soll nun ein jeder für sich hoffen, wenn
er sieht, daß die Besten das Schlimmste erleiden? Was also
ist zu tun? Betrachte, wie jeder von ihnen sein Geschick ertragen hat, und wenn sie standhaft waren, so sehne dich
nach einer Seele, wie die ihrige war; starben sie aber wei-
bisch und feig, so ist nichts an ihnen verloren. Entweder sind
sie wert, daß ihre Seelenstärke dich entzückt, oder unwert,
daß ihre Feigheit dir Sehnsucht erweckt. Denn was wäre
schimpflicher, als wenn uns die größten Männer durch ihr
unverzagtes Sterben mutlos machten? Beständig wollen wir
den preisen, der des Preisens wert ist, und sprechen: Je
standhafter, desto glücklicher! Du bist den Unfällen des
Menschenlebens entronnen, dem Neide, der Krankheit; du
bist aus dem Kerker entlassen; du schienst den Göttern nicht
eines schlimmen Loses wert zu sein, sondern nicht zu verdienen, daß das Schicksal dir noch etwas anhaben könnte.
An die aber, die sich ihm entziehen und sich sozusagen noch
im Tode nach dem Leben umschauen, muß es seine Hand
anlegen. Keinen will ich beweinen, der freudig, keinen, der
weinend stirbt; jener hat meine Tränen schon selbst getrocknet, dieser hat durch seine Tränen gemacht, daß er
keiner wert ist. Soll ich den Herkules beweinen, weil er sich
lebendig verbrennt, oder den Regulus, weil so viele Nägel
ihn durchbohren, oder den Cato wegen seiner Wunde? Sie
alle haben in einem kurzen Augenblick einen Weg gefunden,
verewigt zu werden, und sind durch ihren Tod zur Unsterblichkeit gelangt. —

Auch das ist keine geringe Quelle der Bekümmernis, wenn
du dich ängstlich zustutzest und dich niemanden in deinem
natürlichen Wesen zeigst, wie denn das Leben vieler ein ver-
stelltes und auf den Schein berechnetes ist. Denn es martert
das beständige Achthaben auf sich selbst, indem man fürchtet, anders angetroffen zu werden, als man sich gewöhnlich
zeigt; und nie werden wir die Sorge los, wenn wir eben so
oft beurteilt zu werden glauben, als man uns ansieht. Denn

einesteils tritt vieles ein, was uns wider unsern Willen in
unserer wahren Gestalt zeigt, andernteils ist, auch wenn eine
so große Aufmerksamkeit auf sich selbst gelingt, das Leben
solcher, die beständig eine Maske tragen, doch keineswegs
ein angenehmes, sorgenfreies. Jene reine und an sich selbst
schöne Natürlichkeit dagegen, die ihren Sitten keinen Mantel
umhängt, wie viel Vergnügen gewährt sie! Doch ein solches
Leben läuft Gefahr, in Verachtung zu kommen, wenn alles
allen offen daliegt: denn es gibt Leute, die einen Widerwillen
gegen alles haben, mit dem sie in nähere Berührung gekommen sind. Die Tugend jedoch läuft keine Gefahr, daß
sie, näher vor Augen gebracht, an Wert verliere, und es ist
besser, seiner Natürlichkeit wegen verachtet, als durch be-
beständige Verstellung gequält zu werden. Doch wollen wir
in dieser Sache maßhalten: es ist ein großer Unterschied,
ob man natürlich lebt oder nachlässig. Vielfältig muß man
sich auch hier in sich selbst zurückziehen; denn der Umgang
mit Unähnlichem bringt das Wohlgeordnete in Unordnung,
weckt die Leidenschaften wieder auf und bildet aus allem,
was in der Seele noch schwach und noch nicht vollkommen
heil ist, einen neuen Schaden. Doch muß man beides verbinden und damit abwechseln, Einsamkeit und Geselligkeit.
Jene wird in uns Sehnsucht nach Menschen, diese nach uns
selbst erwecken, und eins wird ein Heilmittel des andern
sein. Den Haß gegen das Weltgewühl wird die Einsamkeit
heilen, den Überdruß an der Einsamkeit das Weltgewühl.
Auch in derselben Anspannung darf man die Seele nicht stets
auf gleiche Weise halten, sondern sie auch zuweilen zum
Scherz abrufen. Sokrates schämte sich nicht, mit Knaben zu
spielen; Cato ließ seinen von Staatssorgen ermatteten Geist
sich beim Weine erholen, und Scipio bewegte seinen im
Triumphzug getragenen Heldenkörper nach dem Takte des
Tanzes, nicht weichlich sich biegend, wie jetzt die Sitte mancher Leute, die noch über die Weichlichkeit der Frauen hin-
ausgehen, selbst beim Gange ist, sondern wie jene Männer
des Altertums zu tanzen pflegten, die bei Spiel und Fest nach
Männerweise den Boden stampften und nichts verloren

haben würden, wenn sie dabei auch von ihren Feinden gesehen worden wären. Man muß dem Geiste Erholung gönnen;
ausgeruht, wird er sich kräftiger und frischer erheben. Wie
man fruchtbaren Äckern nicht Gewalt antun darf (denn ein
unausgesetztes Fruchttragen würde sie schnell erschöpfen),
so muß auch beständige Anstrengung den Schwung des Geistes brechen. Wenn er ein wenig freigelassen und entspannt
gewesen, wird er wieder neue Kraft gewinnen. Aus beständiger Anstrengung entsteht eine gewisse Abstumpfung und
Schlaffheit des Geistes: und wenn nicht Spiel und Scherz
ein gewisses natürliches Vergnügen enthielte, würde nicht
eine so heftige Begierde der Menschen darnach streben; obgleich freilich ihr häufiger Genuß der Seele allen Gehalt und
alle Kraft rauben würde. Auch der Schlaf ist zur Erholung
nötig, wenn man ihn aber Tag und Nacht ununterbrochen
fortsetzte, so wäre er Tod. Es ist ein großer Unterschied, ob
man mit etwas nachläßt oder es aufgibt. Die Gesetzgeber
haben Feiertage angeordnet, damit die Menschen von Staats
wegen zur Fröhlichkeit gezwungen würden, indem sie zwischen die Arbeiten gleichsam eine notwendige Erholung ein-
schoben. Auch große Männer haben sich jeden Monat an
gewissen Tagen Ferien gegeben; manche teilten jeden Tag
zwischen Muße und Geschäftssorgen. So erinnern wir uns
z. B. des Asinius Pollio, jenes großen Redners, den kein
Geschäft über die zehnte Stunde [1] zurückhielt; nicht einmal
Briefe las er mehr nach dieser Stunde, damit nicht etwa ein
neues Geschäft erwüchse; aber in diesen zwei Tagesstunden
legte er auch die Müdigkeit des ganzen Tages ab. Manche
machen um die Mittagszeit eine Pause und verschieben auf
die Nachmittagsstunden irgendeine leichtere Arbeit. Unsere
Vorfahren verboten, daß nach der zehnten Stunde noch ein
neuer Vortrag im Senate gehalten werden dürfe. Der Soldat
teilt seine Wachen ein, und für die von einer Unternehmung
Zurückkehrenden ist die Nacht dienstfrei. Man muß der

---

[1] D. h., die die Römer die Tagesstunden von Sonnenaufgang an zählten,
etwa die vierte Nachmittagsstunde, bei den Römern die gewöhnliche Zeit der
Hauptmahlzeit.

Seele etwas zuliebe tun und ihr bisweilen Muße geben, die ihr als Nahrung und Stärkung dienen soll. Auch auf Spaziergängen im Freien muß man umherschweifen, damit der Geist unter freiem Himmel und in der freien Luft sich stärke und erhebe. Zuweilen wird auch eine Spazierfahrt, eine Reise, Ortsveränderung, ein geselliges Mahl und ein anständiges Trinkgelage neue Regsamkeit geben; ja, mitunter darf es wohl gar bis zu einem Räuschchen kommen, nicht daß es uns ersäufe, aber doch untertauche. Denn das verscheucht die Sorgen, rüttelt die Seele von Grund in ihren Tiefen auf und ist wie gegen manche Krankheiten, so auch gegen die Traurigkeit ein Mittel. Und *Liber*, d. h. der Freie, ist der Erfinder des Weins genannt worden, nicht wegen Ungebundenheit der Zunge, sondern weil er die Seele von der Knechtschaft der Sorgen frei macht, sie aus der Sklaverei entläßt, sie belebt und zu allen Unternehmungen kühner macht. Doch wie in der Freiheit, so ist auch beim Weine Mäßigung heilsam. Man glaubt, daß auch Solon und Arcesilaus dem Weine ergeben waren. Dem Cato ist Trunkenheit vorgeworfen worden; mag ihm das vorwerfen, wer da will, er wird diesen Fehler dadurch eher zu Ehren, als den Cato in Schande bringen. Aber es darf auch nicht oft geschehen, damit nicht die Seele eine üble Gewohnheit annehme; zuweilen jedoch mag sie sich herausreißen zur Lustigkeit und Ungebundenheit und die mürrische Nüchternheit ein Weilchen entfernt werden. Denn, mögen wir nun einem griechischen Dichter glauben: »es ist zuzeiten süß, ein wenig toll zu sein« oder dem Plato: »vergebens klopft, wer ganz bei sich selbst ist, an die Pforte der Poesie« oder dem Aristoteles: »kein großes Genie war ohne eine Dosis Tollheit«, nur ein begeisterter Mensch kann etwas Großes und über das Gewöhnliche Erhabene aussprechen. Wenn er das Gemeine und Alltägliche verachtet und in heiliger Begeisterung sich höher schwingt, dann erst verkündet er Größeres als ein sterblicher Mund. Nichts Erhabenes und Hohes kann er erreichen, so lange er bei sich selbst ist; abweichen muß er vom Gewöhnlichen, sich aufwärts schwingen, in die Zügel knirschen und seinen Lenker mit sich reißen und ihn dahin führen, wohin zu steigen er für sich selbst wohl nicht gewagt hätte.

Da hast du denn, mein teuerster Serenus, was deine Gemütsruhe sichern, was sie wiederherstellen, was den sich einschleichenden Fehlern Widerstand leisten kann. Doch wisse, daß nichts von allem stark genug ist für die, welche ein schwaches Wesen beibehalten, wenn nicht gespannte und beständige Aufmerksamkeit um das leicht wankende Herz die Runde macht.

VON DER KÜRZE DES LEBENS

An Paullinus

1. Die Mehrzahl der Sterblichen klagt über die Ungunst der Natur, weil wir nur für eine kurze Lebensdauer geboren würden, weil die Frist der uns verliehenen Zeit so schnell, so reißend verlaufe, daß, sehr wenige ausgenommen, die meisten das Leben mitten unter den Zubereitungen für das Leben verlasse. Und über dieses allgemeine Übel, wofür man es hält, pflegt nicht nur der große Haufe und die unverständige Menge zu jammern; auch berühmten Männern hat dieser Zustand Klagen entlockt. So ruft der größte der Ärzte (Hippokrates) aus: »Das Leben ist kurz, die Kunst lang.« Und Aristoteles, mit der Natur hadernd, tut die einem Weisen sehr wenig angemessene Äußerung: die Natur habe die Tiere so sehr begünstigt, daß sie es bis zu fünf oder zehn Jahrhunderten brächten, dem Menschen aber, zu so Vielem und Großem geboren, sei ein so viel näheres Ziel gesteckt. Wir haben nicht zu wenig Zeit, aber wir verschwenden zu viel davon. Auch zur Vollbringung der größten Dinge ist das Leben lang genug, wenn es nur gut angewendet wird. Wenn es aber in Üppigkeit und Nachlässigkeit dahinfließt, ohne daß es zu irgend etwas Gutem verwendet wird, so merken wir erst, wenn die letzte Not drängt, daß es vorüber ist; während es dahinfloß, merkten wir es nicht. Ja, so ist es: wir haben das Leben nicht knapp empfangen, sondern verschwenderisch. So wie große und königliche Reichtümer, wenn sie an einen schlechten Herrn gekommen sind, im Augenblicke verschleudert werden, solche aber, die einem guten Haushalter übergeben sind, durch den Gebrauch sich vergrößern: so hat unser Leben für einen, der es haushälterisch verwendet, einen weiten Spielraum.

2. Was klagen wir über die Natur? Sie hat sich ja freigebig gezeigt; das Leben ist lang, wenn man es zu gebrauchen versteht. Den einen aber hält unersättliche Habsucht gefangen, einen andern geschäftige Emsigkeit in überflüssigen Arbeiten; der eine ersäuft im Weine, der andere erstarrt in Untätigkeit, der eine müht sich ab, ehrsüchtig und stets auf fremdes Urteil gespannt, den andern treibt in Hoffnung auf Gewinn fortreißende Handelsbegierde in allen Ländern, auf allen Meeren umher. Manche foltert die Lust am Kriegsdienste, indem sie stets entweder auf fremde Gefahr gespannt oder wegen eigener in Angst sind; andere verzehrt undankbarer Herrendienst in freiwilliger Sklaverei. Viele hält entweder das Streben nach dem Glücke anderer oder der Unmut über ihr eigenes Los befangen. Die meisten jagt, kein sicheres Ziel verfolgend, unstete, unbeständige, sich selbst mißfallende Unbeständigkeit von einem Plan zum andern. Einigen gefällt nichts, worauf sie ihre Lebensweise richten könnten; matt und gähnend werden sie vom Tode überfallen, so daß ich nicht zweifeln kann an dem, was bei dem größten der Dichter gleich einem Orakelspruch zu lesen ist: Wir leben nur des Lebens kleinsten Teil; denn freilich, unsere ganze übrige Dauer ist nicht Leben, sondern Zeit. Auf allen Seiten umringen uns drängende Laster und verstatten nicht, uns aufzuraffen und den Blick zur Erkenntnis des Wahren zu erheben, sondern halten ihn gesenkt und an Begierden gefesselt. Nie ist es solchen vergönnt, zu sich selbst zu kommen, wenn ihnen etwa einmal eine zufällige Ruhe zuteil ward; wie auf einem tiefen Meere, wo auch nach dem Sturme noch ein mächtiges Wogen sich zeigt, schwanken sie hin und her, und nie lassen ihnen ihre Begierden Ruhe. Du glaubst wohl, ich spreche von solchen, über deren schlimme Lage nur eine Stimme ist? O betrachte doch die, zu deren Glückseligkeit alles herbeiströmt: sie ersticken in ihrem Glücke. Wie vielen wird ihr Reichtum lästig! Wie viele macht ihre Beredsamkeit, die sie täglich bewundern lassen, brustkrank! Wie viele sehen übel aus infolge von ununterbrochenen wollüstigen Genüssen! Wie vielen läßt der sie umringende

Klientenschwarm keinen freien Augenblick? Kurz, gehe sie
alle durch, vom Niedrigsten bis zum Höchsten: der eine
sucht einen Anwalt, der andere ist es selbst; der eine ist in
Gefahr, der andere verteidigt ihn, ein Dritter spielt den
Richter. Keiner gehört sich selbst; einer reibt sich auf für
den andern. Frage nach jenen, deren Namen man auswendig
lernt: der eine lebt diesem, der andere jenem. Keiner gehört
sich selbst. Der Unwille mancher ist ganz widersinnig; sie
klagen über die Vornehmtuerei der Höhergestellten, weil sie
keine Zeit für sie hatten, wenn sie ihnen ihren Besuch
machen wollten. Kann es jemand wagen, der für sich selbst
nie Zeit hat, über den Stolz eines andern zu klagen? Jener,
wer er auch sei, hat doch wenigstens zuweilen, wenn auch
mit übermütiger Miene, nach dir hingeblickt und sein Ohr
zu deinen Worten herabgelassen; er hat dich an seine Seite
genommen; du aber hast dich noch nie für wert gehalten,
dich selbst anzuschauen, dich selbst anzuhören.

3. Du hast also keinen Grund, diese Dienste irgend jeman-
dem als etwas anzurechnen, weil du ja eigentlich nicht einem
andern angehören wolltest, sondern nur mit dir selbst nichts
anzufangen wußtest. Wenn auch alle großen Geister, die
jemals glänzten, sich zur Betrachtung dieses einzigen Um-
stands vereinigten, so würden sie sich doch niemals über
diese Verblendung des menschlichen Geistes genugsam verwundern können. Ihre Landgüter lassen sie von niemandem
in Besitz nehmen, und wenn nur der geringste Streit über
die Grenzen sich erhebt, so laufen sie nach Steinen und
Waffen; aber in ihr Leben lassen sie andere eingreifen, ja,
sie führen sogar selbst diejenigen herbei, welche es in Beschlag nehmen werden. Niemand findet sich, der sein Geld
verteilen möchte: sein Leben dagegen teilt ein jeder aus, und
an wie viele! Genau sind sie im Zusammenhalten ihres Vermögens; sobald es sich aber um die Zeit handelt, sind sie
die größten Verschwender mit dem, wobei allein der Geiz
eine Tugend ist. Laß uns also einen aus dem Haufen der
Bejahrteren herausnehmen: »Wir sehen«, sagen wir zu ihm,

»daß du auf die höchste Stufe menschlichen Alters gelangt
bist — hundert Jahre und mehr lasten auf dir —, wohlan,
stelle eine Berechnung deiner Jahre an! Sage, wieviel von
jener Zeit dir der Gläubiger, wieviel die Geliebte, wieviel der
König, wieviel der Klient entzogen haben, wieviel der Zank
mit deiner Frau, wieviel die Züchtigung deiner Sklaven,
wieviel das Umherlaufen in der Stadt. Nimm dazu die Krankheiten, die wir uns selbst geschaffen, und was ohne Benutzung brach liegengeblieben, und du wirst sehen, daß du
weniger Jahre hast, als du zählst. Rufe dir ins Gedächtnis
zurück, wann du fest in deinen Entschlüssen warst, wie
wenige Tage dir so verflossen sind, wie du beschlossen
hattest, wann du den Genuß deiner selbst hattest, wann
deine Miene ihre eigentlichen Züge hatte und dein Gemüt
unverzagt war, welche Werke du in einem so langen Lebensalter verrichtet hast, wieviele dein Leben geplündert haben,
ohne daß du merktest, was du verlorst, wieviel dir vergeb-
licher Kummer, törichte Freude, gierige Leidenschaft, zärt-
liche Unterhaltung gestohlen haben, wie wenig dir von
deinem Eigentume geblieben ist: und du wirst einsehen, daß
du vor erlangter Reife stirbst.«

4. Wie also steht die Sache? Ihr lebt, als würdet ihr immer
leben; niemals kommt euch in den Sinn, wie karg ihr bedacht seid; ihr verschwendet sie, als hättet ihr sie in Hülle
und Fülle, während vielleicht gerade der Tag, den ihr einem
Menschen oder einer Sache opfert, euer letzter ist. Ihr
fürchtet alles wie Sterbliche und begehrt alles wie Unsterb-
liche. Man kann die meisten sagen hören: »Vom fünfzigsten
Jahre an will ich mich in den Ruhestand zurückziehen« oder:
»das sechzigste Jahr soll mich von allen Geschäften los-
machen.« Und wen bekommst du denn zum Bürgen für ein
längeres Leben? Wer soll machen, daß es gerade so geht,
wie du es anordnest? Schämst du dich nicht, bloß den Rest
des Lebens für dich aufzusparen und für den edlen Geist
nur die Zeit zu bestimmen, die zu nichts mehr verwendet
werden kann? Wieviel zu spät ist es doch, dann erst zu
leben anzufangen, wenn man aufhören soll! Welch törichtes

Vergessen der Sterblichkeit ist es, vernünftige Vorsätze auf
das fünfzigste oder sechzigste Jahr hinauszuschieben und
das Leben erst da beginnen zu wollen, wohin es nur wenige
bringen! Du wirst wahrnehmen, wie sehr mächtige und hoch
gestiegene Männer zuweilen Äußerungen tun, in denen sie
die Muße wünschen, preisen, allen ihren Herrlichkeiten vorziehen. Sie wünschen so manchmal von ihrer Höhe, wenn es
sicher geschehen könnte, herabzusteigen. Denn, wenn auch
nichts von außen sie beunruhigt und erschüttert, in sich
selbst trägt das Glück seinen Sturz.

5. Der göttliche Augustus, dem die Götter mehr als irgendeinem gewährten, hörte nie auf, sich Ruhe zu erflehen und
um Befreiung von der Staatsverwaltung zu bitten. Seine
Rede kam stets darauf zurück, daß er Muße hoffe. Mit
diesem, wenn auch irrigen, doch süßen Troste, daß er einst
sich selbst leben werde, erleichterte er sich seine Mühen.
In einem an den Senat gerichteten Schreiben finde ich, nachdem er versprochen hat, daß seine Ruhe nicht ohne Würde
sein und nicht im Widerspruch mit seinem früheren Ruhme
stehen werde, folgende Worte: »Doch dies läßt sich eher auf
rühmliche Weise ausführen als versprechen. Mich hat die
Begierde nach der von mir so ersehnten Zeit vorwärts ge-
schoben, so daß ich, weil die Freude an der Wirklichkeit
noch zögert, mir zum voraus einen süßen Genuß verschaffe,
indem ich davon rede.« Etwas so Herrliches schien ihm die
Muße, daß er sie, weil er es nicht in der Wirklichkeit konnte,
in Gedanken voraus genoß. Er, der alles von sich allein abhängen sah, den einzelnen Menschen und ganzen Völkern
ihr Geschick bestimmte, dachte voll heller Freude an den
Tag, wo er seiner Größe sich entäußern würde. Er hatte
erfahren, wievielen Schweiß jenes alle Länder durchstrah-
lende Glück erpreßte, wieviel geheimen Kummer es ver-
deckte. Zuerst gegen seine Mitbürger, dann mit seinen Amtsgenossen, zuletzt gegen seine Verwandten mit den Waffen
zu kämpfen genötigt, hat er zur See und zu Lande Blut ver-
gossen durch Mazedonien, Sizilien, Ägypten, Syrien und

Kleinasien und fast an allen Küsten im Kriege umhergetrie-
ben, hat er die von Römermord ermüdeten Heere zu aus-
wärtigen Kriegen geführt. Während er die Alpen zur Ruhe
brachte und mitten in friedliche Länder, mitten ins Reich
hineingesäte Feinde bezwang, während er die Grenzen über
den Rhein, den Euphrat und die Donau vorschob, wurden in
der Stadt selbst die Dolche eines Murena, Cäpio, Lepidus,
der Egnatier gegen ihn geschliffen. Noch war er ihren Nach-
stellungen nicht entgangen, da setzten seine Tochter und so
viele vornehme Jünglinge, durch Unzucht wie durch einen Eid
an sie gefesselt, sein schon entkräftetes Alter in Schrecken,
jenes Weib, das in der Verbindung mit einem Antonius
abermals und noch mehr zu fürchten war. Diese Geschwüre
hatte er samt den Gliedern selbst abgeschnittten; andere
wuchsen nach; immer wieder brachen, wie an einem mit zu
vielem Blut beschwerten Körper, einzelne Stellen auf. Deshalb wünschte er Ruhe; in der Hoffnung auf sie und im
Gedanken an sie ließen seine Anstrengungen nach. Das war
der Wunsch dessen, der Wünsche erfüllen konnte.

Marcus Cicero, unter Leuten wie Catilina und Clodius,
Pompejus und Crassus sich herumtreibend, teils offenbaren
Feinden, teils zweifelhaften Freunden, während er mit der
Republik schwankt und die Sinkende hält, zuletzt ihr ent-
fremdet, weder im Glück zufrieden, noch im Unglück geduldig, — wie oft verwünschte er gerade sein Konsulat, das
zwar nicht ohne Grund, aber ohne Maß gepriesen wird? Wie
kläglich spricht er sich in einem Briefe an den Atticus aus,
als Pompejus, der Vater, bereits besiegt war, der Sohn aber
noch bemüht war, die zerbrochenen Waffen in Hispanien
wieder herzurichten? »Was ich hier tue?« schreibt er, »ich
verweile in meinem Tuskulanum, ein Halbfreier.« Dann fügt
er noch anderes hinzu, worin er teils die frühere Zeit be-
jammert, teils über die gegenwärtige klagt und an der zukünftigen verzweifelt. Einen Halbfreien nennt sich Cicero:
aber wahrhaftig, nie wird ein Weiser zu einem so niedrigen
Namen herabsteigen, nie wird er ein Halbfreier sein, stets
in vollkommener und ungeschmälerter Freiheit, ungebun-

den, selbständig und über die anderen erhaben. Denn was kann über dem sein, der über dem Schicksal steht?

6. Livius Drusus, ein tätiger und heftiger Mann, einem gewaltigen Haufen von Leuten in ganz Italien beigesellt, trug sich mit neuen Gesetzen und Gracchischem Unheil, und da er nicht absah, wie es mit der Sache enden sollte, die er weder durchführen konnte, noch, einmal angefangen, wieder aufzugeben freie Hand hatte, soll sein von Jugend auf unruhiges Leben verflucht und gesagt haben: »Ihm allein seien niemals, nicht einmal als Knaben, Feiertage beschieden gewesen.« Er hatte nämlich schon als kleiner Knabe und noch das Knabenkleid tragend sich unterfangen, Angeklagte den Richtern zu empfehlen und seine Verwendung auf dem Forum so nachdrücklich geltend zu machen, daß, wie bekannt ist, einige Entscheidungen von ihm durchgesetzt wurden. Wozu mußte nicht ein so unzeitig früher Ehrgeiz führen? Man konnte wissen, daß eine so unreife Keckheit zu großem Unheil, sowohl für ihn selbst, als für den Staat ausschlagen müßte. Zu spät also klagte er, es seien ihm keine Ferien beschieden gewesen, er, der vom Knabenalter an ein unruhiger Kopf und dem Forum lästig gewesen war. Es ist ungewiß, ob er selbst Hand an sich gelegt habe; er stürzte nämlich plötzlich nach einer in den Unterleib empfangenen Wunde zusammen. Mancher zweifelte, ob das ein freiwilliger Tod gewesen, niemand aber, daß er zu rechter Zeit gekommen sei.

Es ist überflüssig, noch mehrere zu erwähnen, die, während sie andern überaus glücklich erschienen, gegen sich selbst ein wahres Zeugnis ausgestellt haben, da ihnen der ganze Verlauf ihrer Jahre verhaßt war. Doch durch solche Klagen haben sie weder andere geändert, noch sich selbst. Denn nachdem dergleichen Worte hervorgebrochen sind, fallen die Leidenschaften in ihre alte Gewohnheit zurück. Wahrhaftig, euer Leben, und wenn es über tausend Jahre hinausginge, wird sich sehr ins Enge zusammenziehen. Jene Fehler werden ein Jahrhundert nach dem andern verschlingen, diese Lebenszeit aber, die, obgleich sie ihrer Natur nach verrinnt, doch durch Vernunft erweitert wird, muß euch freilich schnell entfliehen. Denn ihr ergreift sie ja nicht und haltet sie nicht fest; ihr sucht die flüchtigste aller Sachen nicht zurückzuhalten, sondern laßt sie entschwinden wie etwas Überflüssiges und Wiederherstellbares. Hierher rechne ich aber besonders auch die, welche für nichts Zeit haben als für Wein und Wollust; denn niemand ist auf schimpflichere Weise beschäftigt. Die übrigen haben, obgleich sie von einem Trugbilde des Ruhmes gefesselt gehalten werden, bei ihren Verirrungen doch noch einen Schein für sich. Geizige oder Jähzornige oder solche, die ungerechten Haß oder Feindseligkeiten üben: ihre Fehler haben doch alle etwas Männliches; die Seuche der in Wollust und Lüsternheit Versunkenen aber ist ganz häßlich. Prüfe die ganze Zeit jener Menschen, betrachte, wie lange sie rechnen, wie lange sie nachstellen, wie lange sie fürchten, wie lange sie den Hof machen oder sich machen lassen, wie viel Zeit ihre eigenen und fremden Bürgschaften, wie viel ihre Gastmähler in Anspruch nehmen, die ihnen schon selbst zu einer Dienstpflicht geworden sind: du wirst sehen, wie sie ihre — soll ich sagen Übel oder Güter? — nicht zu Atem kommen lassen. Man ist endlich allgemein darüber einig, daß von einem sonst schon in Anspruch genommenen Mann nichts mit Glück betrieben werden könne, nicht die Beredsamkeit, nicht die edeln Wissenschaften, da der zerstreute Geist nichts tief in sich aufnimmt, sondern alles, wie ihm eingestopft, wieder auswirft. Nichts ist weniger die Sache eines in Anspruch genommenen Menschen, als zu leben, und doch gibt es keine schwerere Kunst, als diese.

7. Lehrer der andern Künste gibt es überall und viele; manche von diesen schienen selbst kleine Knaben schon so erfaßt zu haben, daß sie sogar andere lehren konnten; leben aber muß man das ganze Leben hindurch lernen, und worüber du dich vielleicht noch mehr verwundern wirst: auch sterben muß man das ganze Leben lernen. So viele gar große Männer haben, nachdem sie alle Hindernisse beiseitegesetzt und

Reichtümern, Dienstleistungen, Genüssen entsagt hatten, bis
in das höchste Alter nur das eine betrieben: daß sie zu leben
verständen; die Mehrzahl von ihnen aber ist mit dem Geständnis aus dem Leben gegangen, daß sie es noch nicht
verständen; wie könnten es nun vollends jene anderen verstehen? Es ist, glaube mir, die Sache eines großen und über
menschliche Irrtümer erhabenen Mannes, sich nichts von
seiner Zeit nehmen zu lassen, und deshalb ist sein Leben das
längste, weil es, so weit es sich ausdehnt, ganz ihm selbst
gehört. Nichts davon hat brach und müßig gelegen, nichts
davon ist einem andern unterworfen gewesen, denn er hat
nichts gefunden, was wert gewesen wäre, gegen seine Zeit
vertauscht zu werden, die er so haushälterisch hütete. Daher
genügte sie ihm; denen aber muß sie notwendig fehlen,
von deren Leben die Leute so vieles hinwegtragen. Du darfst
aber deshalb nicht glauben, daß diese ihren Verlust nicht
irgend einmal einsähen; sehr viele wenigstens von denen,
die ein großes Glück belästigt, kannst du mitten unter der
Schar ihrer Schützlinge oder unter ihren Rechtshändeln oder
den übrigen in Ehren stehenden Erbärmlichkeiten bisweilen
ausrufen hören: »Es ist mir nicht vergönnt, mir selbst zu
leben!« Warum sollte es dir nicht vergönnt sein? Alle jene,
die dich um Beistand anrufen, entführen dich dir selbst.
Jener Angeklagte, wie viele Tage hat er dir entzogen, wie
viele jener Amtsbewerber, wie viele jenes alte Weib, das die
Begräbnisse ihrer Erben ermüdet haben, wie viele jener, der
sich krank stellte, um die Habsucht der Erblaurer zu reizen,
wie viele jener mächtige Freund, der euch nicht aus Freundschaft, sondern zum Prunke um sich hat? Gehe sie doch
durch, ich bitte dich, und zähle sie auf, die Tage deines
Lebens: du wirst sehen, daß nur sehr wenige und solche,
die andere nicht mochten, dir selbst geblieben sind. Jener
Mann, der die Fasces[1], die er begehrte, erlangt hat, wünscht
sie wieder niederzulegen und sagt wiederholt: Wann wird
endlich dies Jahr vorübergehen? Ein anderer veranstaltet

---

[1] Die Rutenbündel mit Beilen darin, das Zeichen der konsularischen Würde,
also das Konsulat selbst.

Spiele[1], auf deren Erlangung durchs Los er hohen Wert gelegt hatte: Ach, ruft er: wann werde ich ihnen wieder entgehen? Jener wird als Schutzherr auf dem ganzen Forum fast zerrissen und füllt alle Räume durch großen Zusammenlauf, mehr, als anzuhören ist: Wann, fragt er, wird es zur Vertagung kommen? Jeder drängt sein Leben vorwärts und leidet an Sehnsucht nach der Zukunft, an Überdruß der Gegenwart. Wer jedoch alle Zeit zu seinem Gebrauch verwendet, wer jeden Tag so ordnet als wäre er sein ganzes Leben, der wünscht weder den folgenden, noch fürchtet er ihn. Denn was für neuen Genuß könnte ihm noch irgendeine Stunde bringen? Alles ist ihm bekannt, alles bis zur Sättigung genossen. Das übrige mag das Schicksal fügen, wie es will; sein Leben ist bereits in Sicherheit. Hinzugefügt kann ihm noch etwas werden, entzogen nichts, und zwar hinzugefügt, wie einem, der schon satt und voll ist, noch etwas Speise, die er zu sich nimmt, ohne ein Bedürfnis darnach zu fühlen.

8. Der grauen Haare und Runzeln wegen darfst du nicht glauben, daß einer lange gelebt habe; nicht lange gelebt hat er, sondern nur lange existiert. Denn, glaubst du wohl, es sei einer weit geschifft, wenn ihn, kaum aus dem Hafen heraus, ein schrecklicher Sturm empfangen und dahin und dorthin getragen und durch wechselnde Winde, die von entgegengesetzten Richtungen her tobten, immer auf demselben Raume im Kreise herumgetrieben hat? Er ist nicht weit geschifft, sondern viel umhergeworfen worden. Ich wundere mich immer, wenn ich sehe, daß manche Leute andere um Zeit ansprechen und die, welche darum gebeten werden, so bereitwillig sind. Das, weshalb die Zeit erbeten wird, haben beide im Auge, sie selbst aber keiner von beiden. Als wenn um ein Nichts gebeten, ein Nichts gewährt würde, wird mit der allerkostbarsten Sache ein Spiel getrieben. Sie täuscht sie aber, weil sie etwas Unkörperliches

---

[1] Als Prätor. Zur Kaiserzeit fiel dem einen Prätor die Veranstaltung der Spiele, dem andern die Rechtspflege in den Provinzen zu, worüber das Los entschied.

ist, weil sie nicht vor Augen tritt, und daher wird sie sehr gering geschätzt, ja sie hat ihnen fast gar keinen Wert. Jährliche Geschenke nimmt man sehr gern an und opfert ihnen seine Anstrengung, seine Dienste, seine Sorgfalt; niemand aber achtet den Wert der Zeit; man gebraucht sie verschwenderisch, als ob sie nichts koste. Betrachte aber dieselben Leute, wenn sie krank sind, wenn ihnen die Gefahr des Todes näher gerückt ist, wenn sie die Knie der Ärzte umfassen, wenn sie die Todesstrafe fürchten und bereit sind, ihre ganze Habe zu opfern, um fortleben zu können. So ein Widerspruch! Könnte nun gleichwie der vergangenen, so auch der zukünftigen Jahre Zahl einem jeden bestimmt werden: wie würden die, welche sähen, daß ihnen nur noch wenige übrig wären, erzittern, wie sparsam mit ihnen umgehen! Und doch ist es so leicht, etwas bestimmt Zugemessenes, sei es auch nur wenig, einzuteilen; das gerade muß sorgfältiger bewahrt werden, wovon man nicht weiß, wann es aufhören werde. Du darfst jedoch nicht glauben, daß sie nicht wüßten, wie kostbar die Sache sei. Sie pflegen zu denen, welche sie am meisten lieben, zu sagen, sie seien bereit, ihnen einen Teil ihrer Jahre zu schenken. Sie schenken und verstehen es doch nicht, wie man schenken soll; sie schenken nämlich so, daß sie ohne Gewinn für jene sich etwas entziehen; aber eben das wissen sie nicht, ob sie sich etwas entziehen; daher erscheint ihnen der Schaden erträglich, weil der Verlust ihnen verborgen bleibt. Niemand wird dir die Jahre wieder schaffen, niemand dich dir selbst zurückgeben. Hingehen wird deine Lebenszeit, wie sie angefangen hat, und ihren Lauf weder zurückrufen, noch hemmen; sie wird keinen Lärm machen, sie wird dich nicht an ihre Eile erinnern: schweigend wird sie dahinfließen. Nicht auf Befehl eines Fürsten, nicht durch Volksgunst wird sie sich verlängern: wie sie vom ersten Tage angetreten, wird sie ihre Bahn dahinlaufen; nirgends wird sie einkehren, nirgends sich aufhalten. Was wird geschehen? Du bist geschäftig, das Leben eilt dahin; inzwischen wird der Tod erscheinen, für den du, magst du wollen oder nicht, Zeit haben mußt.

9. Kann das einer von denen, die sich ihrer Klugheit rühmen, die aber allzu eifrig beschäftigt sind, als daß sie besser leben könnten? Auf Kosten ihres Lebens richten sie ihr Leben ein und entwerfen Pläne auf lange Zeit hinaus. Das Hinausschieben ist der größte Verlust fürs Leben; es verzettelt immer den nächsten Tag, es entreißt die Gegenwart, indem es auf die Zukunft verweist. Das größte Hindernis des Lebens ist die Erwartung, die vom Morgen abhängt. Du verlierst den heutigen Tag; was in der Hand des Schicksals liegt, ordnest du, was in der deinigen, lässest du fahren. Wohin richtest du deine Blicke, wohin deine Gedanken? Alles, was kommen wird, steht unsicher; lebe für die Gegenwart! Siehe, der größte Dichter ruft dir zu und singt dir, wie von der Gottheit begeistert, den Spruch: »Immer der beste Tag aus dem Leben der armen Sterblichen fliehet zuerst!« Was zauderst du? Was zögerst du? Wenn du nicht zugreifst, entflieht er, und auch wenn du zugegriffen hast, wird er doch entfliehen. Daher muß man mit der Eile der Zeit durch Schnelligkeit der Benutzung wetteifern und, wie aus einem reißenden Waldbache, der nicht immer strömen wird, rasch schöpfen. Auch das ist ein sehr treffender Tadel gegen das endlose Pläneschmieden, daß er nicht sagt: »Immer das beste Lebensalter«, sondern »der Tag«. Wie sorglos und bei der so raschen Flucht der Zeit phlegmatisch breitest du Monate und Jahre und ihre lange Reihe, wie es gerade deiner Begehrlichkeit beliebt, vor dir aus! Und er spricht mit dir von einem Tage, und zwar von einem schon entfliehenden. So ist es also nicht zweifelhaft, daß immer der beste Tag den unglücklichen, d. h. den vielgeschäftigen Sterblichen zuerst entflieht, da das Alter, zu dem sie unvorbereitet und ungerüstet gelangen, ihre Seelen noch in der Kindheit stehend überfällt. Denn für nichts haben sie gesorgt; plötzlich und unvermutet sind sie hineingeraten; sie merkten nicht, daß es Tag für Tag heranrückte. Gleichwie ein Gespräch oder eine Lektüre oder irgendein tieferer Gedanke die Reisenden täuscht und sie mit Staunen bemerken, daß sie schon angelangt sind: so werden die Vielgeschäftigen diese ununter-

brochene und so ungemein rasche Lebensreise, die wir
wachend und schlafend mit gleichem Schritte fortsetzen,
nicht eher gewahr als am Ziele.

10. Wollte ich das, was ich mir zu zeigen vorgesetzt habe,
im einzelnen und mit Beweisen vortragen, so würde sich
vieles darbieten, wodurch ich beweisen könnte, daß das
Leben der Vielgeschäftigen ein sehr kurzes ist. Fabianus,
nicht einer der Kathederphilosophen, sondern einer der echten und alten, pflegte zu sagen: »Gegen die Leidenschaften
muß man mit Nachdruck, nicht mit zarter Schonung kämpfen, und ihre ruchlose Schar nicht durch leichte Wunden,
sondern durch rasches Anstürmen verscheuchen; denn ihre
Neckereien müssen zu Boden geschlagen, nicht durch Neckereien erwidert werden.« Doch wenn ihnen ihr Irrtum vor-
gehalten werden soll, so müssen sie belehrt, nicht bloß
beklagt werden.

Das Leben teilt sich in drei Zeiten: die, welche war, die,
welche ist, und die, welche sein wird. Die wir verleben, ist
kurz, die wir verleben werden, ist zweifelhaft, die wir verlebt haben, gewiß. Denn diese ist es, an welche das Schicksal
sein Anrecht verloren hat, die in keines Menschen Willkür
zurückgebracht werden kann. Diese verlieren die Vielgeschäftigen; denn sie haben ja keine Zeit, in die Vergangenheit zurückzublicken, und wenn sie auch Zeit haben, so ist
doch die Erinnerung an etwas, das man bereuen muß, unangenehm. Daher wenden sie nur ungern ihre Gedanken zu
der schlecht verbrachten Zeit zurück und wagen nicht, das
wieder aufzuregen, dessen Fehlerhaftigkeit, wenn sie sich
auch durch irgendeinen Reiz augenblicklichen Vergnügens
der Wahrnehmung entzog, jetzt ans Licht tritt. Niemand,
außer wer alles mit strenger Aufmerksamkeit auf sich selbst
tat, die sich niemals täuschen läßt, versetzt sich gern in die
Vergangenheit zurück. Wer vieles mit Ehrgeiz begehrt, in
Übermut verachtet, durch Unbändigkeit errungen, mit Hin-
terlist erschlichen, aus Habsucht an sich gerissen und in
Verschwendung durchgebracht hat, muß notwendig sein Ge-

dächtnis fürchten. Und doch ist dies der geheiligte und geweihte Teil unseres Lebens, der alle Unfälle der Menschheit überschritten hat und der Herrschaft des Schicksals entzogen ist, den nicht Mangel, nicht Furcht, nicht ein Krankheitsanfall beunruhigt. Er kann nicht gestört, nicht entrissen werden, sein Besitz ist ein beständiger und ruhiger. Nur einzelne Tage, und auch diese nur in Augenblicken, sind gegenwärtig; aber die der vergangenen Zeit werden sich dir alle stellen, sobald du es verlangst und sich nach deinem Belieben beschauen und festhalten lassen; dies aber zu tun, fehlt es den Vielgeschäftigen an Zeit. Die Sache eines sorglosen und ruhigen Gemütes ist es, alle Teile seines Lebens zu durchlaufen; die Seelen der Vielgeschäftigen können sich, als ob sie unter dem Joche wären, nicht wenden und zurückschauen. Ihr Leben ist also in die Tiefe entschwunden, und so wie es nichts hilft, wenn du auch noch so viel hineingießest, wenn nicht unten etwas ist, was es aufnehme und halte: so kommt auch nichts darauf an, wieviel Zeit gegeben wird, wenn nichts da ist, wo sie haften bleibt; durch schadhafte und durchlöcherte Seelen rinnt sie hindurch. Die Gegenwart ist überaus kurz, und zwar so, daß sie manchem wie gar nichts vorkommt; denn stets ist sie im Laufe, sie fließt und stürzt dahin; sie hört eher auf, als sie kam, und sie duldet ebensowenig einen Stillstand als das Weltall oder die Gestirne, deren beständige und rastlose Bewegung niemals auf demselben Standpunkt verharrt. Dem Vielgeschäftigen gehört also bloß die Gegenwart, die so kurz ist, daß man sie nicht erfassen kann, und gerade sie entzieht sich den nach so vielen Seiten hin Zerstreuten.

11. Willst du endlich wissen, inwiefern sie nicht lange leben: so sieh nur, wie lange sie zu leben wünschen. Abgelebte Greise erbetteln mit Gelübden die Zulage weniger Jahre; sie machen sich selbst jünger; sie schmeicheln sich durch eine Lüge und täuschen sich selbst mit solchem Behagen, als ob sie zugleich auch das Schicksal betrögen. Wenn sie aber einmal eine körperliche Schwäche an ihre Sterblich-

keit erinnert, wie zaghaft sterben sie, nicht als ob sie hinaus-
gingen aus dem Leben, sondern als ob sie hinausgezerrt würden. Sie schreien, Toren seien sie gewesen, daß sie nicht
gelebt hätten, und wenn sie nur bei dieser Krankheit davon-
kämen, so wollten sie in Muße leben. Dann bedenken sie,
wie vergebens sie bereitet hätten, was sie nicht genießen würden, wie fruchtlos alle ihre Mühe gewesen. Ein Leben aber,
das man fern von solchem Umtrieb führt, warum sollte es
nicht lang genug sein? Nichts davon wird weggeschickt,
nichts bald dahin, bald dorthin verstreut, nichts dem Zufall
überlassen, nichts geht durch Nachlässigkeit zugrunde, nichts
wird durch Verschenkung entzogen, nichts ist überflüssig;
es ist, sozusagen, ganz auf Zinsen angelegt. Wie kurz es
daher auch immer sei, es ist überflüssig lang genug, und
daher wird der Weise, mag der letzte Tag kommen, wann
er will, nicht zaudern, festen Schrittes in den Tod zu gehen.

Du fragst vielleicht, welche Leute ich Vielgeschäftige nenne?
Glaube nicht, daß ich bloß diejenigen meine, die erst durch
auf sie losgelassene Hunde aus der Börsenhalle (Basilika)
vertrieben werden, die du entweder inmitten ihres Begleiter-
schwarmes mit Glanz oder unter dem Schwarme eines andern
in Verachtung sich hinausdrängen siehst, die ihre Dienst-
fertigkeit aus dem Hause treibt und an fremde Türen klop-
fen heißt, welche eine öffentliche Versteigerung schimpf-
lichen und zuweilen auch übel auslaufenden Gewinnes wegen
beunruhigt. Bei manchen ist selbst die Muße eine geschäft-
volle; in ihrem Landhause oder auf ihrem Ruhebette, mitten
in der Einsamkeit, wenn sie sich von allem zurückgezogen
haben, sind sie sich selbst zur Last; ihr Leben ist kein müßi-
ges zu nennen, sondern eine geschäftige Müßigkeit.

12. Den nennst du einen in Muße Lebenden, der Corinthi-
sche Gefäße, die durch den Wahnsinn weniger Leute in
hohem Werte stehen, mit ängstlicher Sorgfalt ordnet und
den größten Teil seiner Zeit mit dergleichen rostigen Metall-
stückchen zubringt? Der auf dem Ringplatze als Zuschauer
ringender Knaben sitzt? Der die Scharen seiner Sklaven in
Paare nach Alter und Farbe einteilt? Der die berühmtesten

Athleten hält? Die nennst du in Muße lebend, die den größten Teil ihres Lebens mit Kamm und Spiegel beschäftigt sind? Und wie steht es mit jenen, die sich mit dem Dichten, Anhören und Vortragen von Liedchen beschäftigen, indem sie die Stimme, deren schlichten Gang die Natur so schön und einfach gebildet hat, durch die Windungen von Melodien auf müßigste Weise verdrehen? Deren Finger, indem sie den Takt eines Liedes messen, sich beständig hören lassen? Die, wenn sie zu ernsten, oft sogar traurigen Dingen zugezogen werden, eine leise Melodie vor sich hinsummen? Sie haben keine Muße, sondern eine untätige Geschäftigkeit. Wahrlich selbst ihre Gastmähler möchte ich nicht zur geschäftsfreien Zeit rechnen, wenn ich sehe, mit wie ängstlicher Sorge sie ihr Silbergerät ordnen, wie aufmerksam sie die Leibröcke ihrer Lustknaben aufschürzen, wie gespannt sie sind, in welcher Gestalt der Eber vom Koche kommen wird; mit welcher Eile ihre Sklaven auf das gegebene Zeichen zum Aufwarten herbeirennen. Solche Dinge müssen ihnen zu dem Ruhme eines geschmackvollen und glänzenden Hauswesens verhelfen, und ihre Verkehrtheit folgt ihnen so weit an jedes stille Plätzchen ihres Lebens nach, daß sie ohne eitle Gefallsucht weder essen noch trinken. Auch die wirst du nicht unter die in Muße Lebenden rechnen, die sich in Tragsesseln und Sänften hierhin und dahin schleppen lassen und den Stunden ihres Hin und Her so pünktlich obliegen, als dürften sie nicht davon abgehen; die ein anderer daran erinnert, wann sie sich baden, wann sie schwimmen, wann sie speisen sollen, und die durch allzu große Erschlaffung ihres verweichlichten Geistes in dem Grade abgespannt sind, daß sie durch sich selbst nicht wissen können, ob sie hungrig sind. Ich höre, daß einer von jenen Genußsüchtigen (wenn man es anders einen Genuß nennen darf, menschliches Leben und menschliche Gewohnheit zu verlernen), als er auf den Händen aus dem Bade getragen und auf den Tragsessel gesetzt worden war, gefragt habe: »Sitze ich jetzt?« Glaubst du, daß dieser Mensch, der nicht wußte, ob er sitze, wisse, ob er lebe, ob er sehe, ob er Muße habe? Es würde

mir schwer werden, zu sagen, ob ich ihn mehr bedauerte,
wenn er es wirklich nicht wußte, oder wenn er sich nur stellte,
als wisse er es nicht. Bei vielen Dingen ist es ja wirklich ihre
Vergeßlichkeit, bei vielen aber äffen sie dieselbe auch bloß
nach; manche Verkehrtheiten machen ihnen Vergnügen, als
wären sie Beweise ihrer glücklichen Lage. Es scheint ihnen
die Sache eines gemeinen und verächtlichen Menschen, zu
wissen, was er tue. Da gehe nun hin und glaube, die mimischen Künstler machten sich einer Übertreibung schuldig,
wenn sie in ihrer Art die Üppigkeit verhöhnen. Wahrlich,
sie übergehen mehr, als sie darstellen, und die Menge unglaublicher Laster ist in diesem nur hierin erfinderischen
Zeitalter so hoch gestiegen, daß wir den mimischen Künst-
lern Nachlässigkeit zum Vorwurf machen können. Sollte es
denn einen geben, der so ganz in Weichlichkeit untergegangen wäre, daß er erst einen andern fragen müßte, ob er
sitze?

13. Ein solcher ist also kein in Muße Lebender; gib ihm
einen andern Namen: ein Kranker, nein, ein Toter ist er. In
Muße lebt, wer ein Bewußtsein seiner Muße hat; der aber ist
nur ein Halblebender, welcher zur Erkenntnis seines körperlichen Zustandes erst eines Entdeckers bedarf. Wie kann ein
solcher jemals Herr seiner Zeit sein? Es wäre zu weitläufig,
alle einzeln aufzuführen, die ihr Leben mit Brett- oder Ball-
spiel, mit dem Sonnen ihres Körpers in der Sonnenhitze
hingebracht haben. Nicht in Muße leben die, denen die
Vergnügungen viel zu schaffen machen. Wer sich mit den
Studien unnützer Wissenschaften befaßt, der tut bei aller
Geschäftigkeit nichts; und solcher gibt es auch bei den
Römern bereits eine große Zahl. Früher war nur den Griechen die Schwachheit eigen, zu untersuchen, wieviel Ruder-
knechte Ulysses gehabt habe, ob die Ilias oder die Odyssee
früher geschrieben sei, und ob sie von demselben Verfasser
herrührten; sodann noch andere Sachen desselben Schlages,
die, wenn man sie für sich behält, das Wissen des sie Ver-
schweigenden nicht fördern, wenn man sie aber andern mit-

teilt, einen nicht gelehrter, wohl aber lästiger erscheinen lassen. Aber siehe, auch die Römer hat die Sucht ergriffen, Überflüssiges zu erlernen. Dieser Tage hörte ich einen, der einen Vortrag darüber hielt, was jeder der römischen Feldherren zuerst vollbracht habe. Duilius war der erste, der in einer Seeschlacht siegte, Curius Dentatus der erste, der Elefanten im Triumphzuge aufführte. Obgleich dies nun zum wahren Ruhme nichts beiträgt, so bezieht es sich doch noch auf Beispiele von Taten unserer Mitbürger. Nutzen wird solche Kenntnis freilich nicht bringen, doch zieht sie uns wenigstens durch den äußern Glanz an sich nichtiger Dinge an. Wollen wir auch das erkunden, wer die Römer zuerst überredet hat, ein Schiff zu besteigen? Das war Claudius, welcher gerade deshalb Caudex genannt wurde, weil eine Zusammenfügung mehrerer Bretter bei den Alten *caudex* hieß, weshalb die Staatsschriften den Namen *codices* führen und die Schiffe, die nach alter Gewohnheit Zufuhr auf dem Tiber bringen, auch jetzt noch *caudicariae* genannt werden. Immerhin möge auch das von einiger Wichtigkeit sein, daß Valerius Corvinus zuerst Messana besiegte und als der erste aus der Familie der Valerier, der den Namen einer eroberten Stadt auf sich übertrug, Messana genannt wurde, später aber, da das Volk allmählich die Buchstaben verwechselte, Messala hieß. Willst du einen sich auch darum kümmern lassen, daß Lucius Sulla zuerst Löwen im Zirkus sehen ließ, weil ihm König Bocchus Wurfspießschützen gesendet hatte, die sie erlegten? Hat es wohl irgendeinen Nutzen, zu wissen, daß Pompejus zuerst einen Kampf von achtzehn Elefanten im Zirkus zeigte, indem nach Art eines Treffens Verbrecher auf sie losgehen mußten? Der erste Mann im Staate und unter den großen Männern des Altertums, wie die Sage meldet, durch Gutherzigkeit ausgezeichnet, hielt es für eine merkwürdige Art von Schauspiel, Menschen auf eine ganz neue Weise ums Leben zu bringen. Sie kämpfen auf Leben und Tod? Das genügt nicht. Sie werden zerfleischt? Das genügt nicht; sie müssen von der ungeheuren Last der Bestien zertreten werden. Besser wäre es gewesen, daß dergleichen in Vergessenheit gekommen, damit es nicht später irgendein Machthaber lerne und eine so ganz unmenschliche Handlung nachahme.

14. O welche Verblendung bringt ein großes Glück über unsere Herzen! Jener hielt sich damals erhaben über die Natur der Dinge, als er so viele Scharen unglückseliger Menschen den unter einem andern Himmelsstrich geborenen Bestien vorwarf, als er einen Krieg zwischen so ungleichen Geschöpfen führen ließ, als er vor den Augen des römischen Volkes so viel Blut vergoß, er, der es bald zwingen wollte, selbst noch mehr zu vergießen. Und derselbe Mann bot sich später durch die Treulosigkeit der Alexandriner getäuscht, dem niedrigsten Sklaven dar, damit er ihn durchbohre; jetzt erst erkannte er den eiteln Prunk seines Beinamens. Doch um darauf zurückzukommen, wovon ich abgeschweift bin, so will ich noch eine andere überflüssige Sorgfalt mancher Menschen zeigen. Eben derselbe oben erwähnte Philosoph erzählte, Metellus habe, als er nach seinem Siege über die Karthager in Sizilien einen Triumphzug hielt, als der einzige unter allen Römern hundertundzwanzig erbeutete Elefanten vor seinem Wagen herführen lassen; Sulla aber sei der letzte unter den Römern gewesen, der das Stadtgebiet von Rom weiter hinausgerückt habe, das nach alter Sitte nie bei einer Erwerbung von Provinzialgebiet, sondern nur von italienischem Boden hinausgerückt zu werden pflegte. Solches zu wissen, nützt noch etwas mehr, als daß, wie jener versichert, der Aventinische Hügel sei außerhalb des Stadtgebietes, entweder weil der Bürgerstand dahin ausgezogen wäre, oder weil bei den Auspizien des Remus die Vögel nicht für diesen Ort gestimmt hätten; und so noch unzählige andere Dinge, die entweder Lügen oder ihnen ähnlich sind. Denn auch zugegeben, daß sie das alles in gutem Glauben erzählen und sichern Gewährsmännern nachschreiben: wessen Irrtümer werden denn dadurch verringert, wessen Leidenschaften unterdrückt? Wen wird es tapferer, wen gerechter, wen wohltätiger machen? Unser Fabianus pflegte bisweilen zu sagen,

er wisse nicht, ob es nicht besser sei, sich überhaupt auf gar keine Studien einzulassen, als sich in solche zu verwickeln. Nur die allein von allen leben in Muße, die ihre Zeit der Weisheit widmen; sie allein leben wirklich; denn nicht nur ihre eigene Lebenszeit hüten sie gut, sondern sie fügen auch jedes Zeitalter dem ihrigen bei. Sämtliche Jahre, die vor ihnen verlebt worden sind, gewinnen sie für sich. Wenn wir nicht die undankbarsten Leute sind, so sind die berühmten Religionsstifter für *uns* geboren, so haben sie *uns* den Weg gebahnt. Zu den herrlichsten Dingen, die aus Finsternis ans Licht gezogen wurden, gelangen wir durch fremde Anstrengungen; kein Jahrhundert ist uns verschlossen, zu allen haben wir Zutritt, und wenn wir Lust haben, hohen Sinnes über die Beschränktheit menschlicher Schwäche hinauszugehen, so haben wir einen großen Zeitraum, den wir durchwandern können. Es ist uns gestattet, mit Sokrates zu disputieren, mit Karneades zu zweifeln, mit Epikur der Ruhe zu pflegen, mit den Stoikern die menschliche Natur zu überwinden, mit den Zynikern über sie hinauszugehen, wie die Natur mit jedem Zeitalter Schritt zu halten. Warum sollten wir uns nicht von dem unbedeutenden und vergänglichen Augenblick mit ganzer Seele dem zuwenden, was unendlich, was ewig ist, was uns mit den Edelsten verbindet? Jene, die Besuche machend umherlaufen, die sich und andern Unruhe machen — wenn sie nun gehörig toll gewesen, wenn sie tagtäglich an aller Schwellen die Runde gemacht haben und bei keiner offenen Türe vorbeigegangen, wenn sie mit ihren bezahlten Besuchen in den entferntesten Häusern herumgekommen sind —, wie viele werden sie in der so unermeßlichen und durch so verschiedene Gelüste zerstreuten Stadt nicht angetroffen haben! Wie viele werden sich finden, deren Schlaf oder Schwelgerei oder Unfreundlichkeit sie abweist, wie viele, die sie unter Vorgeben großer Eile nach langem Wartenlassen doch nicht vorlassen! Wie viele werden es vermeiden, durch die mit Klienten vollgestopfte Vorhalle auszugehen und durch eine verborgene Pforte des Hauses entwischen! Als ob es nicht unartiger wäre, jemanden zu

täuschen als abzuweisen. Wie viele werden vom gestrigen
Rausche noch halb schlaftrunken und schweren Kopfes mit
kaum geöffneten Lippen und dem stolzesten Gähnen den
ihnen tausendmal eingeflüsterten Namen jener Beklagenswerten aussprechen, die ihren eigenen Schlaf abbrechen, um
den eines andern abzuwarten!

Von denen hingegen dürfen wir sagen, daß sie ihre Zeit
recht verbringen, die täglich den Zeno, den Pythagoras, den
Demokrit und die übrigen Lehrer der edeln Wissenschaften,
den Aristoteles und Theophrastus zu den vertrautesten
Freunden haben wollen. Von diesen wird keiner sich wegen
Mangels an Zeit entschuldigen, keiner den zu ihm Kommenden nicht glückseliger und liebevoller entlassen, keiner
irgendeinen mit leeren Händen von sich weggehen lassen.
Bei Nacht wie bei Tage kann jeder Sterbliche bei ihnen Zutritt finden. Keiner von ihnen wird dich zu sterben zwingen,
lehren aber werden es alle; keiner von ihnen bringt dich um
deine Jahre, er gibt dir die seinigen noch dazu. Keiner von
ihnen wird dir durch seine Unterhaltung gefährlich sein,
keiner durch seine Freundschaft dein Leben gefährden, bei
keinem die Ehrerbietung gegen ihn großen Aufwand verursachen.

15. Du wirst von ihnen erhalten, was du nur willst; an
ihnen wird es nicht liegen, wenn du nicht so viel davonträgst,
als du nur fassen kannst. Welches Glück, welches schöne
Greisenalter erwartet den, der sich unter ihren Schutz begeben hat! Mit ihnen wird er sich über das Unbedeutendste
wie über das Wichtigste besprechen, sie über sich selbst zu
Rate ziehen, von ihnen die Wahrheit ohne Beschämung
hören, ihr Lob ohne Schmeichelei vernehmen, nach ihrem
Muster sich ausbilden können. Wir pflegen zu sagen, es habe
nicht in unserer Macht gestanden, wen wir zu Eltern be-
kämen, sie seien uns durchs Schicksal zuerteilt; aber nach
unserer Wahl heranzuwachsen, das ist uns erlaubt. Es gibt
Familien der edelsten Geister: wähle, in welche du aufgenommen sein willst. Nicht bloß in bezug auf den Namen

wirst du an Sohnes Statt angenommen werden, sondern auch in bezug auf das Erbgut selbst; und dieses wirst du nicht auf schmutzige und eigennützige Weise zu hüten haben; es wird größer werden, unter je mehrere du es verteilst. Sie werden dir den Weg zur Ewigkeit zeigen und dich auf einen Platz erheben, von dem niemand dich verdrängen wird. Das ist die einzige Art und Weise, die Sterblichkeit weiter hinauszurücken, ja, in Unsterblichkeit zu verwandeln. Ehrenämter, Denkmäler und alles, was die Eitelkeit entweder durch Beschlüsse verordnet oder in Kunstwerken aufgebaut hat, geht schnell zugrunde; alles zerstört und vernichtet die Länge der Zeit. Was die Weisheit geheiligt hat, dem kann kein Schade zugefügt werden. Kein Zeitalter wird sie vertilgen, keines sie schwächen; sie wird mit der Zeit immer ehrwürdiger; denn der Neid geht nur auf das Naheliegende, das Fernstehende wird aufrichtiger bewundert. Das Leben des Weisen also hat eine weite Ausdehnung; ihn schließen nicht dieselben Grenzen wie die andern ein; er allein ist von den Gesetzen der Menschheit entbunden; alle Jahrhunderte dienen ihm wie einer Gottheit. Ist eine Zeit vorübergegangen — er faßt sie in der Erinnerung auf; ist sie da — er macht Gebrauch von ihr; wird sie kommen — er genießt sie voraus. Das Zusammenfassen aller Zeiten in eine macht ihm das Leben lang. Sehr kurz und sorgenvoll dagegen ist das Leben derer, die das Vergangene vergessen, das Gegenwärtige vernachlässigen, das Zukünftige fürchten. Wenn sie ans Ende gelangt sind, dann sehen die Beklagenswerten zu spät ein, daß sie vielgeschäftig waren und doch nichts getan haben.

16. Und glaube ja nicht, das sei ein Beweis dafür, daß sie ein langes Leben führen, weil sie zuweilen den Tod herbeirufen. Es quält sie ihr Unverstand mit unbestimmten Wünschen, die gerade auf das lossteuern, was sie fürchten; den Tod wünschen sie oft deshalb, weil sie ihn scheuen. Auch das darfst du für keinen Beweis dafür halten, daß sie lange leben, weil ihnen zuweilen die Zeit lang wird, weil sie, bis die festgesetzte Zeit der Mahlzeit kommt, klagen, daß die Stunden

so langsam dahinschleichen; denn, wenn sie einmal die Beschäftigungen verlassen haben, so sind sie in Muße gelassen in Verlegenheit und wissen nicht, wie sie dieselben anwenden oder hinschleppen sollen. Daher begehren sie nach irgendeiner Beschäftigung, und alle Zeit, die dazwischen liegt, ist ihnen lästig, wahrlich gerade so, wie sie, wenn der Tag eines Fechterspiels angekündigt ist oder die festgesetzte Zeit irgendeines andern Schauspiels oder Vergnügens erwartet wird, die Zwischentage überspringen möchten. Jedes Hinausschieben einer gehofften Sache erscheint ihnen lang im Verhältnis zu einer Zeit, die doch für den, dem sie lieb ist, kurz und flüchtig und leider schon ihrem eigenen Wesen nach viel zu kurz ist. Denn sie eilen von dem einen zu dem andern und können nicht bei *einem* Verlangen stehen bleiben. Einem solchen sind die Tage nicht lang, sondern verhaßt. Wie kurz dagegen erscheinen ihnen die Nächte, die sie in den Umarmungen ihrer Buhldirnen oder beim Weine hinbringen! Daher auch der Wahnsinn der Dichter, die mit ihren Fabeln die Verirrungen der Menschen nähren, indem sie glauben, Jupiter habe von Wollust bezaubert die Dauer der Nacht verdoppelt. Heißt es nicht unsere Laster entflammen, wenn wir sie den Göttern, wie Vorbildern, zuschreiben und dem Laster eine durch das Beispiel der Götter entschuldigte Ungebundenheit gestatten? Müssen ihnen die Nächte nicht sehr kurz vorkommen, da sie dieselben so teuer erkaufen? Den Tag verlieren sie in Erwartung der Nacht, die Nacht in Furcht vor dem Tage. Ihre Vergnügungen selbst sind angstvoll und durch mancherlei Schrecken beunruhigt, und in ihrer ausgelassensten Freude beschleicht sie der Gedanke: Wie lange wird sie dauern? In diesem Gefühle haben Könige ihre Macht beweint, und es hat sie nicht die Größe ihres Glücks ergötzt, sondern das einmal bevorstehende Ende desselben erschreckt. Als der so übermütige Perserkönig sein Heer in den weiten Räumen der Ebene ausbreitete und nicht die Zahl, sondern den Umfang desselben erforschte, vergoß er Tränen, weil in hundert Jahren von einer solchen Menge junger Männer kein einziger mehr übrig sein werde. Und doch war er, der da weinte, eben selbst im Begriff, sie dem Tode zuzuführen und den einen zur See, den andern zu Lande, den einen in der Schlacht, den andern auf der Flucht zu vernichten und die in kurzer Zeit aufzureiben, für die er auf hundert Jahre hinaus fürchtete.

17. Ja, sind nicht selbst ihre Freuden unruhvoll? Sie ruhen nämlich nicht auf fester Grundlage, sondern werden durch dieselbe Nichtigkeit, aus der sie entspringen, auch gestört. Was aber meinst du, müssen das für Zeiten sein, die nach ihrem eigenen Geständnis elend sind, da selbst die, in denen sie sich brüsten und über alle andern Menschen erhaben dünken, nicht völlig ungetrübt sind? Je größer das Gut, desto größer die Sorge, und keinem Glücke ist weniger zu trauen als dem gütigsten. Einer ganz anderen Glückseligkeit bedarf es, um sich den Glückszustand zu erhalten, und gerade für die Wünsche, welche schon Erfolg hatten, muß man Gelübde tun. Denn alles, was uns durch Zufall zuteil ward, ist unbeständig; je höher etwas gestiegen ist, desto reifer ist es zum Falle; was aber bald fallen wird, macht keinem mehr Freude. Sehr elend also, nicht bloß sehr kurz muß das Leben derer sein, die sich mit großer Anstrengung verschaffen, was sie nur mit noch größerer besitzen können; die mit Mühe erlangen, was sie wünschen, mit Angst besitzen, was sie erlangt haben. Inzwischen nehmen sie keine Rücksicht auf die Zeit, die doch nie wiederkehren wird. Neue Beschäftigungen treten an die Stelle der alten, eine Hoffnung erweckt die andere, ein eitles Streben das andere. Man sucht nicht ein Ende des Elends, nur seine Quelle wird verändert. Unsere Ehrenstellen haben uns gequält — noch mehr Zeit nehmen uns fremde weg. Als Amtsbewerber haben wir uns abzumühen aufgehört — als Empfehler anderer fangen wir wieder an. Die Last des Anklagens haben wir abgeschüttelt — die des Richtens bekommen wir dafür. Richter zu sein hat einer aufgehört — er leitet nun Untersuchungen. Unter besoldeter Verwaltung fremder Güter ist er alt geworden — durch sein eigenes Vermögen wird er jetzt in Beschäftigung gehalten.

Den Marius hat der Kriegsdienst entlassen — das Konsulat beschäftigt ihn dafür. Quinktius beeilt sich, die Diktatur hinter sich zu haben — man wird ihn von dem Pfluge wieder holen. Gegen die Karthager will, noch unreif zu einem so großen Unternehmen, Scipio zu Felde ziehen, der Besieger Hannibals, der Besieger des Antiochus, die Zierde seines eigenen Konsulats, der Bürge des brüderlichen; wenn er nicht selbst Einhalt tut, wird man ihn neben Jupiter aufstellen: aber bürgerliche Unruhen werden auf den Retter einstürmen, und nachdem er als Jüngling göttergleiche Ehren verschmäht hat, wird es ihm als Greis Freude machen, trotzig in das Exil zu ziehen. Nie wird es weder im Glück noch im Elend an Ursachen zur Besorgnis fehlen; durch die Geschäfte des Lebens wird die Muße benommen werden: nie wird man handeln, ewig wünschen.

18. Daher scheide dich aus vom großen Haufen, mein teuerster Paullinus, und ziehe dich, nachdem du so lange und so viel herumgeworfen worden bist, in den ruhigern Hafen zurück. Bedenke, wie vielen Wogen du dich ausgesetzt, wie viele Stürme du teils im Privatleben ausgehalten, teils im öffentlichen gegen dich gelenkt hast. Durch mühe- und unruhvolle Beweise ist deine Geistesstärke schon hinlänglich bewährt; mache nun die Probe, was sie in der Muße leiste. Der größere Teil deines Lebens, wenigstens der bessere, möge dem Staate gewidmet sein; etwas von deiner Zeit aber nimm auch für dich selbst. Und ich rufe dich nicht zu einer trägen und tatenlosen Ruhe; ich verlange nicht, daß du das ganze lebendige Naturell, das in dir ist, in Schlaf und in Genüsse versenkest, wie sie die Menge liebt. Das heißt nicht in Ruhe leben; du wirst viel Wichtigeres als alle bisher so eifrig betriebenen Geschäfte finden, was du in Zurückgezogenheit und Sorglosigkeit verrichten kannst. Du führst zwar die Rechnungen des Reiches ebenso uneigennützig wie die eines andern, ebenso sorgfältig wie die eigenen, ebenso gewissenhaft wie Staatsrechnungen es erfordern; du gewinnst Liebe in einem Amte, bei dem es schwer ist, Haß zu vermeiden;

aber dennoch, glaube mir, ist es besser, die Rechnung seines eigenen Lebens zu kennen als die über die Staatsmagazine. Jene Lebendigkeit des Geistes, die der größten Unternehmungen fähig ist, wende von einem zwar ehrenvollen, aber zu einem glückseligen Leben sehr wenig geeigneten Dienste hinweg auf dich selbst und bedenke: du hast es von frühester Jugend an bei all deinem Studium der edlen Wissenschaften nicht darauf abgesehen, daß dir viele tausend Scheffel Getreide sicher anvertraut werden könnten; du hattest etwas Größeres und Höheres von dir hoffen lassen. An Männern von strenger Wirtschaftlichkeit und arbeitsamer Tätigkeit wird es nicht fehlen. Langsames Zugvieh ist viel geeigneter zum Fortschaffen von Lasten als edle Rosse. Wer hat je deren herrliche Behendigkeit durch schweres Gepäck gelähmt? Bedenke ferner, wie große Unruhe es macht, dich einer solchen Last hinzugeben. Mit dem Magen der Menschen hast du es zu tun, und das hungernde Volk nimmt weder Vernunft an, noch läßt es sich durch Billigkeit besänftigen oder durch Bitten bestimmen. Noch jüngst, wenige Tage früher als Gajus Cäsar (Caligula) starb — der, wenn Verstorbene noch ein Bewußtsein haben, darüber den größten Ärger fühlt, daß er sterben mußte, während ein römisches Volk ihn überlebte — waren kaum auf sieben, höchstens acht Tage Speisevorräte vorhanden! Während er Schiffbrücken schlug und mit den Kräften des Staats sein Spiel trieb, war das äußerste Übel vorhanden, Mangel an Lebensmitteln. Fast den Untergang und Hungersnot und was ihr zu folgen pflegt, allgemeines Verderben, kostete die Nachahmung jenes tollen und ausländischen und zu seinem Unglück übermütigen Königs [1]. Wie war damals denen zumute, welchen die Sorge für die Staatsmagazine übertragen war? Steinwürfen, Äxten, Feuerbränden, Schwertern ausgesetzt, verbargen sie nur mit der größten Verstellungskunst den inneren Übelstand, freilich mit gutem Grunde. Denn manches muß man heilen, ohne

---

[1] Des Xerxes, der bekanntlich den Hellespont überbrückte und den Caligulas Wahnsinn durch jene über den Meerbusen von Bajä geschlagene Schiffsbrücke nachahmen wollte, die sein Landgut Bauli mit Puteoli verbinden sollte.

daß die Kranken es wissen; schon für viele ward die Kenntnis ihrer Krankheit eine Ursache des Todes.

19. Ziehe dich zu diesen Beschäftigungen zurück, die viel ruhiger, sicherer und großartiger sind. Hältst du es etwa für gleich, ob du dafür sorgst, daß das Getreide unversehrt durch den Betrug oder die Nachlässigkeit der Lieferanten in die Magazine geschafft, daß es nicht durch angezogene Feuchtigkeit verderbe und heiß werde, daß es dem Maß und Gewicht entspreche, oder ob du zu diesen heiligen und erhabenen Beschäftigungen herantrittst, um zu erkunden, was für Wesen die Götter sind, wie ihre Genüsse, ihr Zustand, ihre Gestalt beschaffen seien? Welches Geschick deine Seele erwartet und wohin uns die Natur nach der Entfesselung vom Körper versetze? Was die schweren Körper des Weltalls in der Mitte erhalte und über dem Leichten schweben mache, das Feuer in die höchsten Regionen erhebe und die Gestirne zu ihrem Wechsellauf anrege? und was es sonst noch der außerordentlichsten Wunder gibt. Willst du, den Erdboden verlassend, dich in deinen Gedanken dorthin erheben? Jetzt, solange das Blut noch warm, das Leben noch frisch ist, müssen wir uns an das Bessere machen. Bei dieser Lebensweise erwartet dich eine Fülle edler Wissenschaften, Liebe zur Tugend und Übung in ihr, Vergessen der Begierden, die Kunst zu leben und zu sterben, ein Zustand tiefer Ruhe. Zwar ist die Lage aller Vielgeschäftigen eine traurige, die traurigste jedoch derjenigen, die sich nicht einmal mit ihren eigenen Geschäften abmühen, sich beim Schlafen nach dem Schlafe eines andern, beim Spazierengehen nach dem Schritte eines andern, beim Essen nach dem Appetit eines andern richten, die sich das Lieben und Hassen, das Freieste von allem, von einem andern befehlen lassen. Wollen diese Menschen erkennen, wie kurz ihr eigenes Leben ist, so mögen sie bedenken, welch ein kleiner Teil davon ihnen gehört. Wenn du daher siehst, daß sie schon oft den verbrämten Mantel anlegten, daß ihr Name auf dem Forum gefeiert ist, so beneide sie nicht. Solches erwirbt man nur auf Kosten des Lebens; daß ein

einziges Jahr nach ihrem Namen bestimmt werde [1], dafür werden sie alle ihre Jahre opfern. Manche hat, ehe sie den Gipfel ihres Ehrgeizes erklommen, indem sie noch auf den ersten Stufen sich abmühten, das Leben verlassen; manche, die durch tausend Unwürdigkeiten bis zur höchsten Würde hinangedrungen sind, beschleicht der kummervolle Gedanke, daß sie sich nur für den Titel auf ihrer Grabschrift abgemüht haben; manche hat das höchste Greisenalter, während sie wie in der Jugend auf neue Hoffnungen hin ihre Pläne machten, mitten unter großen und verwegenen Bestrebungen kraftlos im Stiche gelassen.

20. Schande über den, dem der Atem entflieht, während er hochbejahrt vor Gericht im Interesse der unbekanntesten Prozeßführer nach dem Beifall des unverständigen Zuhörerkreises hascht; schändlich der Mann, der eher des Lebens, als seines mühevollen Treibens satt, mitten in seiner Dienstgeschäftigkeit zusammensinkt; schändlich der, welchen, wenn er mitten in seinen Abrechnungen stirbt, der lange hingehaltene Erbe verlacht! Hier kann ich ein Beispiel, welches mir eben einfällt, nicht übergehen. Turannius war ein Greis vom pünktlichsten Fleiße. Über neunzig Jahre alt, erhielt er vom Gajus Cäsar ohne sein Ansuchen die Entlassung von seinem Verwaltungsposten; da ließ er sich auf das Bett legen und von der umherstehenden Dienerschaft wie einen Verstorbenen bejammern. Sein ganzes Haus betrauerte die dem greisen Gebieter gewordene Muße und endete seine Trauer nicht eher, als bis ihm sein mühevolles Amt zurückgegeben war. Macht es denn eine so große Freude, mitten in Geschäften zu sterben? Dies aber ist die Gesinnung der meisten; ihr Verlangen nach Anstrengung dauert länger als ihre Kraft dazu; sie ringen mit der Schwäche des Körpers; sie achten das Greisenalter in keiner andern Hinsicht für lästig, als weil es sie von Geschäften entfernt. Das Gesetz hebt vom fünfzigsten Jahre an niemanden mehr zum

[1] D. h. daß sie Konsuln werden, mit deren Namen bei den Römern die Jahre bezeichnet wurden.

Soldaten aus, ernennt vom sechzigsten an niemanden mehr zum Senator; schwerer aber, als vom Gesetz, erlangen die Leute von sich selbst müßige Zeit. Inzwischen, während sie weder sich noch andere zu sich selbst kommen lassen, während einer des andern Ruhe vernichtet, während sie gegenseitig elend sind, ist ihr Leben ohne Genuß, ohne Vergnügen, ohne allen Fortschritt des Geistes; niemand hat den Tod vor Augen, jedermann richtet seine Hoffnungen in die Ferne. Manche ordnen sogar noch an, was über das Leben hinausliegt, gewaltige Steinmassen von Grabmälern, Stiftungen öffentlicher Bauwerke, Fechterspiele an ihrem Scheiterhaufen und prunkvolle Leichenbegängnisse. Aber wahrhaftig, sie sollten, als die da nur wenig gelebt haben, bei Fackel- und Kerzenschein hinausgetragen werden [1].

---

[1] Wie Kinderleichen, die ohne Begleitung und Leichengepränge bei Nacht bestattet wurden.

TROSTSCHRIFT AN MARCIA

1. Wenn ich nicht wüßte, Marcia, daß du von der Schwäche eines weibischen Gemütes ebensoweit entfernt bist als von übrigen Fehlern, und daß man in deinem Charakter gleichsam ein Musterbild alter Zeit erblickt, so würde ich es nicht wagen, deinem Schmerze entgegenzutreten, dem selbst Männer gern nachhängen, und ich würde nie die Hoffnung gefaßt haben, es bei so ungünstiger Zeit, vor einem so feindseligen Richter und bei einer so schweren Beschuldigung bewirken zu können, daß du dein Geschick von der Anklage frei sprächest. Vertrauen gab dir deine schon bewährte Seelenstärke und deine schwer erprobte moralische Größe. Es ist ja allgemein bekannt, wie du dich gegen deinen Vater verhalten hast, den du nicht weniger als deine Kinder geliebt, ausgenommen, daß du nicht wünschtest, er möchte sie überleben; aber ich weiß nicht, ob du nicht sogar das gewünscht hast. Große kindliche Liebe kann wohl auch einmal das zulässige Maß überschreiten. Du hast, so viel du konntest, den Tod des Aulus Cremutius Cordus, deines Vaters, zu verhindern gesucht. Als es dir jedoch klar geworden war, daß ihm, umgeben von den Schergen des Sejanus, nur der eine Weg offen stehe, der Knechtschaft zu entfliehen, hast du seinen Vorsatz, sich selbst zu töten, freilich nicht begünstigt, aber doch besiegt ihm die Hand gereicht und deine Tränen fließen lassen; öffentlich hast du zwar deine Seufzer zurückgedrängt, jedoch nicht durch eine heitere Stirn verhehlt, und das in einer Zeit, wo es schon für große kindliche Liebe galt, nichts geradezu Liebloses zu tun. Sobald aber die veränderten Zeiten nur einige Gelegenheit darboten, hast du den Geist deines Vaters — er eigentlich sollte vernichtet werden — der Menschheit zurückgegeben und ihn vom wahren Tode gerettet, in-

dem du die Bücher, die jener mutige Mann mit seinem Blute
geschrieben hatte, als ein geschichtliches Denkmal des Staates
wieder herausgegeben hast. Du hast dich dadurch um die
römische Literatur aufs höchste verdient gemacht; denn ein
großer Teil derselben hatte schon gebrannt; aufs höchste um
die Nachwelt, auf welche eine unverfälschte und treue Darstellung der Geschichte kommen wird, die ihrem Verfasser
so hoch angerechnet worden ist; aufs höchste um ihn selbst,
dessen Andenken lebt und leben wird, so lange es noch
einen Wert haben wird, die römische Geschichte kennen zu
lernen, so lange es noch jemanden geben wird, der zu den
Taten der Vorfahren zurückzukehren, der zu wissen wünscht,
was ein römischer Mann sei, was, nachdem die Nacken aller
gebeugt und unter das Sejanische Joch geschmiegt waren,
ein unbezwungener Mann, frei im Denken, im Wollen und
im Handeln. Wahrlich, einen großen Verlust hätte der Staat
erlitten, wenn du ihn, der seines Freimuts wegen in die Vergessenheit verstoßen war, nicht von da herausgezogen hättest. Jetzt wird er gelesen, steht in Ansehen; in die Hände,
in die Herzen der Menschen aufgenommen, wird er nie ver-
alten. Was dagegen jene Henker betrifft, so wird man selbst
von ihren Verbrechen, dem einzigen, wodurch sie im Andenken zu bleiben verdienten, sehr bald nicht mehr sprechen.
Diese Größe deines Geistes verbot mir, auf dein Geschlecht
Rücksicht zu nehmen und auf deine Gesichtszüge, worin die
ununterbrochene Traurigkeit so vieler Jahre eingeprägt ist.
Auch siehe, wie ich mich nicht etwa bei dir einschmeicheln
will, noch dein Gemüt zu täuschen gedenke. Ein Unglück
früherer Zeit habe ich dir ins Gedächtnis zurückgerufen, und
willst du wissen, wie auch dieser Schlag, der Verlust deines
Sohnes, geheilt werden kann? Ich zeigte dir die Narbe einer
ebenso großen Wunde. Mögen daher andere immerhin gelind und einschmeichelnd verfahren; ich habe beschlossen,
mit deiner Traurigkeit einen Kampf zu beginnen, und ich
will den ermüdeten und erschöpften Augen, die, wenn du
die Wahrheit hören willst, schon mehr aus Gewohnheit, als
aus wirklichem Schmerze die Tränen fließen lassen, Einhalt

tun, womöglich so, daß du selbst dich mit den angewendeten Heilmitteln befreundest, wo nicht, selbst gegen deinen Willen. Halte immerhin deinen Schmerz fest, der dir an deines Sohnes Stelle fortleben soll. Denn wann wird er ein Ende nehmen? Alles ist vergebens versucht worden; ermüdet ist der Zuspruch der Freunde, der Rat großer und dir verwandter Männer; die Studien, ein vom Vater angeerbtes Gut, gehen mit vergeblichem und kaum für die kurze Zeit der Beschäftigung mit ihnen wirkendem Troste an tauben Ohren vorüber. Selbst das natürliche Heilmittel der Zeit, das selbst den größten Kummer zu beschwichtigen pflegt, hat an dir seine Kraft verloren. Schon ist das dritte Jahr verstrichen, ohne daß inzwischen die Heftigkeit des Schmerzes etwas nachgelassen hat; er erneuert sich und stärkt täglich die Trauer, er hat sich durch die Länge der Zeit bereits ein Recht erworben und ist schon so weit gediehen, daß er es für schimpflich hält, dich zu verlassen. Wie alle Fehler sich tief im Innern festsetzen, wenn sie nicht im Entstehen unterdrückt worden sind, so nährt sich auch diese Traurigkeit, dieses Elend, dieses Wüten gegen sich selbst zuletzt durch seine Bitterkeit selbst, und der Schmerz wird für das unglückselige Gemüt eine verkehrte Lust. Deshalb hätte ich gewünscht, gleich in der ersten Zeit zu dieser Heilung schreiten zu können; mit leichteren Mitteln hätte die noch im Entstehen begriffene Gewalt beschränkt werden können; mit größerer Kraft muß man gegen ein veraltetes Übel kämpfen. Denn auch die Heilung von Wunden ist leicht, wenn sie noch frisch vom Blute sind; da kann man brennen, die Sonde einführen und verbinden; sind sie aber vernachlässigt und vereitert, so werden sie schwerer geheilt. Jetzt kann ich einem so unbeugsamen Schmerze nicht mehr mit Nachgiebigkeit und Gelindigkeit beikommen; er muß gebrochen werden.

2. Ich weiß, daß alle, die ermahnen wollen, mit Lehren anfangen und mit Beispielen aufhören. Bisweilen aber ist es geraten, diesen Gebrauch zu ändern; denn mit dem einen muß man anders verfahren als mit dem andern. Manche

lassen sich durch Vernunftgründe leiten; manchen muß man berühmte Namen entgegenhalten und ein Ansehen, das den dadurch geblendeten Geist nicht sich selbst überläßt. Zwei der größten Muster sowohl deines Geschlechts als deiner Zeit will ich dir vor Augen stellen, das eine einer Frau, die sich dem Zuge ihres Schmerzes hingab, das andere einer solchen, die, von gleichem Unfall und noch größerem Schaden betroffen, dennoch dem Unglück keine lange Herrschaft über sich gestattete, sondern ihr Gemüt schnell wieder in seine Ruhe zurückversetzte. Oktavia und Livia, jene die Schwester, diese die Gemahlin des Augustus, verloren beide im Jünglingsalter stehende Söhne, beide in der sicheren Hoffnung, daß sie einst Herrscher sein würden; Oktavia den Marcellus, auf dessen Schultern sich der Oheim und Schwiegervater zu stützen, dem er die Last der Regierung aufzulegen begonnen hatte, einen Jüngling feurigen Geistes und hohen Talentes und von einer bei solchem Alter und solchen Mitteln nicht wenig zu bewundernden Enthaltsamkeit und Selbstbeherrschung, Anstrengungen gewachsen, den Wollüsten abhold und bereit, alles zu tragen, was der Oheim ihm auflegen und, mich so auszudrücken, auf ihn bauen wollte. Er hatte sehr gut einen Grund gewählt, der keiner Last nachgeben würde. Die ganze Zeit ihres Lebens hindurch machte sie ihren Tränen, ihren Seufzern kein Ende, und lieh keinen Worten ihr Ohr, die etwas Heilendes brachten. Nicht einmal für kurze Zeit ließ sie sich davon abbringen; nur auf den einen Gegenstand achtend und mit ganzer Seele daran gefesselt, blieb sie ihr ganzes Leben lang so, wie sie beim Begräbnis gewesen war, und geschweige, daß sie gewagt hätte, sich zu erheben, verschmähte sie es auch, sich aufrichten zu lassen, und hielt es für ein zweites Verwaistsein, sich der Tränen zu enthalten. Kein Bild des teuren Sohnes wollte sie besitzen, nie desselben Erwähnung getan hören. Sie haßte alle Mütter und war besonders auf die Livia wütend, weil das *ihr* verheißene Glück auf deren Sohn übergegangen zu sein schien. Ihr Leben in Dunkel und Einsamkeit verbringend und selbst ihrem Bruder keinen Blick schen-

kend, verschmähte sie die zur Feier von Marcellus' Andenken verfaßten Gedichte und andere Ehrenbezeugungen der
Zuneigung und verschloß ihre Ohren jedem Troste. Sie zog
sich zurück von den herkömmlichen Beileidsbezeugungen,
und selbst das die Größe ihres Bruders allzusehr umglänzende
Glück hassend, vergrub und verbarg sie sich. Von Kindern
und Enkeln umgeben, legte sie doch das Trauerkleid nie ab,
eigentlich eine Beleidigung für alle die Ihrigen, bei deren
blühendem Leben sie sich doch verwaist vorkam.

3. Livia hatte ihren Sohn Drusus verloren, der ein großer
Fürst zu werden versprach und bereits ein großer Feldherr
war. Er war tief in Germanien eingedrungen, und die Römer
hatten unter ihm ihre Fahnen da aufgepflanzt, wo man von
Römern kaum etwas wußte. Auf dem Feldzuge war er als
Sieger gestorben, indem selbst die Feinde ihm während
seiner Krankheit Verehrung und Friedfertigkeit bewiesen
und nicht zu wünschen wagten, was doch ihr Vorteil war.
Sein Tod, den er für den Staat erlitten hatte, erregte das
größte Bedauern der Bürger, der Provinzen und ganz Italiens, alle Munizipien und Kolonien strömten zu dem Trauer-
dienste herbei, und machten die Überführung seiner Leiche
in die Stadt zu einem Triumphzug. Der Mutter war es nicht
vergönnt gewesen, die letzten Küsse des Sohnes und die
lieben Worte des sterbenden Mundes aufzufangen. Eine
weite Strecke hatte sie die irdischen Überreste ihres Sohnes
begleitet, aber, obgleich durch so viele in ganz Italien bren-
nende Scheiterhaufen so aufgeregt, als müßte sie ihn ebenso
oft verlieren, begrub sie doch, sobald sie ihn in den Grab-
hügel versenkte, mit ihm zugleich auch ihren Schmerz und
trauerte nicht mehr, als es sich geziemte beim Tode eines
kaiserlichen Prinzen und für eine Mutter. Sie hörte nicht
auf, den Namen ihres Drusus zu feiern, sich ihn überall zu
Hause und öffentlich zu vergegenwärtigen, sehr gern von
ihm zu sprechen und von ihm sprechen zu hören, während
das Andenken an den andern niemand bewahren oder er-
neuern konnte, ohne die Oktavia zu betrüben.

Wähle also, welches von diesen beiden Beispielen du für lobenswerter halten willst: willst du dem ersteren folgen, so schließest du dich aus der Zahl der Lebenden aus; du wirst sowohl gegen andere Kinder, als gegen deine eigenen Abneigung fühlen und, dich bloß nach ihm sehnend, allen Müttern als eine Erscheinung von trauriger Vorbedeutung entgegentreten. Ehrbare und erlaubte Freuden wirst du, als unvereinbar mit deinem Geschick, zurückweisen, von einem dir verhaßten Leben wirst du festgehalten werden, erbittert gegen dein Alter, daß es dich nicht jählings vernichte und ein Ende mache, und, was deiner von einer bessern Seite bekannten Gesinnung ganz und gar widerspricht, du wirst zeigen, daß du nicht leben magst und doch nicht sterben kannst. Hältst du dich dagegen an das Beispiel jener andern großen Frau, so wirst du in deinem Kummer gemäßigter und milder sein und dich nicht in Qualen abhärmen. Denn welch ein Unsinn ist es, sich selbst für sein Unglück zu strafen und seine Leiden zu vermehren! Du wirst die Tüchtigkeit und Ehrbarkeit des Charakters, die du in deinem ganzen Leben behauptet hast, auch in diesem Falle bewähren. Selbst bei der Trauer über jenen Jüngling gibt es ein gewisses Maß; indem du immer von ihm redest, immer an ihn denkst, wird er dir die würdigste Ruhe verschaffen. Du wirst ihm eine höhere Stelle anweisen, wenn er seiner Mutter so, wie er es im Leben tat, heiter und mit Freude entgegentritt.

4. Und ich will nicht noch härtere Forderungen an dich stellen, indem ich dich Menschliches auf übermenschliche Weise ertragen, am Begräbnistage selbst die Augen der Mutter trocken bleiben hieße; ich will dir selbst die Entscheidung überlassen: das sei die Frage unter uns, ob der Schmerz groß oder unaufhörlich sein soll. Ich zweifle nicht, daß dir das Beispiel der Kaiserin Livia, die du als vertraute Freundin verehrt hast, besser gefallen wird. Diese lieh in der ersten Aufwallung, wo alle Trübsal am unerträglichsten und heftigsten ist, dem Areus, dem Philosophen ihres Gatten, ihr Ohr und gestand, daß ihr dies sehr geholfen habe, mehr

als der Gedanke an das römische Volk, das sie durch ihre
Traurigkeit nicht verstimmen wollte; mehr als Augustus,
der, nachdem ihm diese eine Stütze entzogen war, wankte
und durch die Trauer der Seinen nicht noch mehr gebeugt
werden durfte; mehr als ihr Sohn Tiberius, dessen kindliche
Liebe bewirkte, daß sie bei jenem bittern und von den Völkern beweinten Todesfalle nur das eine empfand: daß die
Zahl ihrer Söhne nicht mehr voll sei. Dies war, wie ich
glaube, der Eingang, dies der Anfang seiner Rede an jene
Frau, welche die sorgfältigste Hüterin der guten Meinung
war, in der sie stand: »Bis auf diesen Tag, Livia, hast du dir
(wenigstens soviel ich, der beständige Begleiter deines Ge-
mahls, weiß, dem nicht bloß bekannt ist, was vors Publikum
gebracht wird, sondern auch alle geheimeren Regungen eurer
Herzen) stets Mühe gegeben, daß sich nichts an dir fände,
was jemand tadeln könnte. Und nicht nur bei wichtigeren
Dingen, sondern auch bei den geringfügigsten hast du darauf
geachtet, daß du nie etwas tatest, wovon du hättest wünschen
müssen, daß der Ruf, der freimütigste Beurteiler der Großen,
es dir verzeihe. Und ich glaube, daß es nichts Schöneres gibt,
als wenn die auf die höchste Höhe des Lebens Gestellten
vielen Dingen Verzeihung schenken, für keines sie begehren.
Daher mußt du auch in diesem Falle deine Sitte beibehalten
und dir nichts erlauben, wovon du wünschen müßtest, daß
es gar nicht oder anders geschehen wäre.«

5. »Sodann bitte und beschwöre ich dich, daß du dich
gegen die Freunde nicht unzugänglich und ungefügig zeigst.
Denn es kann dir nicht entgehen, daß diese alle nicht wissen,
wie sie sich benehmen sollen, ob sie in deiner Gegenwart
vom Drusus sprechen sollen oder nicht, damit nicht das Vergessen des herrlichen Jünglings eine Unbill gegen ihn, seine
Erwähnung aber gegen dich sei. Wenn wir uns zurückgezogen
haben und beisammen sind, feiern wir seine Taten und seine
Worte mit der Bewunderung, die sie verdienen; in deiner
Gegenwart beobachten wir ein tiefes Stillschweigen über
ihn. So entbehrst du das größte Vergnügen, das Lob deines

Sohnes, das du doch ohne Zweifel selbst mit Aufopferung deines Lebens, wenn es dir möglich wäre, auf alle Zeiten verlängern möchtest. Daher verstatte, ja veranlasse solche Gespräche, in welchen von ihm erzählt wird, und leihe dem Namen und dem Gedächtnis deines Sohnes offene Ohren, und halte dies nicht für schwer nach der Sitte derer, die bei einem solchen Unfalle es für einen Teil des Unglücks halten, Trostworte zu hören. Jetzt hast du dich ganz der einen Seite zugewendet, und das Gute vergessend, siehst du nur das Schlimme. Du denkst nicht an den früheren Umgang mit deinem Sohne und an sein erfreuliches Begegnen, nicht an seine kindlichen und süßen Schmeichelworte, nicht an seine Fortschritte in Kenntnissen, du hältst nur jene letzte Gestaltung der Dinge fest; auf sie häufst du, als wäre sie nicht schon an sich schrecklich genug, alles, was du nur kannst. Trachte doch nicht, ich beschwöre dich, nach dem ganz verkehrten Ruhme, für die Unglücklichste gehalten zu werden. Zugleich bedenke, daß es durchaus nichts Großes ist, sich in günstigen Verhältnissen stark zu zeigen, wenn das Leben in glücklicher Fahrt verläuft; auch die Kunst des Steuermanns zeigt sich nicht bei ruhiger See und günstigem Winde; etwas Widerwärtiges muß eintreten, das den Mut bewähre. Daher laß dich nicht werfen, nein, im Gegenteil stelle dich festen Fußes hin, und welche Last auch über dich herfällt, trage sie, wenn auch durch den ersten Lärm erschreckt. Nichts macht ein schlimmes Geschick erträglicher, als Gleichmut.« Hierauf verweist er sie auf den noch lebenden Sohn und die vom Verlorenen gezeugten Enkel.

6. Auch *deine* Sache, Marcia, ist damals verhandelt worden, an *deiner* Seite hat Areus gesessen; verändere die Person, und er hat dich getröstet. Doch glaube immer, es sei dir mehr entrissen worden, als je eine Mutter verloren hat (ich schone dich nicht, ich verkleinere dein Unglück nicht): wenn das Geschick durch Tränen besiegt wird, so laß sie uns vereinigen, der ganze Tag gehe unter Trauerklagen dahin, auch die ohne Schlaf verrinnende Nacht möge die Trauer

ausfüllen; laß uns die Brust zerschlagen und das Anlitz zermartern, und in jeder Art der Grausamkeit versuche sich die Traurigkeit, wenn sie nur etwas dadurch erreicht. Wenn aber die Gestorbenen durch kein Zerschlagen der Brust zurückgerufen werden, wenn das unbewegliche und in Ewigkeit feststehende Geschick durch kein Jammern geändert wird und der Tod alles, was er dahingerafft hat, zurückzugeben sich weigert, so höre der Schmerz auf, der ja doch vergeblich ist. Wir wollen uns beherrschen, und jene Gewalt soll uns nicht querfeldein mit sich fortreißen. Das ist ein schmählicher Lenker eines Schiffes, dem die Fluten das Steuer entreißen, der die flatternden Segel verläßt und das Fahrzeug dem Wind und Wetter preisgibt; der aber ist selbst beim Schiffbruch zu preisen, den das Meer begräbt, während er das Steuerruder festhält und sich gegen die Wogen stemmt.

7. »Aber die Sehnsucht nach den Seinigen ist doch etwas ganz Natürliches.« Wer leugnet es, solange sie nicht übermäßig ist? Denn schon ein Weggang, nicht bloß der Verlust der uns Teuersten tut notwendig weh und preßt auch die festesten Herzen zusammen. Allein, was die Einbildung hinzufügt, ist mehr, als was die Natur geboten hat. Siehe, wie heftig bei den unvernünftigen Tieren die Sehnsucht nach ihren Verlorenen ist, und dennoch wie kurz! Man hört das Gebrüll der Kühe einen und noch einen zweiten Tag lang, und nicht länger dauert auch das unsinnige Hin- und Herlaufen der Stuten. Das Wild, wenn es die Spur der Jungen verfolgt und die Wälder durchirrt hat, wenn es mehrmals zu der ausgeraubten Lagerstätte zurückgekehrt ist, stillt dennoch seine Wut in kurzer Zeit. Die Vögel umflattern ihre ausgeleerten Nester mit großem Geschrei; jedoch in *einem* Augenblick beruhigt, beginnen sie wieder ihre gewöhnlichen Ausflüge. Bei keinem lebenden Geschöpfe ist die Sehnsucht nach den verlorenen Jungen von so langer Dauer als bei dem Menschen, der seinem Schmerze nachhängt und nicht bloß in dem Maße davon ergriffen wird, als er ihn wirklich fühlt, sondern als er ihn zu fühlen sich vorgenom-

men hat. Um dich aber zu überzeugen, daß es nicht naturgemäß sei, sich durch Trauer niederschlagen zu lassen, so beachte, daß derselbe Verlust mehr die Frauen als die Männer, mehr Barbaren als Leute einer gesitteten und gebildeten Nation, Ungebildete mehr als Gebildete verwundet. Und so behauptet denn das, was seine Kraft von der Natur empfangen hat, dieselbe auch in allen Fällen. Es ist offenbar, daß nicht naturgemäß ist, was sich öfters ändert. Das Feuer wird jedes Lebensalter, Bürger jeder Stadt, sowohl Männer als Weiber, gleichmäßig brennen; das Eisen wird an jedem Körper seine Kraft zu zerschneiden bewähren; weshalb? Weil ihm seine Kräfte von der Natur verliehen sind, die keine Rücksicht auf Personen nimmt. Armut aber, Trauerfälle, Ehrgeiz empfindet der eine so, der andere anders, je nachdem die Gewohnheit ihn damit vertraut gemacht hat, und das schreckende Vorurteil in bezug auf Dinge, die nicht zu fürchten sind, macht ihn schwach und unfähig zum Ertragen.

8. Sodann nimmt, was natürlich ist, mit der Zeit nicht ab; den Schmerz aber verzehrt die lange Zeit. Mag er noch so hartnäckig sein, sich täglich neu erheben und gegen die Heilmittel aufbrausen, dennoch entnervt ihn die Zeit, das wirksamste Mittel, den Trotz zu bändigen. Zwar hält bei dir, o Marcia, auch jetzt noch die heftige Trauer an und scheint gleichsam schon eine harte Haut bekommen zu haben, zwar nicht so aufgeregt, wie sie bei jener, der Oktavia, war, aber doch hartnäckig und eigensinnig; und dennoch wird auch sie die Zeit nach und nach dir abnehmen. So oft du etwas anderes tust, wird sich dein Gemüt erholen: jetzt beschäftigst du dich bloß mit dir selbst, hängst bloß deinem Schmerze nach. Es ist aber ein großer Unterschied, ob du dir zu trauern erlaubst oder gebietest. Um wieviel mehr aber geziemt es der Schönheit deines Charakters, ein Ende zu machen, als es abzuwarten und nicht auf den Tag zu harren, wo der Schmerz wider deinen Willen aufhört. Entsage ihm selbst.

9. »Woher also rührt bei uns die große Hartnäckigkeit in dem Beklagen unseres Zustandes, wenn es nicht auf Geheiß der Natur geschieht?« Daher, weil wir uns kein Übel vorstellen, ehe es eintritt; als ob wir selbst sicher und ruhiger als andere unsere Straße gingen, lassen wir uns durch fremde Unfälle nicht daran erinnern, daß sie ebensogut auch uns treffen können. So viele Leichenzüge gehen an unserem Hause vorüber, und wir denken doch nicht an den Tod; es ereignen sich so viele herbe Todesfälle, und wir beschäftigen uns in Gedanken mit der Toga unserer Kinder[1], mit ihrem Kriegsdienste und mit ihrem Antritt der väterlichen Erbschaft; so vieler Reicher plötzliche Verarmung fällt uns in die Augen, und doch kommt es uns nie in den Sinn, daß auch unser Vermögen auf ebenso unsicherem Boden steht. Notwendig müssen wir daher um so mehr zusammenstürzen, wenn wir gleichsam unvermutet einen Schlag bekommen. Was man lange vorher in Gedanken durchlaufen hat, überfällt einen nicht so plötzlich. Willst du dich überzeugen, daß du allen Schlägen des Schicksals ausgesetzt dastehst, und daß die Geschosse, welche andere getroffen haben, auch dich umrauscht haben? Als ob du dich unbewaffnet einer Mauer oder einem von vielen Feinden besetzten und schwer zu ersteigenden Orte nähertest, erwarte eine Wunde und denke dir alle von oben herabfliegenden Steine, Pfeile und Wurfspieße als gegen deinen Körper geschleudert. So oft sie dir zur Seite oder hinter deinem Rücken niederfallen, so rufe aus: »Du täuschest mich nicht, Schicksal, und wirst mich nicht als sorglos oder unachtsam überraschen; ich weiß, was du im Schilde führst; einen andern zwar hast du getroffen, aber auf mich es abgesehen.« Wer hat je seine Habe angeblickt, als ob er sterben werde? Wer von euch hat je an Verbannung, an Armut, an Todesfälle zu denken gewagt? Wer, der daran erinnert wird, weist es nicht wie eine gräßliche

---

[1] D. h. denken an die Zeit, wo unsere Söhne aus dem Knabenalter heraustreten und die Erlaubnis erhalten werden, die Toga (ein schlichtes, weißwollenes Oberkleid ohne Ärmel und Knöpfe, das mantelartig über den Körper geworfen wurde, so daß der rechte Arm frei heraushing) anzulegen, was gewöhnlich im siebzehnten Jahre geschah.

Vorbedeutung von sich ab und heißt es auf das Haupt seiner
Feinde oder des lässigen Mahners selbst übergehen? »Ich
habe nie geglaubt, daß es geschehen werde.« Wie? Du glaubst
nicht, daß es geschehen werde, da du doch weißt, daß es bei
vielen geschehen kann, und siehst, daß es schon vielen begegnet ist? Höre einen herrlichen und eines Verfassers wie
Publius würdigen Vers: »Was einem begegnet, kann jedermann begegnen.« Jener hat Kinder verloren: auch du kannst
sie verlieren. Jener ist verurteilt worden: auch deiner Unschuld droht ein Schlag. Der Schrecken täuscht uns, er ver-
weichlicht uns, wenn wir etwas erleiden, wovon wir nie
ahnten, daß wir es erleiden könnten. Wer aber in die Zukunft hinausschaut, der entzieht dem Übel, wenn es da ist,
seine Kraft.

10. Was auch, Marcia, uns von außen zufällt, Kinder,
Ehrenstellen, Reichtümer, geräumige Paläste und von Klienten wimmelnde Vorhöfe, eine berühmte, vornehme oder
schöne Gattin und was sonst vom unsichern und veränderlichen Glück abhängt, alles das ist fremder und uns nur
geliehener Prunk. Nichts davon wird uns als Geschenk
gegeben; nur wie mit zusammengeliehenem und zu seinem
Eigentümer wieder zurückkehrendem Gerät wird die Bühne
des Lebens geschmückt. Das eine davon wird am ersten, das
andere am zweiten Tage wieder fortgetragen werden, nur
wenig bleibt uns bis zum Ende. Daher haben wir keine Ursache, uns zu brüsten, als säßen wir in unserem Eigentum;
wir haben es bloß geliehen bekommen. Die Nutznießung ist
unser; auf wie lange Zeit, bestimmt der, welcher Herr über
sein Geschenk ist; wir müssen bereit halten, was uns auf
einen unbestimmten Termin gegeben ward, und es, aufgefordert, ohne Klage zurückgeben. Ein schlechter Schuldner,
der seinen Gläubigern Grobheiten sagt. Daher müssen wir
alle die Unsrigen, sowohl die, von welchen wir nach dem
Gesetz der Geburt wünschen, daß sie uns überleben mögen,
als auch die, deren gerechtester Wunsch es ist, uns voran-
zugehen, so lieben, als sei uns über ihren beständigen, ja,

selbst über ihren langen Besitz nichts zugesagt. Immer müssen wir unser Herz daran erinnern, daß jene Dinge, die wir lieben, wieder entweichen werden, ja, schon bereits entweichen. Alles, was das Glück dir gegeben hat, besitze wie etwas, das keinen berechtigten Eigentümer hat. Erhaschet die Genüsse des Kinderbesitzes, gebt euch dagegen euern Kindern zu genießen hin, ergreifet ohne Aufschub jede Freude. Ihr wisset nicht, ob der heutige Tag, ja nur die jetzige Stunde euer ist. Es gilt zu eilen; schon steht der Tod im Rücken, gleich wird dieses Gefolge sich zerstreuen, gleich wird sich das Band dieser Gemeinschaft auf den Ruf zum Aufbruch lösen. Alle Dinge sind durch Raub erworben, und ihr Unglücklichen versteht nicht, auf der Flucht zu leben. Wenn es dich schmerzt, daß dir der Sohn gestorben ist, so ist dies ein Vorwurf gegen die Zeit, da er geboren wurde; denn der Tod wurde ihm schon bei der Geburt angekündigt. Auf diese Bedingung hin wurde er dir gegeben; dies Geschick verfolgte ihn gleich von Mutterleib an. Unter die Herrschaft des Schicksals, und zwar eine harte und unwiderstehliche, sind wir gekommen, um nach seiner Willkür Verdientes und Unverdientes zu erdulden. Unserem Körper wird es auf zügellose, schmähliche und grausame Weise mitspielen; die einen wird es mit Feuer brennen, sei es zur Strafe, sei es zur Heilung, andere wird es in Fesseln schlagen, und dies bald einem Feinde, bald einem Mitbürger gestatten; andere wird es nackt auf unsicheren Meeren herumwerfen und, nachdem sie mit den Fluten gerungen, nicht einmal auf eine Sandbank oder das Ufer auswerfen, sondern in dem Bauche eines riesigen Seetieres begraben. Andere wird es von Krankheiten verschiedener Art abgezehrt lange mitten zwischen Leben und Tod schweben lassen. Wie eine veränderliche und eigensinnige Herrin, die ihre Sklaven vernachlässigt, wird es in Strafen und Belohnungen irren. Was braucht man einzelne Teile zu beweinen? Das ganze Leben ist beweinenswert. Neue Widerwärtigkeiten werden dich quälen, ehe du den alten Genüge getan. Daher ist Maß zu halten, besonders von euch Frauen, die ihr in der Trauer leicht das Maß überschreitet, und man muß das menschliche Herz zwischen Furcht und Schmerz teilen.

11. Wie kann man doch sein eigenes und das allgemeine Los so vergessen? Sterblich bist du geboren, Sterbliche hast du zur Welt gebracht; du, ein morscher und hinfälliger Leib und wiederholt von Krankheiten heimgesucht, glaubst in einem so schwächlichen Stoffe etwas Festes und Ewiges zu tragen? Dein Sohn ist gestorben, d. h. er ist an das Ziel gelangt, dem alle zueilen, die du für glücklicher hältst als deine Leibesfrucht. Dahin wandert, nur ungleichen Schrittes, jener ganze Haufe, der auf dem Forum Prozesse führt, in den Theatern sitzt, in den Tempeln betet. Sowohl was du liebst, als was du verachtest, wird zu Asche und einander gleich werden. Darauf zielt jene Aufschrift des Pythischen Orakels: »Lerne dich selbst kennen.« Was ist der Mensch? Ein zerbrechliches Gefäß, das umhergestoßen wird; keines heftigen Sturmes bedarf es und du zerschellst. Wo du anstößest, da fällst du auseinander. Was ist der Mensch? Ein schwacher zerbrechlicher Körper, nackt, von Natur wehrlos, fremder Hilfe bedürftig, jeder Mißhandlung des Schicksals preisgegeben, und, hat er auch seine Arme noch so gut geübt, dennoch das Futter und das Opfer jeder Bestie, aus schwachem und lockerem Stoffe zusammengewebt, und nur den äußeren Umrissen nach schön anzuschauen, aber Kälte, Hitze, Anstrengung zu ertragen unfähig, schon durch das ruhige Daliegen und Nichtstun selbst der Verwesung wieder entgegengehend, seine eigenen Nahrungsmittel fürchtend, da er bald durch ihren Überfluß, bald durch ihren Mangel zugrunde geht, ein Gegenstand ängstlicher und besorgter Hut, mit erbetteltem und leicht stockendem Atem, den ihm ein den Ohren unerträglicher Ton benimmt, wenn er ihn etwas plötzlich und unvermutet hört. Und da wundern wir uns über den Tod eines einzigen, da doch alle sterben müssen. Ist es denn etwa eine Sache großer Anstrengung, daß er zusammenfalle? Schon Geruch und Geschmack, Ermüdung und Nachtwachen, Trank und Speise und alles,

ohne das er nicht leben kann, sind tödlich für ihn. Wohin er sich bewegt, wird er sich sogleich seiner Schwachheit bewußt, da er nicht jedes Klima zu ertragen fähig ist, nicht jedes Wasser, nicht einen Luftzug, an den er nicht gewöhnt ist; die geringfügigsten Ursachen und Anstöße machen ihn krank, morsch, gebrechlich; mit Weinen ist er ins Leben eingetreten — und doch welchen Lärm erregt dabei dies verächtliche Geschöpf? Auf welche Gedanken gerät es, seiner Natur vergessend? Unsterbliches, Ewiges bewegt er in seinem Geiste und trifft Anordnungen für Enkel und Urenkel, während ihn, indem er so weitgreifende Pläne entwirft, der Tod überrascht; und was man ein hohes Alter nennt, ist der Kreislauf weniger Jahre.

12. Berücksichtigt dein Schmerz, Marcia, wenn er überhaupt einen überlegten Grund hat, das eigene Ungemach oder das des Dahingeschiedenen? Regt er sich bei dem Verlust deines Sohnes darum, weil du von ihm keinen Genuß gehabt hast oder weil du einen größeren hättest haben können, wenn er länger gelebt hätte? Sagst du, du habest keinen gehabt, so machst du dadurch seinen Verlust erträglicher; denn die Menschen sehnen sich weniger nach dem, wovon sie keine Freude, keine Wonne genossen haben. Gestehst du aber, du habest große Freuden durch ihn genossen, so darfst du nicht darüber klagen, was dir entzogen worden ist, sondern mußt für das danken, was du geerntet hast. Ein großer Lohn für deine Bemühungen ist dir schon aus der Erziehung selbst erwachsen: Wer junge Hunde und Vögel mit größter Sorgfalt pflegt, genießt schon durch das Anschauen, das Betasten und die schmeichelnden Liebkosungen so unvernünftiger Geschöpfe ein Vergnügen; denen aber, die Kinder aufziehen, sollte nicht schon die Erziehung selbst ein Lohn der Erziehung sein? Möchte dir daher auch seine Tätigkeit nichts eingetragen, seine Sorgfalt nichts bewahrt, seine Klugheit nichts geraten haben: schon daß du ihn hattest, daß du ihn liebtest, war ein Gewinn. »Aber«, sagst du, »der Genuß hätte länger und größer sein können.« Dein

Los war dennoch besser, als wenn er dir gar nicht zuteil geworden wäre; wenn einem die Wahl gelassen wird, ob es besser sei, nicht lange glücklich zu sein oder überhaupt niemals, so ist es doch besser, daß einem ein wieder entschwindendes Glück zuteil wird als gar keines. Möchtest du wohl lieber einen ungeratenen Sohn gehabt haben, der nur den Namen eines Sohnes ausgefüllt hätte, als einen von solchem Charakter, wie der deinige war? Ein Jüngling, früh verständig, früh liebevoll, früh Gatte, früh Vater, früh jeder Pflicht beflissen, früh Priester, alles gleichsam jählings. Fast keinem werden große und zugleich lang dauernde Güter zuteil; nur ein allmähliches Glück hat Dauer und bleibt bis ans Ende. Weil dir die Götter deinen Sohn nicht auf lange Zeit geben wollten, so gaben sie dir ihn gleich so, wie man nur in langer Zeit werden kann. Auch das nicht einmal kannst du sagen, du seiest von den Göttern dazu auserlesen gewesen, deinen Sohn nicht genießen zu können. Laß deine Blicke durch den ganzen Kreis von Bekannten und Unbekannten schweifen: überall werden dir Leute begegnen, die noch Größeres erduldet haben. Das haben große Feldherrn, das haben Fürsten erfahren; selbst die Götter hat die Sage nicht verschont gelassen, ich glaube, damit es bei unsern Todesfällen ein Linderungsmittel sein sollte, daß auch das Göttliche zusammenstürze. Blicke umher auf alle, sage ich, du wirst mir kein unglückliches Haus nennen können, das nicht in einem noch unglücklicheren seinen Trost fände. Wahrhaftig, ich denke von deinem Charakter nicht so schlecht, daß ich glaubte, du könntest deinen Unfall leichter ertragen, wenn ich dir die gewaltige Zahl von Trauernden vorführte: die große Menge der Unglücklichen ist eine Art von schadenfrohem Trost; einige aber will ich dennoch anführen, nicht damit du einsehest, daß dies den Menschen zu treffen pflegt — denn es ist lächerlich, Beispiele der Sterblichkeit zusammenzusuchen —, sondern damit du dich überzeugst, es habe viele gegeben, die ein hartes Schicksal durch geduldiges Ertragen milder machten. Bei dem Glücklichsten will ich beginnen. Lucius Sulla verlor einen Sohn; dieser Umstand hat jedoch weder

seiner Kriegstätigkeit und seiner so hitzigen Tapferkeit gegen
Feinde und Mitbürger Abbruch getan, noch hat er vermuten
lassen, er habe sich den Beinamen des »Glücklichen«, den er
erst nach Verlust seines Sohnes annahm, noch bei Lebzeiten
desselben beigelegt; und er fürchtete dabei weder den Haß
der Menschen, auf deren Unglück sein allzu großes Glück
sich gründete, noch den Neid der Götter, die ihm gerade das
zum Vorwurf machten, daß er so glücklich sei. Doch möge
als eine noch unentschiedene Frage unerörtert bleiben, von
welchem Charakter Sulla gewesen sei; selbst seine Feinde
aber werden eingestehen, daß er die Waffen geschickt ergriffen, geschickt niedergelegt habe. Das, wovon hier gehandelt wird, bleibt ausgemacht: was auch über die Glücklichsten kommt, ist nicht das größte Übel.

13. Daß Griechenland jenen Vater nicht mehr allzusehr
bewundert, der, als ihm bei einem Opfer der Tod seines
Sohnes gemeldet wurde, nur dem Flötenbläser zu schweigen
befahl und den Kranz vom Haupte nahm, das übrige aber
dem Herkommen gemäß vollführte, hat der Pontifex Pul-
villus bewirkt, dem, während er den Tempelpfosten hielt
und das Kapitol einweihte, der Tod seines Sohnes gemeldet
wurde; er tat, als ob er es gar nicht gehört hätte, und sprach
die feierlichen Worte der Weiheformel, ohne daß ein Seufzer
sein Gebet unterbrach, und beim Namen seines Sohnes flehte
er um Jupiters Gnade. Man sollte glauben, eine solche Trauer
müsse wohl ein Ende finden, deren erster Tag, deren erster
Anfall einen Vater von dem öffentlichen Altare und dem
Segen erflehenden Gebete nicht entfernte. Wahrhaftig, dieser
Mann war würdig der merkwürdigen Tempelweihe, würdig
des angesehensten Priesteramtes, der selbst die erzürnten
Götter zu verehren nicht abließ. Derselbe ließ zwar, als er
nach Hause zurückgekehrt war, Tränen seine Augen netzen
und stieß einige Klageworte aus; als jedoch vollbracht war,
was die Sitte den Toten zu leisten gebot, nahm er die Miene
vom Kapitol wieder an. Paullus gab in den Tagen jenes so
berühmten Triumphes, bei welchem er den Perseus gefesselt

vor seinem Wagen herführte, zwei Söhne als Adoptivkinder ab; die, welche er für sich behalten, trug er zu Grabe. Von welcher Art, glaubst du, daß die Zurückgehaltenen gewesen, da unter den Abgegebenen Scipio war? Nicht ohne Rührung sah das römische Volk des Paullus Wagen leer; er jedoch hielt seine Rede ans Volk und dankte den Göttern, daß er Gewährung seines Wunsches erhalten; er hatte nämlich ge-fleht, daß, wenn seines ungeheuern Sieges wegen dem Neide etwas zu entrichten sei, dies lieber mit seinem als mit des Staates Nachteil bezahlt werden sollte. Siehst du, mit wel-chem großen Geiste er sein Schicksal ertrug? Er hat sich seiner Kinderlosigkeit wegen Glück gewünscht. Und wen konnte eine so große Wandlung mehr ergreifen? Trost und Stütze verlor er zugleich; und doch hatte Perseus nicht die Freude, den Paullus traurig zu sehen.

14. Wozu soll ich dich nun durch unzählige Beispiele großer Männer hindurchführen und Unglückliche aufsuchen, als ob es nicht schwerer wäre, Glückliche zu finden? Denn wie viele Häuser haben wohl bis ans Ende in allen ihren Teilen fest-gestanden, ohne daß nicht irgendeine Störung darin vor-gefallen wäre? Nimm das erste beste Jahr und rufe die obrigkeitlichen Personen aus ihm vor, den Marcus Bibulus, wenn du willst, und den Gajus Cäsar, und du wirst bei den einander feindseligsten Amtsgenossen ein übereinstimmen-des Schicksal sehen. Dem Marcus Bibulus, einem mehr guten als tapfern Manne, wurden zugleich zwei Söhne getötet, die der Kurzweil eines ägyptischen Soldaten zum Opfer fielen, so daß nicht weniger als der Verlust der Söhne selbst auch der Urheber desselben eine gerechte Veranlassung zu Tränen war. Bibulus jedoch, der sich das ganze Jahr seines Ehren-amtes hindurch der Mißgunst seines Amtsgenossen wegen zu Hause verborgen gehalten hatte, ging den Tag darauf, nachdem ihm der doppelte Todesfall gemeldet worden war, an seine gewohnten Amtsgeschäfte. Konnte er zwei Söhnen weniger als einen Tag widmen? So schnell endete derselbe Mann die Trauer um seine Kinder, der ein ganzes Jahr lang

um den Staat getrauert hatte. Gajus Cäsar hörte, als er Britannien durchzog und sein Glück selbst nicht vom Ozean beschränkt wissen mochte, daß seine Tochter gestorben sei, an die sich das Schicksal des Staates knüpfte. Schon hatte er den Cnejus Pompejus ins Auge gefaßt, der es nicht gleichgültig mit ansehen würde, daß noch ein anderer im Staate groß sei, und der dem Wachstum des andern, das ihm lästig erschien, Schranken setzen würde, wenn sie auch miteinander an Einfluß wuchsen: und dennoch hat er sich nach drei Tagen seinen Feldherrngeschäften wieder gewidmet und den Schmerz ebenso schnell besiegt, wie er alles zu besiegen pflegte.

15. Was soll ich dir die Todesfälle in den Familien anderer Cäsaren aufzählen? Ich glaube, daß das Schicksal sie deshalb zuweilen verwundet, damit sie auch so dem Menschengeschlecht nützen, indem sie zeigen, daß auch sie, welche Göttersöhne und Göttererzeuger genannt werden, ihr eigenes Schicksal nicht so in ihrer Gewalt haben wie das anderer. Der vergötterte Augustus hat nach Verlust seiner Kinder und Enkel, nachdem die zahlreiche Kaiserfamilie ausgestorben war, dem verödeten Hause durch Adoption neue Stützen gegeben. Er ertrug es jedoch standhaft, wie einer, um dessen Sache es sich schon jetzt handelt und dem sehr viel daran gelegen sein muß, daß niemand sich über die Götter beklage[1]. Der Kaiser Tiberius verlor beide Söhne, sowohl den selbst erzeugten als den adoptierten; er selbst hielt jedoch auf der Rednertribüne seinem Sohne eine Lobrede, stand im Angesichte des vor ihm aufgestellten Leichnams, nur daß eine Hülle darüber geworfen war, welche den Blick des Pontifex von der Leiche abhalten sollte, und verzog, während das Volk Tränen vergoß, keine Miene; er gab dem ihm zur Seite stehenden Sejanus den Beweis, wie standhaft er den Verlust der Seinen ertragen könne. Siehst du nun, welche Menge der größten Männer es gibt, mit welchen

[1] Weil er selbst nach seinem Tode unter die Götter versetzt zu werden erwartete.

jenes alles niederwerfende Geschick keine Ausnahme machte, obgleich so viele Güter der Seele, so viele Zierden des öffentlichen wie des Privatlebens auf sie gehäuft waren? So aber, siehst du wohl, nimmt jener Sturm seinen Kreislauf und verheert ohne Auswahl alles und führt es mit sich fort wie das Seinige. Heiße jeden einzelnen sein Los mit andern vergleichen: keinem ist das günstige gefallen, unsterblich geboren zu werden.

16. Ich weiß, was du sagen wirst: »Du hast vergessen, daß du ein Weib tröstest: du zählst mir Beispiele von Männern auf.« Wer aber hat je behauptet, die Natur sei mit den Gemütern der Frauen mißgünstig verfahren und habe ihre Tugenden auf enge Grenzen beschränkt? Sie haben, glaube mir, gleiche Kraft, gleiche Fähigkeit zu dem Sittlichguten, wenn sie nur wollen; Schmerz und Anstrengung ertragen sie, wenn sie sich daran gewöhnt haben, auf gleiche Weise. In welcher Stadt, gute Götter, spreche ich dies? Da, wo Lucretia und Brutus einen König gestürzt haben; dem Brutus verdanken wir die Freiheit, der Lucretia den Brutus; da, wo wir die Clölia, die Feind und Strom verachtete [1], ihrer ausgezeichneten Kühnheit wegen beinahe unter die Männer rechnen. Auf einer Bildsäule zu Pferde sitzend an der heiligen Straße, an einem stark besuchten Platze, macht Clölia unsern jungen Männern, die auf das Polster der Sänften steigen, Vorwürfe, daß sie in derselben Stadt so ihren Weg machen, wo wir selbst Frauen mit einem Rosse beschenkt haben. Willst du, daß ich dir Beispiele von Frauen aufzähle, die den Verlust der Ihrigen standhaft ertragen haben, so brauche ich sie nicht von Haus zu Haus aufzusuchen: aus einer Familie will ich dir zwei Cornelien nennen; zuerst die Tochter Scipios, die Mutter der Gracchen. Sie hat sich die Erinnerung an zwölf Geburten durch ebensoviele Leichen zurückgerufen; und war dies auch bei den übrigen ein Leichtes, deren Geburt

---

[1] Im Kriege mit Porsenna schwamm Clölia, die sich unter den römischen Geiseln befand, um sich zu befreien, zu Pferde durch den Tiber und nahm noch andere Jungfrauen, die ihr Los teilten, mit sich.

sowohl als deren Verlust der Staat nicht merkte, so hat sie doch auch den Tiberius und Gajus Gracchus, von denen selbst derjenige, der sie nicht für gute Männer erklärt, doch gestehen wird, daß sie große waren, getötet und unbegraben gesehen; und dennoch sagte sie zu denen, die sie trösteten und unglücklich nannten: »Nie werde ich mich unglücklich nennen, da ich die Gracchen geboren habe.« Cornelia, die Gattin des Livius Drusus, hatte ihren Sohn, einen ausgezeichneten jungen Mann von vortrefflichen Anlagen, der auf den Fußstapfen der Gracchen einherschritt, und nach so manchen unausgeführten Gesetzesvorschlägen in seinem eigenen Hause ermordet wurde, verloren, ohne daß man den Urheber des Mordes kannte: dennoch hat sie den nicht bloß bittern, sondern auch ungerächten Tod ihres Sohnes mit demselben hohen Geiste ertragen, in welchem er seine Gesetzesvorschläge gemacht hatte. Nun wirst du dich mit dem Schicksal aussöhnen, Marcia, wenn es die Pfeile, die es gegen die Scipionen und der Scipionen Mütter und Söhne absendete, und die es auf die Kaiser richtete, auch gegen dich nicht zurückhielt. Voll von mancherlei Unfällen ist das Leben: niemand hat lange Frieden vor ihnen, kaum einen Waffenstillstand.

Vier Kinder hast du geboren, Marcia: kein Geschoß, sagt man, fällt vergebens, wenn es gegen einen dichtgedrängten Haufen abgeschossen wurde. Ist es ein Wunder, wenn eine solche Anzahl nicht ohne Anfechtung und Verlust davonkommen konnte? »Aber darin«, sagst du, »war das Schicksal unbilliger, daß es mir die Söhne nicht bloß genommen, sondern herausgelesen hat.« Niemals jedoch wird man es ein Unrecht nennen können, zu gleichen Teilen mit einem Mächtigern teilen zu müssen. Zwei Töchter hat es dir gelassen und die Enkel von ihnen, und selbst den, welchen du am meisten betrauerst, hat es dir nicht ganz genommen; du hast zwei Töchter von ihm, die, wenn du den Verlust unwillig erträgst, eine große Last, wenn du ihn willig erträgst, ein großer Trost für dich sind. Wenn du sie erblickst, solltest du an deinen Sohn, aber nicht an deinen Schmerz erinnert werden. Wenn einem Landmann Bäume zugrunde gegangen sind, die entweder der Sturm mit den Wurzeln ausgerissen oder ein Wirbelwind durch einen plötzlichen Anfall abgeknickt hat, so hegt er die übriggebliebenen Sprossen oder steckt von den verlorenen sogleich wieder Samen und Pflanzen, und im Augenblicke — denn die Zeit ist wie zur Vernichtung, so zum Wachstum reißend schnell — wachsen sie fröhlicher als die verlorenen empor. So setze denn nun diese Töchter deines Metilius an seine Stelle und fülle durch sie die leere Stelle aus. Lindre dir den einen Schmerz durch doppelten Trost. Freilich ist die Natur der Sterblichen so, daß ihnen nichts mehr gefällt, als was verloren ist; aus Sehnsucht nach dem uns Entrissenen sind wir unbilliger gegen das uns Verbliebene; wenn du aber erwägen willst, wie schonend das Schicksal mit dir verfahren ist, auch als es wütete, so wirst du dich überzeugen, daß du mehr als Trost besitzest: blicke auf die vielen Enkel und auf deine beiden Töchter.

17. Sage dir auch folgendes, Marcia: »Es würde mir zu Gemüte gehen, wenn das Schicksal eines jeden seinen Sitten entspräche und niemals Leiden die Guten verfolgten: nun aber sehe ich, daß Böse und Gute ohne allen Unterschied auf dieselbe Weise herumgeschleudert werden. Dennoch ist es hart, einen Jüngling zu verlieren, den man erzogen und der schon der Mutter, schon dem Vater eine Stütze und Zierde geworden war.« Wer leugnet denn, daß es hart sei? Aber es ist Menschenlos. Dazu bist du geboren, daß du verlierst, daß du vergehst, daß du hoffst, fürchtest, andere und dich selbst beunruhigst, den Tod sowohl fürchtest als wünschest und, was das Schlimmste ist, nie weißt, wie dein eigentlicher Zustand ist. Es ist, als wenn man zu einem, der nach Syrakus reisen will, sagte: »Lerne erst alle Beschwerden und alle Annehmlichkeiten deiner bevorstehenden Reise kennen, und dann segle ab. Was du bewundern könntest, ist folgendes: Zuerst wirst du die Insel selbst sehen, wie sie durch eine enge Straße von Italien losgerissen ist, mit dessen Festland sie, wie bekannt ist, einst zusammenhing. Auf einmal brach das

Meer herein und trennte den Sikulerstrand vom Hesperischen. Sodann wirst du — denn du kannst bei jenem so raubgierigen Meeresstrudel vorbeistreifen — jene fabelhafte Charybdis schauen, wie sie ruhig hingestreckt liegt, so lange sie vor dem Südwind Ruhe hat, wie sie aber, sobald von dorther ein heftigeres Wehen sich erhebt, in ihren großen und tiefen Schlund die Schiffe hinabschlingt. Du wirst die in Gedichten hochgefeierte Arethusa, die Quelle eines spiegelhellen und bis auf den Grund durchsichtigen Sees, ihr sehr kaltes Gewässer ausgießen sehen, mag sie nun dasselbe erst dort entstehend gefunden haben, oder mag sie selbst ein unterhalb so vieler Meere ungestört fortströmender und von der Vermischung mit schlechterem Wasser frei gebliebener Fluß wieder ans Licht der Erde gebracht haben. Du wirst den Hafen von Syrakus erblicken, den ruhigsten von allen, die entweder die Natur zum Schutze der Flotten geschaffen, oder denen die Menschenhand nachgeholfen hat, so sicher, daß selbst die Wut der größten Stürme keinen Spielraum in ihm hat. Du wirst die Stelle sehen, wo Athens Macht gebrochen wurde, wo jener natürliche Kerker von unendlich tief ausgehöhlten Felsen so viele Tausende von Gefangenen umschlossen hatte; dann die ungeheure Stadt selbst und ihr Ackergebiet, das sich weiter erstreckt als die Grenzen vieler Städte, mit einem sehr lauen Winter, wo kein Tag ohne allen Sonnenschein ist. Wenn du aber dies alles dort gefunden haben wirst, so macht ein beschwerlicher und ungesunder Sommer die Wohltaten des Winterklimas wieder zunichte. Es wird sich der Tyrann Dionysius dort zeigen, dieses Verderben der Freiheit, der Gerechtigkeit, der Gesetzmäßigkeit, herrschbegierig auch noch, nachdem Plato bei ihm gewesen, lebenslustig auch noch nach seiner Verbannung. Er wird die einen brennen, die andern geißeln, wieder andere eines geringen Verstoßes wegen enthaupten lassen; er wird Männer und Weiber zur Befriedigung der Wollust herbeiholen lassen, und seiner königlichen Unersättlichkeit wird es nicht genügen, sich immer mit Zweien zugleich zu beschäftigen. Du hast nun vernommen, was dich einladen, was dich ab-

schrecken kann; nun so gehe denn zu Schiffe oder bleibe
zurück.« Hätte einer nach solcher Darstellung erklärt, er
wolle Syrakus betreten: könnte er dann wohl über irgend
jemanden, als allein über sich selbst, gerechte Klage führen,
da er nicht zufällig in jene Verhältnisse geraten, sondern mit
Wissen und Willen hineingekommen wäre? Die Natur
spricht zu uns allen: Ich hintergehe keinen; wenn du Söhne
geboren hast, so kannst du wohlgestaltete, aber vielleicht
auch mißgestaltete haben; wenn dir viele geboren werden,
so kann unter ihnen ebensogut ein Verräter als ein Retter
des Vaterlandes sein. Du hast keinen Grund, der Hoffnung
zu entsagen, daß sie einst in solcher Achtung stehen werden,
daß dich niemand ihretwegen zu beschimpfen wagt; stelle
dir jedoch vor, daß sie auch in solche Schande kommen können, daß sie selbst ein Schimpf für dich sind. Nichts ver-
bietet, daß sie dir die letzte Ehre erweisen, daß dir deine
Kinder die Grabrede halten sollten; aber bereite dich so vor,
als ob du einen als Knaben oder als Jüngling oder als Greis
auf den Scheiterhaufen legen solltest. Denn die Jahre tun
nichts zur Sache, weil jeder Leichenzug, dem die Eltern folgen
müssen, ein herber Gang ist. Gebierst du nach solchen dir
vorgelegten Bedingungen Kinder, so sprichst du die Götter
von allem Übelwollen frei, da sie dir ja nichts Bestimmtes
verbürgt haben.

18. Mit Rücksicht auf dieses Gleichnis laß uns den Eintritt
ins Leben überhaupt betrachten. Während du noch über-
legtest, ob du Syrakus besuchen wolltest, habe ich dir alles
auseinandergesetzt, was dich dort ergötzen, was dir lästig
fallen könnte; denke dir nun einmal, ich käme, um dir bei
deiner Geburt einen Rat zu erteilen. Du bist im Begriff, in
einen Götter und Menschen umfassenden Staat einzutreten,
der alles in sich faßt, der an bestimmte und ewige Gesetze
gebunden ist, der unermüdet dem Dienst der Himmlischen
obliegt. Dort wirst du unzählige Sterne erblicken, wirst erstaunen, daß von einem einzigen Gestirn alles durchdrungen
wird, daß die Sonne durch ihren täglichen Lauf die Zeiten

des Tages und der Nacht abgrenzt und durch ihren jährlichen Lauf Sommer und Winter noch gleichmäßiger abteilt. Du wirst des Mondes nächtliche Wechselfolge schauen, wie sie von der schwesterlichen Begegnung ein sanftes und mattes Licht erborgt, bald verborgen, bald mit vollem Antlitz der Erde zugewendet, im Zu- und Abnehmen veränderlich und stets der nächstvorhergegangenen Erscheinung unähnlich. Du wirst fünf Gestirne[1] schauen, die verschiedene Bahnen wandeln und einen der übrigen Welt entgegenstrebenden Lauf haben; von ihren leisesten Bewegungen hängt das Geschick der Völker ab, nach ihnen gestaltet sich das Größte wie das Kleinste, je nachdem der Lauf des Gestirns ein günstiger oder ungünstiger gewesen. Du wirst das zusammengehäufte Regengewölk anstaunen und die herabstürzenden Wassergüsse und die schräg zuckenden Blitze und das Krachen des Himmels. Wenn du die durch den Anblick des Oberen gesättigten Augen auf die Erde herabwendest, so erwarten dich andere und auf andere Art bewundernswürdige Dinge. Hier eine ausgedehnte Fläche unendlicher Gefilde, dort die gen Himmel ragenden Gipfel von Gebirgen, die sich mit mächtigen und schneebedeckten Rücken erheben; Wasserfälle und Ströme, die sich aus *einer* Quelle nach Ost und West ergießen; auf hohen Bergspitzen sich wiegende Haine und eine Masse von Wäldern mit den ihnen eigenen Tieren und dem verschieden tönenden Gesang der Vögel; die verschiedene Lage der Städte und durch Unzulänglichkeit der Gegenden abgeschlossene Völkerschaften, von denen einige sich auf die Bergeshöhen zurückziehen, andere von Ufern, Seen und Tälern umschlossen sind; zum Lebensunterhalt Früchte, die Produkte der Kultur, und Gesträuch ohne Pflege ihrer wilden Natur; der sanfte Schlangenlauf der Bäche durch Wiesen, anmutige Buchten und Ufer, die, Häfen bildend, zurücktreten, so viele auf der weiten See zerstreute Inseln, die das Einerlei unterbrechen. Ferner der Glanz von Steinen

---

[1] Außer der Sonne und dem Monde, die sie mit zu den Planeten rechneten, nahmen die Alten nur noch fünf Planeten an, den Merkur, die Venus, den Mars, den Jupiter und den Saturn.

und Edelsteinen, das im Sande reißender Waldbäche her-
schwimmende Gold, die mitten in den Ländern und ebenso
mitten im Meere die Menschen erschreckenden Feuermeteore
und das Band der Länder, das Weltmeer, das den Zusammenhang der Völker durch einen dreifachen Meerbusen trennt
und mit gewaltiger Ungebundenheit aufbraust. In diesem
unruhigen und auch ohne Wind wogenden Gewässer wirst
du auch durch ihre ungeheure Größe erschreckende Tiere
herumschwimmen sehen, manche schwerfällig und nur unter
fremder Leitung sich bewegend[1], manche rasch und behender
als schnell segelnde Schiffe, manche die Fluten einschlürfend
und zu große Gefahr der Vorüberschiffenden wieder aus-
spritzend. Du wirst hier Schiffe sehen, welche noch unbekannte Länder aufsuchen; du wirst sehen, wie die menschliche Kühnheit nichts unversucht läßt, und wirst nicht bloß
Zuschauerin sein, sondern auch selbst an den Unternehmungen wesentlichen Anteil nehmen. Du wirst mancherlei Künste
lernen und lehren, einige, die das Leben versorgen, andere,
die es schmücken, andere, die es regeln. Da werden aber
auch tausend für Körper und Seele verderbliche Dinge sein,
Krieg und Straßenraub und Gift und Schiffbruch und Un-
regelmäßigkeit der Witterung und des Körperzustandes und
der bittere Verlust der Teuersten und der Tod, von dem es
ungewiß ist, ob er ein leichter oder zur Strafe und Qual ver-
hängter sein wird. Überlege nun bei dir und erwäge, was du
wünschest: um zu jenem zu gelangen, mußt du den Weg
durch dieses zurücklegen. Wirst du antworten, du wollest
leben? Warum nicht? Doch nein, du wirst dich, glaube ich,
nicht in etwas einlassen, wobei dir so mancher Schmerz und
Verlust droht. Indes lebe nur, wie einmal die Übereinkunft
lautet. Du sagst: »Es hat uns ja niemand darüber befragt.«
O ja, unsere Eltern sind unsertwegen befragt worden; obgleich sie die Bedingungen des Lebens kannten, haben sie
uns doch für dasselbe gezeugt.

---

[1] Plinius Hist. nat. IX, 62, 88 und XI, 37, 62 berichtet, daß dem Walfische
ein kleinerer Fisch, musculus marinus genannt, als Wegweiser voranschwimme,
damit er nicht auf Untiefen und Sandbänke gerate.

19. Doch um auf die Trostgründe zu kommen, so laß uns zuerst betrachten, was wir ins Auge fassen müssen, und sodann, wie. Den Trauernden bekümmert die Entbehrung dessen, den er geliebt hat. Es muß klar werden, daß diese an und für sich erträglich ist; denn um Abwesende oder solche, die abwesend sein werden, weinen wir nicht, wenn sie nur leben, obgleich uns aller Umgang mit ihnen und ihr Anblick geraubt ist. Die Vorstellung also ist es, welche uns quält, und jedes Übel ist nur so groß, als wir es anschlagen. Gegenmittel haben wir in unserer Gewalt. Laß uns denken, sie seien nicht da, und damit uns selbst täuschen. Wir haben sie weggeschickt, ja wir haben sie vorausgeschickt, um sie einzuholen. Es bekümmert den Trauernden auch der Gedanke: Es wird niemand da sein, der mich verteidigt, der mich vor Verachtung schützt. Um mich eines wenig einleuchtenden, aber wahren Trostgrundes zu bedienen: in unserm Staate verschafft das Verwaistsein eher Gunst, als daß es sie entzieht. Ja selbst die Greise führt das Verlassensein, das sonst zerstörend zu wirken pflegte, zur Macht, so daß manche Haß gegen ihre Söhne erheucheln, ihre Kinder eidlich verleugnen und sich auf eigene Hand kinderlos machen. Ich weiß, was du sagen wirst: Meine Verluste bekümmern mich nicht; denn der ist des Trostes nicht wert, den der Tod eines Sohnes nicht anders wie der eines Sklaven schmerzt, und der dabei Muße hat, noch an etwas anderes zu denken, als eben an den Sohn. Was also bekümmert dich, Marcia? Daß dein Sohn gestorben ist, oder daß er nicht lange gelebt hat? Wenn der Umstand, daß er gestorben ist, so mußtest du beständig trauern, denn du wußtest stets, daß er sterbe. Bedenke, daß der Gestorbene von keinem Übel berührt wird; daß das, was uns die Unterwelt furchtbar macht, Erdichtung ist; daß den Toten keine Finsternis droht, kein Kerker, keine Feuerströme, kein Fluß der Vergessenheit, keine Richter und Ankläger und bei jener so schrankenlosen Freiheit nicht abermals Tyrannen. Das haben nur die Dichter gefabelt und uns durch leere Schreckbilder beunruhigt. Der Tod ist die Befreiung und das Ende von allen Übeln, über ihn gehen unsere Leiden

nicht hinaus; er versetzt uns in jene Ruhe zurück, in der wir
lagen, ehe wir geboren wurden. Wenn einer die Toten bemitleidet, so muß er auch die noch nicht Geborenen bemitleiden.
Der Tod ist weder ein Gut, noch ein Übel. Denn nur das kann
entweder ein Gut oder ein Übel sein, was überhaupt etwas
ist; was aber selbst ein Nichts ist und alles in nichts zurück-
führt, gibt uns keinem Schicksal preis. Denn Übel und Güter
finden sich nur an irgendeinem Stoffe. Das Schicksal kann
das nicht festhalten, was die Natur entlassen hat, und der
kann nicht elend sein, der überhaupt gar nicht ist. Dein Sohn
hat die Schranken überschritten, innerhalb deren man ein
Sklave ist; es hat ihn ein großer und ewiger Friede aufgenommen. Nicht von Furcht vor Armut, nicht von Sorge für
den Reichtum, nicht von dem Stachel der den Geist durch
wollüstigen Genuß schwächenden Sinnlichkeit wird er angefochten, nicht berührt von dem Neide auf fremdes Glück,
nicht gedrückt von dem anderer über sein eigenes, nicht einmal von Schmähungen werden seine zartfühlenden Ohren
verletzt, er sieht kein öffentliches, kein häusliches Unglück
drohen, auch hängt er nicht, um die Zukunft bekümmert,
vom Ausgange ab, der immer im Ungewissen liegt. Endlich
steht er da, von wo ihn nichts mehr vertreibt, wo ihn nichts
mehr erschreckt.

20. O wie unbekannt mit ihrem Elend sind die, welche
den Tod nicht als die beste Erfindung der Natur preisen und
erwarten; denn mag er ein Glück endigen oder ein Unglück,
mag er dem Lebensüberdruß und der Erschöpfung des Greises ein Ziel setzen oder ein jugendliches Alter, von dem
man noch Schöneres hofft, in der Blüte entführen, oder die
Kindheit abrufen, ehe die härteren Altersstufen kommen:
allen ist er ein Ende, vielen eine Hilfe, manchen ein Wunsch,
und macht sich um keinen mehr verdient als um den, zu
welchem er kommt, ehe er gerufen wurde. Er entläßt die
Sklaven wider den Willen des Herrn, er löst die Ketten der
Gefangenen, er führt aus dem Kerker, wem unbändige Herr-
schergewalt den Ausgang daraus verboten hatte; er zeigt

dem Verbannten, der Herz und Augen beständig dem Vaterlande zuwendet, daß es gleich sei, unter welcher Erde er ruhe;
wenn das Schicksal die gemeinsamen Güter ungerecht verteilt
und die mit gleichem Rechte Geborenen ungleich beschenkt
hat, — er gleicht alles aus; er ist's, der nie etwas nach eines
andern Willkür tut, er ist's, bei dem niemand seine Niedrigkeit fühlt, er ist's, der keinem unzugänglich war, er ist's,
Marcia, nach dem dein Vater verlangt hat. Er ist's, sage ich,
der da macht, daß es keine Strafe ist, geboren zu werden, der
bewirkt, daß ich nicht erliege bei den Drohungen des Miß-
geschicks, daß ich meinen Geist unverletzt und seiner mächtig
erhalten kann; denn da habe ich einen Platz, wo ich landen
kann. Dort erblicke ich Marterhölzer, und zwar nicht von
einer Art, sondern von dem einen so, von dem andern anders
gebildet. Einige hingen die Leute mit zur Erde gekehrtem
Kopfe auf, andere trieben den Pfahl durch den Leib, noch
andere dehnten die Arme am Galgen aus. Ich sehe Folter-
seile, ich sehe Geißelhiebe und besondere Maschinen für jedes
einzelne Glied und Gelenk; aber ich sehe auch den Tod. Dort
sind blutdürstige Feinde, übermütige Bürger; aber ich sehe
dort auch den Tod. Da ist es nicht lästig, zu dienen, wo man,
wenn man des Herrn überdrüssig ist, mit einem einzigen
Schritte zur Freiheit gelangen kann. Leben, ich liebe dich um
der Wohltat des Todes willen. Bedenke, wieviel Gutes der
Tod zu gelegener Zeit hat, wie vielen es geschadet hat, daß
sie länger lebten. Hätte den Cnejus Pompejus, jene Zierde
und Stütze des Reichs, zu Neapel die Krankheit hingerafft, so
wäre er unbezweifelt als der Erste des Römischen Reiches
gestorben. So aber hat ihn der Zusatz einer kurzen Zeit von
seiner Höhe herabgestürzt. Er sah noch die Legionen vor
seinen Augen niedergemetzelt, und ein wie unglückseliger
Überrest aus jener Schlacht, in welcher der Senat das erste
Treffen bildete, war es, daß der Feldherr selbst noch übrig
geblieben war! Er sah noch den ägyptischen Henker und
überließ seinen Leib, den die Sieger für unantastbar gehalten, einem Trabanten, und hätte, auch wenn er unverletzt
geblieben wäre, seine Rettung dennoch nur bedauern können.

Denn was wäre schimpflicher gewesen, als wenn Pompejus durch die Gnade eines Königs gelebt hätte? Wäre Marcus Cicero zu der Zeit gefallen, wo er Catilinas Dolchen entging, die auf ihn wie auf das Vaterland gerichtet waren, so hätte er nach Befreiung des Staates als Retter desselben, und wäre er auch erst der Leiche seiner Tochter im Tode gefolgt, so hätte er auch da noch als ein glücklicher Mann sterben können. Er hätte nicht die auf die Häupter seiner Mitbürger ge-zückten Schwerter gesehen, noch die Verteilung der Güter der Gemordeten an die Mörder, so daß jene sogar ihren Tod bezahlen mußten, nicht die Lanze, bei welcher die konsu-larische Beute verkauft wurde[1], noch das Blutvergießen und die öffentliche Verpachtung des Raubes, die Kriege, Räube-reien, ein solche Menge von Catilinas. Wenn den Marcus Cato bei seiner Rückkehr aus Cypern und von der Regulie-rung der königlichen Erbschaft das Meer verschlungen hätte, auch mit dem Gelde selbst, das er als Sold für den Bürger-krieg brachte, wäre es nicht wohl um ihn bestellt gewesen? Er hätte wenigstens das davon gehabt, daß niemand gewagt hätte, vor Catos Augen zu freveln. Nun aber hat der Zusatz sehr weniger Jahre den nicht bloß für seine eigene, sondern für die allgemeine Freiheit geborenen Mann gezwungen, vor Cäsar zu fliehen und dem Pompejus zu folgen. Deinem Sohne hat also der zu frühzeitige Tod kein Unglück gebracht; er hat ihm sogar die Erduldung aller Übel erlassen. »Doch er starb gar zu schnell und noch nicht reif für den Tod.« Nimm an, er wäre am Leben geblieben; nimm das längste Lebens-ziel, bis zu welchem dem Menschen zu gelangen verstattet ist, wie kurz ist es! Für eine überaus kurze Zeit geboren, um bald wieder abzutreten von einem Orte, der uns nur auf diese Bedingung hin überlassen ist, sehen wir uns nach einer Herberge um. Ich spreche von unserer Lebensdauer, von der es bekannt ist, mit wie unglaublicher Schnelligkeit sie dahin-fliegt. Überschlage doch die Zeitalter der Städte, und du wirst sehen, wie selbst die, welche sich ihres Alters rühmen, gar

---

[1] Bei öffentlichen Versteigerungen wurde als Zeichen des Verkaufs eine Lanze aufgesteckt. Daher der Ausdruck sub hasta vendere, subhastieren.

nicht lange gestanden haben. Alles Menschliche ist kurz und hinfällig und nimmt von der unendlichen Zeit einen Teil ein, der ein Nichts ist. Diese Erde mit ihren Städten und Völkerschaften, ihren Flüssen und dem Umfange des Meeres betrachten wir als einen Punkt, wenn wir sie mit dem Weltall vergleichen; einen noch kleineren Teil aber, als ein Punkt, nimmt unsere Lebensdauer ein, wenn wir sie mit der ganzen Zeit vergleichen, deren Maß größer ist als das der Welt, da ja diese so oft ihre Bahn aufs neue durchmißt. Was also liegt daran, das weiter auszudehnen, dessen Zuwachs, wie groß er auch immer sein möge, doch nicht weit von nichts entfernt sein wird? Nur in *einem* Falle ist, was wir durchleben, viel: wenn es uns genug ist. Magst du mir, wenn dir's gefällig ist, Männer von einem als denkwürdig aufgezeichneten hohen Greisenalter nennen, indem du hundertundzehn Jahre aufzählst: wenn du deine Gedanken auf die ganze Zeit richtest, so wird zwischen der kürzesten und der längsten Lebensdauer kein Unterschied sein, sobald du nach Betrachtung der langen Zeit, die einer lebte, damit die lange Zeit vergleichst, die er nicht gelebt hat. Wenn er zu frühzeitig starb, so war ihm eben nichts mehr zu leben übrig, denn er lebte, so lange er leben sollte. Die Menschen haben nicht einerlei Greisenalter, wie selbst die Tiere nicht. Manche von ihnen sind schon vor dem vierzehnten Jahre entkräftet, und ihr längstes Lebensalter ist, was bei dem Menschen die erste Stufe ist. Einem jeden ist eine verschiedene Lebenskraft gegeben: niemand stirbt zu früh, weil er nicht länger leben sollte, als er gelebt hat. Einem jeden ist seine Grenze fest bestimmt, sie wird stets bleiben, wo sie einmal gesteckt ist, und keine Sorgfalt oder Kunst wird sie weiter hinausrücken. Er hat sein Teil dahin und gelangt zum Ziel des beschiedenen Alters. Du hast also keinen Grund, es dir durch den Gedanken schwer zu machen: er hätte länger leben können. Sein Leben ist nicht abgebrochen, und nie hat sich ein Zufall zwischen die Lebensjahre hineingeworfen. Es wird gehalten, was einem jeden versprochen war. Das Los geht seinen Gang nach eignem Triebe und fügt weder etwas hinzu, noch nimmt es von dem Zuge-

sagten auch nur ein einziges Mal etwas hinweg: vergeblich
sind Wünsche und Bemühungen. Ein jeder wird soviel bekommen, als ihm der erste Tag zugeschrieben hat. Von dem
Augenblicke an, wo er zuerst das Licht erblickte, hat er die
Bahn des Todes betreten und ist seinem Verhängnis immer
näher gerückt, und selbst jene Jahre, die dem Jünglingsalter
zugelegt wurden, werden vom Leben abgezogen. Wir alle
befinden uns in dem Irrtum, daß wir glauben, nur schon Be-
jahrte und gebückt Einhergehende schritten dem Tode zu,
während doch sofort die Kindheit und die Jugend, kurz jedes
Lebensalter dahin führt. Das Schicksal tut, was seines Amtes
ist; es benimmt uns den Gedanken an unsern Tod, und
um uns desto leichter zu beschleichen, verbirgt sich der Tod
unter dem Namen des Lebens. Das unmündige Kind wird
zum Knaben verwandelt, das Knabenalter vom Mannesalter,
das Mannesalter vom Greisenalter dahingerafft. Das Wachstum selbst ist, wenn man es recht betrachtet, ein Abnehmen.

21. Du klagst, Marcia, daß dein Sohn nicht so lange gelebt
habe, als er hätte leben können? Woher weißt du denn, ob
es ihm länger gefrommt hätte, ob dieser Tod nicht sein Glück
war? Wen kannst du heutzutage finden, dessen Verhältnisse
so gut bestellt und begründet wären, daß er im Verlaufe der
Zeit nichts zu fürchten hätte? Alles Menschliche gleitet und
fließt dahin, und kein Teil unseres Lebens ist so verwundbar
und zart als der, welcher uns der liebste ist. Daher ist dem
Glücklichsten der Tod zu wünschen, weil bei der so großen
Unbeständigkeit und Verwirrung der Verhältnisse nichts
gewiß ist, als was vorüber ist. Wer bürgte dir dafür, daß der
so schöne und in einer üppigen Stadt so keusch erhaltene
Körper deines Sohnes den Krankheiten so hätte entgehen
können, daß er seine Schönheit unversehrt bis ins Greisenalter hinübergetragen hätte?

22. Bedenke die tausend Seuchen der Seele; denn auch
wohlausgestattete Naturen erhalten die Hoffnungen, die sie
in der Jugend erregten, nicht bis zum Greisenalter wach,

sondern dieselben werden meist vernichtet. Entweder bemächtigt sich ihrer eine späte und um so häßlichere Üppigkeit und nötigt sie, den herrlichen Anfang zu schänden, oder
sie frönen der Küche und dem Magen, und ihre größte Sorge
ist, was sie essen, was sie trinken sollen. Nimm dazu Feuers-
brünste, Einsturz, Schiffbruch, Zerfleischungen durch die
Ärzte, die den noch lebenden die Knochen zusammenlesen,
mit der ganzen Hand in die Eingeweide hineingreifen und
mit außerordentlichen Schmerzen ihre Kuren machen. Sodann Verbannung: unschuldiger war dein Sohn doch nicht
als Rutilius; Gefängnis: weiser war er doch nicht als Sokrates; eine durch freiwilligen Todesstoß durchbohrte Brust:
unsträflicher war er doch nicht als Cato. Wenn du solches
betrachtest, so wirst du erkennen, daß es denen am besten
geht, welche die Natur, weil ihrer ein solcher Lohn des Lebens
wartet, schnell in Sicherheit gebracht hat. Nichts ist so trüge-
risch wie das Menschenleben, nichts so voll Hinterhalt; wahrhaftig, niemand würde es angenommen haben, wenn man
es nicht wider Wissen bekäme. Wenn es daher das allergrößte Glück ist, nicht geboren zu werden, so halte ich es für
das nächst größte, nach Überstehung eines kurzen Lebens
schnell in den früheren unangefochtenen Zustand zurückversetzt zu werden. Stelle dir jene bittere Zeit vor, wo Sejanus
deinen Vater seinem Schützlinge Satrius Secundus zur belie-
bigen Verwendung gab. Er zürnte ihm wegen irgendeiner
freimütigen Äußerung, weil jener es nicht stillschweigend
ertragen konnte, daß uns ein Sejanus nicht einmal erst auf
den Nacken gesetzt werde, sondern selbst hinaufsteige. Es
wurde beschlossen, ihm eine Bildsäule im Theater des Pompejus zu setzen, welches der Kaiser nach dem Brande wieder
herstellen ließ. Da rief Cordus aus: »Jetzt erst geht das
Theater in Wahrheit zugrunde.« Wie? Hätte er nicht vor
Ärger darüber bersten sollen, daß über der Asche des Cnejus
Pompejus ein Sejanus aufgestellt und in dem Denkmal des
größten Feldherrn das Standbild eines treulosen Soldaten
geweiht wurde? Und sie wurde geweiht durch die Anklage,
und die bissigen Hunde, die jener, um sie gegen sich allein

zahm, gegen alle anderen wild zu haben, mit Menschenblut
nährte, fingen sogleich an, auch jenen dem Tode geweihten
Mann anzubellen. Was sollte er machen? Wollte er leben,
so mußte er den Sejanus bitten; wollte er sterben, seine
Tochter, beide wohl unerbittlich. So beschloß er denn, seine
Tochter zu täuschen; und nachdem er ein warmes Bad genommen, begab er sich in sein Zimmer, als wollte er etwas
essen, und nachdem er die Diener fortgeschickt hatte, warf
er einiges, damit es scheinen sollte, als habe er gegessen, zum
Fenster hinaus, enthielt sich dann der Hauptmahlzeit, als
habe er sich schon in seinem Zimmer satt gegessen und
machte es am zweiten und dritten Tage ebenso. Der vierte
verriet ihn durch die Kraftlosigkeit seines Körpers selbst.
Daher umarmte er dich und sprach: »Teuerste Tochter, der
ich in meinem ganzen Leben nur dies eine verhehlt habe, ich
habe den Todesweg betreten und schon beinahe die Mitte
erreicht. Zurückrufen darfst und kannst du mich nicht.« Und
so gebot er denn, allem Lichte den Zutritt zu verschließen,
und verbarg sich in Finsternis. Als sein Entschluß bekannt
wurde, war allgemeine Freude, daß dem Rachen der heiß-
hungrigen Wölfe die Beute entrissen wurde. Die Ankläger
wenden sich auf Betrieb des Sejanus an den Richterstuhl der
Konsuln, sie klagen, daß Cordus sterbe, um zu hintertreiben,
wozu sie selbst ihn gezwungen hätten; so sehr glaubten sie,
Cordus werde ihnen entgehen. Eine wichtige Frage bei der
Untersuchung war, ob sich Angeklagte durch den Tod der
Strafe entziehen dürften. Während beratschlagt wird, während die Ankläger sich zum zweiten Male an die Konsuln
wenden, hatte sich jener frei gemacht. Siehst du, Marcia,
welcher Wechsel ungünstiger Zeitumstände unerwartet eintritt? Du weinst, weil einer der Deinen sterben mußte? Ihm
wäre es beinahe nicht gestattet worden.

23. Abgesehen davon, daß alles Zukünftige ungewiß ist
und nur das Schlimmere etwas gewisser, ist der Weg zum
Himmel *den* Seelen leichter, die beizeiten von dem Verkehr
mit den Menschen frei werden; denn sie haben noch sehr

wenig von Hefen und beschwerender Masse in sich aufgenommen. Noch ehe sie sich damit überzogen und den irdischen Stoff tiefer in sich aufnahmen, schweben sie befreit
wieder zu ihrem Ursprung empor und spülen alles Häßliche,
was ihnen anklebt, leichter ab. Und nie ist großen Geistern
ein langer Aufenthalt im Körper angenehm; sie sehnen sich,
herauszukommen und auszubrechen, und sie, die empor-
getragen unstet das Weltall durchschweifen und gewohnt
sind, aus der Höhe auf die Menschenwelt herabzuschauen,
ertragen nur ungern diese Einengung. Daher ruft Plato aus:
»Die Seele des Weisen neigt sich ganz dem Tode zu; das
wolle, darauf sinne sie, von dieser Sehnsucht werde sie getrieben, stets nach außen hin strebend.« Wie konntest du,
Marcia, da du in dem Jünglinge die Weisheit eines Greises
sahest, einen Geist, der alle Lüste besiegte, der geläutert und
frei von Lastern war, der nach Reichtum ohne Habsucht,
nach Ehrenstellen ohne Ehrsucht, nach Vergnügen ohne
Üppigkeit strebte, wie konntest du glauben, daß er dir lange
erhalten bleiben werde? Alles, was seinen Höhepunkt erreicht
hat, ist seinem Ende nahe. Vollendete Tugend entreißt sich
und entschwindet unsern Augen, und was schon im Anfange
gereift ist, wartet nicht auf die äußerste Zeit. Ein Feuer ver-
lischt um so schneller, je heller seine Flamme lodert; ein
längeres Leben hat es, wenn es mit zähem und schwer
brennendem Stoff vereinigt und vom Rauche niedergedrückt
in schmutziger Farbe leuchtet; denn dieselbe Ursache, die es
wenig nährt, hält es auch auf. So sind auch Geister: je heller
sie sind, von um so kürzerer Dauer sind sie, denn wo kein
Wachstum mehr, da ist der Untergang nahe. Fabianus berichtet, was auch unsere Eltern selbst gesehen, es sei zu Rom
eine Knabe von der Statur eines riesig großen Mannes gewesen: aber er starb sehr bald, und jeder Verständige sagte
es voraus, daß er in kurzem sterben werde; denn er konnte
unmöglich bis zu dem Alter gelangen, das er schon vor der
Zeit erreicht hatte. So ist die Reife ein Zeichen des nahen
Todes und das Ende kommt heran, wenn das Wachstum erschöpft ist.

24. Fange einmal an, ihn nach Tugenden, nicht nach Jahren zu schätzen: dann hat er lange genug gelebt. Unmündig vom Vater hinterlassen, war er bis zum vierzehnten Jahre unter der Aufsicht von Vormündern, immer aber unter der Pflege der Mutter. Obgleich er seine eigenen Hausgötter hatte, wollte er doch die deinigen nicht verlassen, und blieb, während sonst Kinder kaum das Zusammenwohnen mit dem Vater ertragen, in der Wohnung der Mutter. Als ein Jüngling, durch Wuchs, Schönheit und sonstige Körperkraft fürs Feldlager geschaffen, verschmähte er doch den Kriegsdienst, um sich nicht von dir trennen zu müssen. Erwäge, Marcia, wie selten Mütter, die in anderen Häusern wohnen, ihre Kinder zu sehen bekommen, bedenke, daß so viele Jahre den Müttern verlorengehen und in Sorgen hingebracht werden, als sie ihre Söhne beim Heere haben: und du wirst einsehen, daß das ein langer Zeitraum war, von welchem du nicht das mindeste eingebüßt hast. Nie hat er sich deinem Anblick entzogen; unter deinen Augen hat er die Ausbildung seines ausgezeichneten Talents betrieben, worin er seinem Großvater gleichgekommen sein würde, wenn nicht seine Bescheidenheit im Wege gestanden hätte, welche die Fortschritte vieler in Stillschweigen begraben hat. Als Jüngling von höchst seltener Schönheit hat er unter der so großen Schar von Weibern, welche die Männer zu verführen suchen, keiner je Hoffnung auf seine Person gemacht, und als die Verdorbenheit einiger so weit ging, ihn zu versuchen, errötete er, als ob er schon dadurch gesündigt hätte, daß er gefallen hatte. Durch diese Unsträflichkeit der Sitten bewirkte er, daß er, noch sehr jung, eines Priesteramtes für würdig gehalten wurde, ohne Zweifel auf mütterliche Verwendung; aber selbst die Mutter hätte nichts vermocht, außer für einen so tugendhaften Bewerber. Durch Betrachtung dieser Tugenden setze dich mit deinem Sohne in Verbindung, als ob er dir gerade jetzt noch mehr angehörte. Jetzt hat er nichts mehr, was ihn von dir wegriefe; nie wird er dir Kummer, nie Gram verursachen. Das einzige, was dich an einem so trefflichen Sohne schmerzen konnte, sein Tod, das hat dich geschmerzt; das

übrige ist vor Unfällen sicher und voll von Genuß, wenn du nur mit deinem Sohne umzugehen verstehst, wenn du nur einsiehst, was an ihm das Kostbarste gewesen. Nur das Bild deines Sohnes und eine nicht eben sehr ähnliche Abbildung ist dahin: er selbst ist ewig und jetzt in einem besseren Zustande, entladen von fremder Bürde und ganz sich selbst überlassen. Die Gebeine, die man sieht, die Nerven und die darüber gezogene Haut, das Gesicht und die dienenden Hände und das übrige, worin wir gehüllt sind, sind nur Fesseln und Verdunkelungen des Geistes. Die Seele wird damit verdeckt, verdunkelt, angesteckt, abgehalten von dem Wahren und ihr Eigentümlichen und in Irrtümer hineingestürzt: das ist ihr ganzer Kampf mit diesem sie beschwerenden Fleische, daß sie nicht irregeführt werde, sondern fest bleibe. Sie strebt dahin, von wo sie entlassen ist; dort wartet ihrer ewige Ruhe, indem sie nach dem Verworrenen und Grobmassigen das Reine und Klare anschaut.

25. Daher brauchst du nicht nach dem Grabe deines Sohnes zu laufen: das Schlechteste und ihm selbst Lästigste liegt dort, Gebeine und Asche, was ebensowenig Teile von ihm sind als Kleider und andere Körperhüllen. Unversehrt und nichts auf Erden zurücklassend ist er entflohen und ganz von hier geschieden, und wenn er ein Weilchen über uns geweilt haben wird, bis er geläutert ist und die ihm anhängenden Gebrechen und allen Wust des sterblichen Lebens abgestreift hat, so wandelt er dann, zu den höheren Regionen erhoben, unter seligen Geistern und unter Verächtern des Lebens und durch des Todes Wohltat Befreiten. Dein Vater, Marcia, zieht dort, obgleich daselbst allen alles verwandt ist, den Enkel an seine Seite, der sich des neuen Lichtes freut, und lehrt ihn die Bahnen der benachbarten Gestirne kennen; und ihrer aller nicht mehr bloß durch Vermutung, sondern nach ihrer wahren Natur kundig, führt er ihn mit Freuden in die Geheimnisse der Natur ein. Und so wie ein Wegweiser in unbekannten Städten dem Fremdling willkommen ist, so dem, welcher nach den Verhältnissen der Himmelskörper forscht, ein

Erklärer, der darin zu Hause ist und gewöhnt, seinen Scharfblick in die Tiefe der Erdenwelt hinabzusenden; denn es erfreut, von einer Höhe aus auf den verlassenen Raum zurück-
zuschauen. Benimm dich demnach so, Marcia, als ständest
du unter den Augen deines Vaters und deines Sohnes, nicht
jener, die du kanntest, sondern die weit erhabener sind und
auf größter Höhe stehen; erröte über alles Niedrige und Gemeine und auch darüber, daß du die zu besseren Wesen ver-
wandelten Deinen beweinst. In das ewige All durch freie und
weite Räume entsendet, werden sie durch keine dazwischen
flutenden Meere, noch durch Bergeshöhen oder unwegsame
Talklüfte und Untiefen unsicherer Syrten gehemmt; überall
ebene Pfade bieten sich ihnen dar, die sich leicht verändern
lassen, wohl gebahnt, einer in den andern auslaufend und
zwischen Gestirnen dahinführend.

26. Denke dir also, Marcia, dein Vater, der so viel bei dir
galt wie du bei deinem Sohne, spräche von jener Himmels-
burg herab nicht in jenem Geiste, womit er die Bürgerkriege
beweinte und die, welche Ächtungen verhängten, selbst auf
ewig geächtet hat, sondern in einem um so viel erhabenern,
als er selbst erhabener ist, also zu dir: »Warum fesselt dich,
meine Tochter, ein so langer Kummer? Warum schwebst du
in einer solchen Unkenntnis des Wahren, daß du meinst, es
stehe übel um deinen Sohn, daß er sich bei vollem Wohlsein
seines Hauses, bei vollem Wohlsein deiner selbst zu seinen
Ahnen zurückgezogen hat? Weißt du denn nicht, durch was
für Stürme das Schicksal alles durcheinanderwirft, wie es sich
noch gegen niemanden wohlwollend und gefällig erwies, als
wer sich am wenigsten mit ihm eingelassen hatte? Soll ich
dir die Könige nennen, die höchst glücklich gewesen wären,
wenn sie der Tod den ihnen bevorstehenden Unfällen früher
entrückt hätte? Oder römische Feldherrn, zu deren Größe
nichts fehlen würde, wenn man von ihrer Lebenszeit einiges
abziehen könnte? Oder die edelsten und berühmtesten Männer, die ihren Nacken dem Streiche des Soldatenschwertes
beugend dargestellt sind? Denke zurück an deinen Vater und

Großvater. Dieser verfiel der Willkür eines andern, der ihn mordete; ich selbst habe nie einem andern Gewalt über mich gegeben und dadurch, daß ich mir die Speise versagte, gezeigt, wie es mich freute, mit so hohem Mute geschrieben zu haben. Warum soll in unserem Hause der am längsten betrauert werden, der am glücklichsten stirbt? Wir treten alle zusammen und sehen, keineswegs von tiefer Nacht umgeben, bei euch nichts Wünschenswertes, wofür ihr es haltet, nichts Erhabenes, nichts Glänzendes, sondern lauter Niedriges und Beschwerliches und Angstvolles und ach! welch kleinen Teil von unserem Lichte seht ihr doch! Brauche ich erst zu sagen, daß hier keine Waffen in blutigem Zusammenstoß wüten, nicht Flotten von Flotten zerstört werden, kein Vatermord bereitet oder auch nur gedacht, kein Forum den ganzen Tag lang von Rechtsstreitigkeiten durchtost wird, daß nichts im Verborgenen geschieht, daß die Gesinnungen aufgedeckt, die Herzen offen daliegen, daß das Leben ein öffentliches, den Blicken aller ausgesetztes ist, und ein Überschauen jedes Zeitalters und der noch kommenden stattfindet? Es machte mir Freude, die Ereignisse eines einzigen Jahrhunderts aufzuzeichnen, welche im letzten Teile des Weltalls und nur unter sehr wenigen vorfielen; jetzt ist mir vergönnt, so viele Jahrhunderte und den Zusammenhang, die Reihenfolge so vieler Zeitalter und alle Jahre, so viele es deren gibt, zu überschauen; ich kann hinblicken auf die Reiche, die sich erheben, auf die Reiche, die versinken werden, auf den Untergang großer Städte und auf neue Bahnen des Meeres. Denn (wenn dir das gemeinsame Schicksal ein Trost für deine Sehnsucht sein kann) es wird nichts an der Stelle stehen bleiben, wo es jetzt steht, das Alter wird alles niederwerfen und mit sich fortraffen; und nicht nur mit Menschen (denn ein wie kleiner Teil sind doch diese von dem, worüber dem Zufall Macht gegeben ist!), sondern mit Gegenden, mit Landstrichen, mit Weltteilen wird es sein Spiel treiben; viele Berge wird es niederdrücken und an andern Stellen neue Felsen in die Höhe treiben; Meere wird es verschlingen, Ströme aus ihrer Bahn lenken und den Völkerverkehr durchbrechend die Verbin-

dung und Gemeinschaft des menschlichen Geschlechts auflösen. Anderswo wird es Städte in ungeheure Schlünde hin-
abziehen, sie durch Erdbeben erschüttern und aus der Tiefe
Pestdünste heraufsenden, alles bewohnte Land mit Über-
schwemmungen bedecken und, wenn der Erdkreis versinkt,
jedes lebende Wesen töten und mit ungeheuerm Feuer alles
Sterbliche versengen und in Brand stecken. Und wenn die
Zeit gekommen ist, wo die Welt, um erneuert zu werden, sich
vernichten wird, da wird sich jenes alles durch seine eigene
Kraft zerstören, Gestirne werden mit Gestirnen zusammen-
stoßen, und während die ganze Weltmasse in Flammen steht,
wird alles, was jetzt in geregelter Ordnung leuchtet, in *einem*
Feuermeere brennen. Auch wir seligen Geister, die wir das
Ewige erreicht haben, werden, wenn es der Gottheit gefällt,
alles noch einmal ins Werk zu setzen, bei dem allgemeinen
Einsturz selbst, nur eine kleine Zugabe zu der ungeheuern
Verheerung, in die alten Urbestandteile verwandelt werden.
O wie glücklich ist dein Sohn, Marcia, der dies alles schon
weiß!«

TROSTSCHRIFT AN HELVIA

(Senecas Mutter)

1. Oft schon, liebste Mutter, nahm ich einen Anlauf, dich
zu trösten, oft hielt ich wieder inne. Vieles trieb mich, es
zu wagen; zuerst schien es mir, als würde ich alles Widerwärtige von mir werfen, wenn ich deine Tränen, wo nicht
völlig unterdrückt, doch wenigstens einstweilen getrocknet
hätte; sodann zweifelte ich nicht, daß ich mehr imstande
sein würde, dich aufzurichten, wenn ich mich vorher selbst
ermannt hätte; überdies fürchtete ich, das Schicksal möchte,
wenn auch von mir besiegt, doch über irgendeinen der
Meinen siegen. Daher versuchte ich, so gut es ging, die Hand
auf meine Wunde drückend, mich herzuschleppen, um eure
Wunden zu verbinden. Diesen meinen Vorsatz aber verzö-
gerten wieder manche Umstände. Ich wußte, daß man deinem
Schmerze, solange er in Frische tobte, nicht entgegentreten
dürfe, damit ihn nicht die Tröstungen selbst noch mehr erregten und anfachten; denn auch bei Krankheiten ist nichts
verderblicher, als unzeitige Arzneimittel. Ich wartete daher,
bis er seine Kraft selbst bräche und, durch die Zeit zur Ertragung der Heilmittel besänftigt, sich berühren und behandeln ließe. Außerdem fand ich, obgleich ich alle zur Bezäh-
mung und Mäßigung der Trauer abgefaßten Werke der berühmtesten und talentvollsten Männer nachschlug, kein Beispiel eines Mannes, der die Seinen getröstet hätte, wenn er
selbst von ihnen beweint wurde. So wurde ich in einem mir
neuen Falle bedenklich und besorgt, es möchte dies keine
Tröstung, sondern ein Aufreißen der Wunde werden. Ja,
hätte nicht ein Mensch, der zur Tröstung der Seinen sein
Haupt vom Scheiterhaufen selbst erhöbe, ganz neue und

nicht der gewöhnlichen und alltäglichen Umgangssprache entnommene Worte nötig? Jeder große und das Maß überschreitende Schmerz aber muß notwendig eine Auswahl der Worte treffen, während er doch oft sogar die Stimme selbst versagen läßt. Doch will ich mich, so gut ich kann, zusammennehmen, nicht aus Vertrauen auf mein Talent, sondern weil ich selbst statt der wirksamsten Tröstung dein Tröster sein kann. Dem du nichts abschlagen würdest, dem wirst du, hoffe ich, obgleich jeder Gram halsstarrig ist, sicherlich das nicht versagen, daß du deiner Sehnsucht durch mich eine Grenze setzen lässest.

2. Siehe, wie viel ich mir von deiner Zärtlichkeit verspreche: ich zweifle nicht, daß ich über dich mehr vermögen werde als dein Schmerz, dessen Macht über Unglückliche doch nichts übertrifft. Um daher nicht sogleich mit ihm zu kämpfen, so will ich ihn erst verteidigen und sagen, was ihn erregen konnte; ich will alles vorbringen und selbst, was schon vernarbt ist, wieder aufreißen. Es wird jemand sagen: »Was ist das für eine Art zu trösten, wenn man schon vergessene Übel zurückruft und einem Gemüte, das kaum *eine* Trübsal erträgt, einen Standpunkt gibt, von welchem aus es alle seine Trübsale überblickt?« Dieser mag jedoch bedenken, daß alles, was so verderblich ist, daß es trotz der Gegenmittel immer mehr erstarkt, meistenteils durch das Gegenteil geheilt wird. Ich will ihm daher all seinen Jammer, alles Traurige vorführen; das heißt freilich nicht auf sanftem Wege heilen, sondern brennen und schneiden. Was werde ich dadurch erreichen? Daß die Seele als Besiegerin so vielen Elends sich schämen muß, über eine einzige Wunde an einem so narbenvollen Körper mißmutig zu sein. Daher mögen die noch länger weinen und jammern, deren verweichlichte Seelen langes Glück entnervt hat, und mögen sie, wenn die leisesten Widerwärtigkeiten sich regen, zusammensinken; die aber, denen alle Jahre unter Unglücksfällen vorübergegangen sind, mögen auch das Schwerste mit starker und unerschütterlicher Standhaftigkeit ertragen. Beständiges Unglück hat das eine

Gute, daß es die, denen es fortwährend zusetzt, zuletzt ab-
härtet. Dir hat das Schicksal nie Ruhe gegönnt vor den
schwersten Trauerfällen; selbst deinen Geburtstag hat es
nicht ausgenommen. Kaum geboren, oder vielmehr während
du geboren wurdest, hast du deine Mutter verloren und bist
gewissermaßen zum Leben ausgesetzt worden. Aufgewach-
sen bist du unter einer Stiefmutter, die du zwar durch steten
Gehorsam und kindliche Liebe, wie man sie nur an einer
Tochter erblicken kann, dir eine Mutter zu werden genötigt
hast; dennoch kommt eine Stiefmutter, auch wenn sie gut
ist, teuer zu stehen. Meinen Oheim, einen höchst nach-
sichtsvollen, trefflichen und wackeren Mann, hast du verloren, während du seinen Besuch erwartetest. Und damit das
Schicksal seine Grausamkeit gegen dich nicht etwa durch
Fristungen mildere, hast du in Zeit von dreißig Tagen auch
deinen teuren Gatten, von dem du Mutter dreier Kinder
warst, begraben müssen. Während du noch trauertest, wurde
dir die neue Trauerkunde überbracht, und zwar in Abwesenheit aller deiner Kinder, als sei gleichsam absichtlich dein
Unglück auf eine Zeit gehäuft worden, wo du nichts hättest,
woran dein Schmerz sich lehnen könnte. Ich übergehe so
viele Gefahren und Ängste, die du ohne Unterbrechung ertragen hast. Jüngst erst hast du in denselben Schoß, aus dem
du drei Enkel entlassen hattest, wieder die Asche von drei
Enkeln gesammelt. Zwanzig Tage darauf, nachdem du meinen Sohn, der in deinen Händen und unter deinen Küssen
gestorben war, beerdigt hattest, vernahmst du, ich sei fort-
geschleppt, das nur hatte dir noch gefehlt, daß du um Lebende
trauern mußtest.

3. Die schwerste von allen Wunden, welche je deinen
Körper trafen, ist — ich gestehe es — diese neueste; sie hat
nicht nur die oberste Haut zerrissen, sie hat die Brust und
die inneren Teile selbst gespalten. Doch wie neue Krieger,
auch nur leicht verwundet, dennoch laut schreien und sich
vor den Händen der Wundärzte mehr fürchten als vor dem
Schwerte, alte Soldaten aber, obgleich ganz durchbohrt, sich

doch die Wunde geduldig und ohne einen Seufzer, als ob
es an einem fremden Körper wäre, ausschneiden lassen: so
mußt auch du dich jetzt bei deiner Heilung standhaft zeigen.
Jammern und Wehklagen und anderes, wodurch sich der
Schmerz einer Frau gewöhnlich austobt, halte fern von dir;
denn du hättest ja so viele Unglücksfälle vergeblich erduldet,
wenn du noch nicht unglücklich zu sein gelernt hast. Scheine
ich dir nun etwa schüchtern mit dir verfahren zu sein? Ich
habe keinen von deinen Unglücksfällen unerwähnt gelassen,
ich habe sie alle, auf einen Punkt zusammengedrängt, vor
dich hingestellt. Mit hohem Mute habe ich das getan; denn
ich habe mir vorgesetzt, deinen Schmerz zu besiegen, nicht
bloß zu beschränken.

4. Und ich werde ihn besiegen, glaube ich, zuerst wenn ich
zeige, daß ich nichts erdulde, weshalb ich selbst unglücklich
genannt werden könnte, geschweige wodurch ich auch diejenigen unglücklich machen sollte, mit denen ich verbunden
bin. Sodann wenn ich auf dich übergehe und beweise, daß
auch dein Geschick, welches ja ganz von dem meinigen abhängt, kein hartes ist. Daran will ich zuerst gehen, was deine
mütterliche Zärtlichkeit zu vernehmen besonders trachtet,
daß ich kein Unglück leide, und wenn ich kann, dir klar-
machen, daß das, wovon du mich gedrückt wähnst, gar nicht
unerträglich sei. Kannst du das nicht glauben, nun so werde
ich um so mehr von mir selbst halten, weil ich unter Verhältnissen, die andere unglücklich zu machen pflegen, glücklich
bin. Du brauchst über mich nicht andern zu glauben; damit
du nicht durch unsichere Vermutungen beunruhigt werdest,
sage ich dir selbst, daß ich nicht unglücklich bin, und damit
du desto sorgloser seist, füge ich noch hinzu, daß ich gar
nicht unglücklich werden kann.

5. Wir sind mit günstiger Beschaffenheit geboren, wenn
wir ihr nur nicht untreu werden. Die Natur hat dafür gesorgt,
daß es, um glücklich zu leben, keines großen Apparates bedarf, ein jeder kann sich glückselig machen. Die zufällig
kommenden Umstände sind von geringer Bedeutung und

haben nach keiner von beiden Seiten hin einen großen Einfluß; den Weisen machen weder günstige Umstände stolz, noch schlagen ungünstige ihn nieder; denn stets bestrebt er sich, das meiste auf sich selbst zu setzen und alle Freude in sich selbst zu suchen. Wie? Ich nenne mich einen Weisen? Keineswegs; denn wenn ich das von mir sagen könnte, so würde ich nicht nur behaupten, nicht unglücklich zu sein, sondern mich rühmen, daß ich der Glücklichste und der Gottheit nahe gerückt sei. Vorderhand habe ich mich, was genügt, um alles Elend zu mildern, weisen Männern hingegeben und, weil ich selbst noch nicht stark genug bin, mir zu helfen, meine Zuflucht in ein fremdes Lager genommen, derer nämlich, die sich und das Ihrige zu schützen wissen. Diese heißen mich, beständig wie auf einen Wachposten gestellt zu sein und alle Versuche und Angriffe des Schicksals viel früher, als sie andringen, ins Auge zu fassen. Nur für die ist es hart, denen es plötzlich kommt; leicht erträgt es, wer es immer erwartet. Denn auch des Feindes Ankunft schlägt nur diejenigen zu Boden, die sie unvermutet überrascht; die sich aber auf den bevorstehenden Krieg vor dem Kriege vorbereitet haben, fangen wohlgeordnet und bereit den ersten Streich, welcher am meisten in Verwirrung bringt, leicht auf. Nie habe ich dem Glücke getraut, auch wenn es Frieden zu halten schien: Alles, was es mir höchst gnädig zuerteilte, Geld, Ehrenstellen, Gunst, habe ich an einen solchen Ort gestellt, von wo es wieder weggenommen werden konnte, ohne daß es mich berührte. Ich erhielt zwischen jenen Dingen und mir eine große Kluft, und so hat es denn dieselben wieder weggenommen, aber nicht losgerissen. Noch keinen hat das Unglück gebeugt, außer wen das Glück getäuscht hatte. Diejenigen, die seine Gaben als ihr Eigentum und als etwas Beständiges geliebt haben und sich ihretwegen geehrt wissen wollten, sind niedergeschlagen und trauern, wenn die falschen und veränderlichen Ergötzungen ihren eitlen, kindischen und aller echten Freude unkundigen Seelen untreu werden. Wen aber das Glück nicht aufgeblasen gemacht, den beugt auch die Veränderung desselben nicht; er setzt jedem

von beiden Zuständen ein unbesiegbares Herz von schon
erprobter Festigkeit entgegen; denn er hat bereits im Glücke
selbst erprobt, was er gegen das Unglück vermöge. Daher
habe ich stets geglaubt, in dem, was alle wünschen, sei nichts
wirklich Gutes enthalten; dann habe ich nur eitle, mit glänzender und auf Täuschung berechneter Schminke überzogene
Dinge darin gefunden, die innerlich nichts haben, was ihrer
Außenseite ähnlich wäre. So finde ich in dem, was man Übel
zu nennen pflegt, nichts so Schreckliches und Hartes, als der
Wahn des großen Haufens fürchten ließ; das Wort selbst
freilich fällt infolge einer gewissen Überredung und Übereinstimmung schon ziemlich rauh ins Ohr und tut denen,
die es hören, als etwas Trauriges und Verwünschenswertes
weh; denn so hat das Volk nun einmal entschieden; Volks-
beschlüsse aber werden von den Weisen großenteils verworfen.

6. Setzen wir also das Urteil der Menge beiseite, welche
der erste Anblick einer Sache hinreißt, und betrachten wir,
was Verbannung sei: es ist eine Veränderung des Aufenthaltsorts. Damit es aber nicht scheine, als wolle ich die Bedeutung des Wortes beschränken und alles sehr Schlimme,
was es enthält, verschweigen: dieser Ortsveränderung folgen
allerdings auch Unannehmlichkeiten, Armut, Beschimpfung,
Verachtung. Gegen diese Dinge will ich mich nachher richten; jetzt will ich zuerst das betrachten, was denn die Ortsveränderung selbst Bitteres mit sich führe. »Das Vaterland
zu entbehren, ist etwas Unerträgliches.« So blicke doch einmal auf diese Volksmenge, für welche kaum die Häuser der
unermeßlichen Stadt hinreichen; der größte Teil dieses Haufens ist seinem Vaterland entrissen. Aus ihren Munizipien
und Kolonien, ja aus dem ganzen Erdkreise sind sie zusam-
mengeströmt. Die einen führte der Ehrgeiz her, andere die
Notwendigkeit einer Tätigkeit für das öffentliche Leben,
andere eine übertragene Gesandtschaft, andere Genußsucht,
die einen lasterhaften Ort aufsucht, andere die Liebe zur
Beschäftigung mit den edeln Wissenschaften, andere die

Schauspiele; manche zog auch die Freundschaft her, manche die Unternehmungslust, die hier ein weites Feld findet, ihr Talent zu zeigen; manche bringen ihre schöne Gestalt zu Markte, manche ihre Beredsamkeit. Alle Klassen von Menschen strömen in die Hauptstadt zusammen, die sowohl den Tugenden als den Lastern große Belohnungen aussetzt. Befiehl einmal, diese alle beim Namen aufzurufen, und frage, wo ein jeder zu Hause sei: du wirst sehen, daß der größere Teil von ihnen seine Heimat verlassen und in diese allerdings sehr große und schöne Stadt gekommen ist, die aber nicht die ihrige ist. Dann aber siehe ab von dieser Stadt, die freilich gewissermaßen die allgemeine Vaterstadt genannt werden kann und gehe in allen andern Städten umher: jede hat einen großen Teil fremder Bevölkerung. Gehe ab von solchen, deren anmutige und vorteilhafte Lage viele anlockt; durchwandere öde Landstriche und die rauhesten Inseln, Sciathus, Seriphus, Gyara und Korsika: du wirst keinen Verbannungsort finden, wo nicht jemand aus Liebhaberei verweilte. Wo kann man etwas so Nacktes, wo etwas auf allen Seiten so schroff Abgerissenes finden, als diesen Felsen Korsika, wo etwas in Betracht der Produkte Dürftigeres, in bezug auf die Menschen Wilderes, in bezug auf die Lage selbst Schauerlicheres, in bezug auf das Klima Unfreundlicheres? Und doch halten sich hier mehr Fremde als Eingeborene auf. So sehr lästig also ist die Veränderung des Aufenthaltsorts an und für sich nicht, daß nicht sogar diese Gegend manche ihrem Vaterlande entführt hätte. Ich finde, daß einige behaupten, es liege im Gemüte eine gewisse natürliche Verlockung, den Wohnsitz zu verändern und den häuslichen Herd woanders hin zu versetzen. Denn es ist dem Menschen ein beweglicher und unruhiger Geist gegeben; niemals hält er sich zusammen, er zerstreut sich, läßt seine Gedanken auf alles, Bekanntes wie Unbekanntes, umherschweifen, unstet, die Ruhe nicht ertragend, und über die Neuheit der Gegenstände hoch erfreut. Und darüber wirst du dich nicht verwundern, wenn du seinen ersten Ursprung betrachtest. Nicht aus erdigem und schwerem Körperstoffe ist er gebildet; aus jenem göttlichen Geiste ist er herniedergestiegen; das Wesen des Himmlischen aber ist in steter Bewegung, es ist flüchtig und treibt sich im raschesten Laufe. Betrachte die Gestirne, welche die Welt erleuchten; keines derselben bleibt stehen; unaufhörlich gleiten sie dahin und verändern beständig ihre Stelle, und obgleich sie sich mit dem ganzen Weltall herumdrehen, haben sie doch eine der Welt entgegengesetzte Bewegung, durch alle Teile des Tierkreises laufen sie hindurch, niemals stockt ihre beständige Bewegung, und von einem Orte zum andern geht ihre Wanderung. Alle wälzen sich und sind stets im Vorübergehen, und wie es das Gesetz und die Notwendigkeit der Natur angeordnet hat, werden sie von einer Stelle zur andern fortgetragen. Haben sie in einem Zeitraum bestimmter Jahre ihre Kreisbahn vollendet, so durchlaufen sie aufs neue den Raum, durch den sie gekommen. Nun gehe hin und glaube, der menschliche Geist, der aus denselben Urstoffen, woraus die göttlichen Wesen entstehen, zusammengesetzt ist, sei unwillig über einen Übergang und eine Wanderung, während die Natur der Gottheit sich einer beständigen und überaus raschen Veränderung erfreut oder durch sie sich erhält. Nun wohlan, vom Himmlischen wende dich zum Menschlichen: und du wirst finden, daß alle Stämme und Völker ihren Wohnsitz stets verändert haben. Was bedeuten mitten in barbarischen Gegenden die griechischen Städte, was die macedonische Sprache mitten unter Indern und Persern? Skythien und jener ganze Landstrich roher und ungebändigter Völker zeigt archäische Städte, an den Küsten des Pontus erbaut. Nicht die Strenge eines ewigen Winters, nicht der Charakter der Menschen, rauh gleich ihrem Himmel, hat denen im Wege gestanden, die ihren Wohnsitz dahin verlegten. In Asien ist eine Menge von Athenern. Milet hat die Bevölkerung von fünfundsiebzig Städten nach allen Richtungen hin ergossen; die ganze Seite Italiens, die vom Tyrrhenischen Meere bespült wird, war Groß-Griechenland; die Etrusker stammen aus Asien; in Afrika wohnen Tyrier, Punier in Spanien; Griechen haben sich in Gallien niedergelassen, Gallier in Griechenland. Die

Pyrenäen haben den Übergang von Germanen nicht abgehalten; durch unbekannte Gegenden hat sich der leichte Sinn der Menschen hindurchgewunden. Kinder, Weiber und vom Alter gedrückte Eltern haben sie mitgeschleppt. Andere, auf langer Irrfahrt herumgetrieben, haben sich nicht durch Entschluß einen Wohnort erwählt, sondern aus Ermüdung den nächsten besten in Besitz genommen; andere haben sich durch die Waffen ein Recht in fremdem Lande verschafft. Manche Völker hat, während sie nach unbekannten Ländern steuerten, das Meer verschlungen; manche ließen da sich nieder, wo sie der Mangel an allem zu bleiben zwang; und nicht alle hatten dieselbe Ursache, ihr Vaterland zu verlassen und ein anderes aufzusuchen. Manche hat die Zerstörung ihrer Städte, den feindlichen Waffen entronnen, aber ihres Landes beraubt, in fremde Länder getrieben; andere hat ein Aufruhr aus der Heimat verscheucht; andere hat Übervölkerung auswandern heißen, damit sich die Volksmasse entlade; andere haben Seuchen, häufige Erdbeben oder andere unerträgliche Gebrechen des ungünstigen Bodens fortgetrieben; manche hat das Gerede von einer fruchtbaren und übermäßig gepriesenen Seeküste verführt; die einen hat diese, die andern jene Ursache zum Auszug aus ihrer Heimat bestimmt. So viel in der Tat ist offenbar, daß nichts an demselben Orte geblieben ist, wo es geboren wurde; es findet ein beständiges Hin- und Herziehen des menschlichen Geschlechts statt; täglich verändert sich etwas auf dem so weiten Erdkreise. Neue Städte werden gegründet; es entstehen neue Völkernamen, während die früheren erlöschen oder sich verwandeln, um ein Zuwachs zu einem mächtigeren zu werden. Alle jene Verpflanzungen von Völkern aber, was sind sie anders als allgemeine Verbannungen?

7. Weshalb schleppe ich dich auf so langen Umwegen herum? Was nützt es, den Antenor, den Erbauer von Patavium, und den Evander, der ein Reich der Arkadier an dem Ufer des Tiber gründete, oder den Diomedes und andere aufzuzählen, welche der trojanische Krieg als Besiegte und

Sieger zugleich in fremde Länder zerstreut hat? Blickt ja
doch das römische Reich auf einen (den Trojaner Äneas)
als seinen Stifter zurück, den, als er mit geringen Überresten
seines Volks aus der eroberten Vaterstadt floh, die Notwendigkeit und die Furcht vor dem Sieger, die ihn entlegene
Länder aufsuchen hieß, nach Italien verschlug. Wie viele
Kolonien hat sodann dies Volk in alle Provinzen entsendet!
Wo nur immer der Römer gesiegt, hat er Wohnsitze. Zu solcher Wohnungsvertauschung meldete man sich gern, und der
greise Pflanzer folgte, seine Altäre verlassend, übers Meer
hinüber den Auswanderern.

8. Die Sache bedarf keiner weiteren Aufzählung; eins jedoch will ich noch hinzufügen, was sich meinen Blicken aufdrängt. Diese Insel selbst hat schon oft ihre Bewohner ge-
wechselt. Um die früheren Zeiten, welche das Alter in Dunkel
gehüllt hat, zu übergehen, so haben sich zuerst Griechen, die
jetzt Massila bewohnen, nachdem sie Phocis verlassen, auf
dieser Insel niedergelassen. Was sie daraus vertrieben hat,
ist ungewiß, ob das rauhe Klima oder der Anblick des über-
mächtigen Italiens oder die Beschaffenheit des hafenlosen
Meeres; denn daß nicht die Wildheit der Bewohner die Ursache war, erhellt daraus, daß sie sich unter die damals besonders rohen und ungebildeten Bewohner Galliens begaben.
Dann zogen Ligurier herüber, auch Spanier, was sich aus der
Ähnlichkeit der Lebensweise ergibt; denn man findet daselbst dieselben Kopfbedeckungen und dieselbe Art von
Schuhwerk wie bei den Cantabrern, auch manche Worte derselben; die ganze Sprache nämlich ist durch den Umgang mit
Griechen und Liguriern von der urväterlichen abgewichen.
Hierauf wurden zwei Kolonien römischer Bürger hierher
geführt, die eine von Marius, die andere von Sulla. So oft
hat sich die Bevölkerung dieser dürren und dornigen Felsen-
insel verändert. Endlich wird man kaum irgendein Land finden, das auch jetzt noch seine Urbevölkerung bewohnte; alles
ist untereinander gemischt und verpflanzt; die einen sind an
die Stelle der andern getreten. Dieser hat etwas begehrt, was

jenem zum Ekel war; jener ist von da vertrieben worden, von wo er andere verdrängt hatte. So gefiel es dem Schicksal, daß die Lage keiner Sache stets dieselbe bleibe. Gegen die Veränderung des Aufenthaltsortes selbst, abgesehen von den übrigen Widerwärtigkeiten, die mit der Verbannung zusammenhängen, hält Varro, einer der gelehrtesten Römer, das für ein hinreichendes Trostmittel, daß man, wohin man auch kommen mag, immer mit derselben Natur der Dinge zu tun hat. Marcus Brutus meint, das sei schon genug, daß den in die Verbannung Gehenden vergönnt sei, ihre Tugenden mit sich zu nehmen. Wenn nun auch einer diese Umstände einzeln für minder wirksam hält, um einen Verbannten zu trösten, so wird er doch gestehen müssen, daß beide vereinigt sehr viel vermögen. Denn welche Kleinigkeit ist, was wir verlieren! Zwei Dinge, die herrlichsten von allen, werden uns begleiten, wohin wir uns auch wenden: die Allnatur und die eigene Tugend. Dafür, glaube mir, ist gesorgt von jenem Bildner des Weltalls, wer er auch sein mag, sei er ein allmächtiger Gott oder eine unkörperliche Vernunft, die Schöpferin gewaltiger Werke oder ein alles durchströmender göttlicher Hauch oder ein Schicksal und eine unwandelbare Reihe untereinander zusammenhängender Ursachen; dafür, sage ich, ist gesorgt, daß nichts als nur die geringfügigsten Dinge fremder Willkür unterworfen ist. Alles, was das Beste für den Menschen ist, liegt außerhalb menschlicher Macht und kann weder gegeben, noch entrissen werden, nämlich diese Welt, das Größte und Schönste, was die Natur geschaffen hat, und der Geist, der Betrachter und Bewunderer der Welt, ihr herrlichster Teil, uns eigen und unverlierbar, so lange mit uns fortdauernd, als wir selbst fortdauern werden. Frisch und mutig also wollen wir festen Schrittes eilen, wohin immer das Schicksal uns führen wird.

9. Laß uns alle Länder durchmessen; innerhalb der ganzen Welt läßt sich kein Platz finden, der nicht dem Menschen gehörte; überallher richtet sich auf gleiche Weise der Blick zum Himmel empor, gleiche Zwischenräume trennen alles

Göttliche von allem Menschlichen. Nun denn, so lange meinen Augen jenes Schauspiel, an dem sie sich nicht satt sehen können, nicht entzogen wird, so lange es mir vergönnt ist, Sonne und Mond anzuschauen, mit meinen Blicken an den übrigen Gestirnen zu haften, ihren Auf- und Untergang, ihre Abstände und die Ursachen ihres schnelleren oder langsameren Laufes zu erforschen, eine solche Menge leuchtender Sterne zu erblicken, die einen unbeweglich, andere nicht in weite Fernen hinausschweifend, sondern in ihrer eigenen Bahn sich herumbewegend, einige plötzlich hervorbrechend, manche mit sprühendem Feuer, als wollten sie herabfallen, das Auge blendend oder in langem Zuge mit hellem Lichte vorüberfliegend: so lang ich bei diesen bin und mich, soweit es dem Menschen erlaubt ist, mit dem Himmel in Verbindung setze, so lang ich den Geist, der nach dem Anblick verwandter Dinge strebt, immer in den höhern Sphären verweilen lassen kann; was liegt daran, wohin ich meinen Fuß setze? Aber dies Land trägt keine fröhlich zu schauenden Fruchtbäume, es wird nicht von großen und schiffbaren Flüssen bewässert, es erzeugt nichts, was andere Völker begehren, kaum zum Unterhalt seiner Bewohner fruchtbar genug; kein kostbares Gestein wird hier gebrochen, keine Gold- und Silberadern ausgegraben! Nun, das ist ein enger Geist, der sich am Irdischen ergötzt; zu jenem ist er hinzulenken, was sich überall auf gleiche Weise zeigt, überall auf gleiche Weise glänzt; auch muß man bedenken, daß jene Dinge den wahren Gütern durch trügerische Güter, auf die man mit Unrecht vertraut, im Wege stehen. Je längere Säulengänge sie sich bauen, je höher sie ihre Türme aufführen, je breiter sie ihre Gassen ausdehnen, je tiefer sie ihre Sommergrotten graben, mit je größern Steinmassen sie die Giebel ihrer Speisesäle erhöhen, um so mehreres wird ihnen den Himmel verbergen. Das Mißgeschick hat dich in eine Gegend hinausgeworfen, wo eine Hütte der ansehnlichste Aufenthaltsort ist. Wahrlich, dann bist du von kleinem, sich auf elende Weise tröstendem Geiste, wenn du dies nur deshalb mutig erträgst, weil du eine Hütte des Romulus kennst. Sage dir lieber: Jene niedrige

Hütte hat doch wohl für Tugenden Raum? Und sofort wird sie schöner sein als alle Tempel, wenn man darin Gerechtigkeit erblickt und Enthaltsamkeit, Klugheit, Frömmigkeit, Geschick, allen Dienstpflichten gehörig nachzukommen, Kenntnis der göttlichen und menschlichen Dinge. Kein Ort ist eng, der eine Menge so großer Tugenden faßt; keine Verbannung ist drückend, in die man mit diesem Gefolge gehen kann. Brutus sagt in dem Buche, das er »über die Tugend« schrieb, er habe zu Mytilenä den Marcellus in der Verbannung gesehen, der so glücklich gelebt habe, als es nur die menschliche Natur gestatte, und nie von größerem Eifer für die schönen Wissenschaften beseelt gewesen sei als zu jener Zeit. Daher fügte er hinzu, »es sei ihm mehr vorgekommen, als ob er in die Verbannung ginge, da er ohne jenen zurückkehren müßte, als daß er jenen in der Verbannung zurücklasse.« Glücklicher also warst du, Marcellus, zu jener Zeit, wo du den Brutus deine Verbannung, als wo du dein Konsulat rühmen ließest! Was war das für ein Mann, der bewirkte, daß sich einer als Verbannter vorkam, weil er von ihm, dem Verbannten, scheiden mußte, was für ein Mann, der einen Brutus ihn zu bewundern zwang, den selbst ein Cato bewundern mußte? Derselbe Brutus sagt, »Gajus Cäsar sei an Mytilenä vorbeigeschifft, weil er es nicht habe ertragen können, jenen Mann entehrt zu erblicken.« Der Senat erwirkte auf allgemeines Bitten seine Rückkehr so besorgt und betrübt, daß alle an jenem Tage von Brutus' Geiste beseelt zu sein und nicht für Marcellus, sondern für sich zu bitten schienen, damit sie nicht Verbannte wären, wenn sie ohne ihn leben müßten; aber noch weit mehr erreichte er an jenem Tage, wo Brutus ihn, den Verbannten, nicht zu verlassen, Cäsar ihn nicht zu sehen vermochte. Denn dadurch wurde ihm ein Zeugnis beider zuteil. Den Brutus schmerzte es, und Cäsar schämte sich, ohne Marcellus zurückzukehren. Zweifelst du wohl, daß Marcellus, jener so große Mann, sich zu gefaßter Ertragung seiner Verbannung also ermutigt haben wird: »Daß du das Vaterland entbehrst, ist kein Unglück. Du hast dich mit solchen Kenntnissen ausgerüstet, daß

du weißt, dem Weisen sei jeder Ort ein Vaterland. Sodann,
hat nicht derjenige selbst, der dich vertrieb, zehn ganze Jahre
lang das Vaterland entbehrt? Ohne Zweifel, um sich den
Oberbefehl des Heeres zu verlängern, aber er hat es doch
entbehrt. Siehe, nun zieht ihn Afrika zu sich hin, das voll ist
von drohenden Anzeichen des neu erwachenden Krieges, es
zieht ihn Hispanien fort, das seine gebrochenen und gelähm-
ten Glieder neu belebt, es zieht ihn das treulose Ägypten fort,
kurz der ganze Erdkreis, der auf den günstigen Augenblick
lauert, wo der Staat erschüttert wird. Wem soll er zuerst
begegnen? Welcher Partei soll er sich zuerst entgegenstellen?
Sein Sieg wird ihn durch alle Länder jagen. Mögen ihn Nationen bewundern und verehren: du lebe zufrieden mit der
Bewunderung eines Brutus.« Trefflich also hat Marcellus
seine Verbannung ertragen, und in seinem Gemüte hat die
Veränderung des Aufenthaltsortes nichts verändert, obgleich
Verarmung sie begleitete. Daß aber in dieser kein Übel liege,
sieht ein jeder ein, der noch nicht in den Wahnsinn der alles
umkehrenden Habsucht und Üppigkeit verfallen ist. Denn
wie wenig ist es doch, was zur Erhaltung des Menschen nötig
ist? Und wem kann es daran fehlen, der nur irgendeine
moralische Kraft besitzt? Wenigstens was mich betrifft, so
erkenne ich, daß ich nicht an Reichtum, sondern nur an Geschäften verloren habe. Des Körpers Bedürfnisse sind gering;
Kälte will er abgewehrt wissen, Hunger und Durst durch
Nahrungsmittel stillen; was man außerdem begehrt, wirkt
den Lastern, nicht dem Bedürfnis in die Hände. Es ist un-
nötig, jede Tiefe der Erde zu durchsuchen, durch ein Gemetzel
unter den Tieren den Magen zu überladen und Muscheln des
entlegensten Meeres aus unbekannten Küsten herauszu-
scharren. Mögen Götter und Göttinnen diejenigen verderben,
deren Genußsucht über die Grenzen eines so beneidenswerten
Reiches hinausgreift. Jenseits des Phasis will man gefangen
wissen, was die prahlerische Küche versorgen soll, und man
schämt sich nicht, von den Parthern, an denen wir noch keine
Rache genommen, Vögel zu entnehmen. Von überallher
bringt man zusammen, was nur der verwöhnte Gaumen

kennt. Was der durch Leckereien zerrüttete Magen kaum ver-
tragen kann, wird vom entferntesten Ozean herbeigeschafft.
Man erbricht sich, um essen zu können, und ißt, um sich zu
erbrechen, und würdigt die Mahlzeiten, die man aus der
ganzen Welt zusammensucht, nicht einmal der Verdauung.
Wenn nur einer dies verachtet, was schadet ihm dann die
Armut? Und wer es begehrt, dem ist die Armut sogar heilsam. Denn er wird ja geheilt, ohne es zu wollen, und wenn er
die Heilmittel nicht einmal gezwungen annimmt, so gleicht
er, indem er nicht kann, einem nicht Wollenden. Der Kaiser
Gajus Caligula, den mir die Natur hervorgebracht zu haben
scheint, um zu zeigen, was die höchste Lasterhaftigkeit im
höchsten Glück vermöge, hat an *einem* Tage um zehn Millionen Sesterzien gespeist und, obgleich dabei von dem Er-
findergeist aller Welt unterstützt, fand er doch kaum eine
Möglichkeit, die Abgaben von drei Provinzen zu *einer* Mahlzeit aufzuwenden. O die Beklagenswerten, deren Gaumen
nur durch kostbare Speisen gereizt wird! Kostbar aber macht
sie nicht ausnehmender Wohlgeschmack oder irgendeine An-
nehmlichkeit für den Mund, sondern nur die Seltenheit und
Schwierigkeit der Herbeischaffung. Sonst, wenn es ihnen zur
gesunden Vernunft zurückzukehren beliebte, wozu bedarf es
so vieler dem Bauche frönender Künste, wozu des Handels,
wozu der Entvölkerung der Wälder, wozu der Durchsuchung
der Tiefen? Überall liegen Nahrungsmittel umher, welche die
Natur an allen Orten niedergelegt hat; aber an ihnen gehen
sie wie blind vorüber und durchschweifen alle Landstriche,
setzen über Meere, und während sie den Hunger mit geringen
Kosten stillen könnten, reizen sie ihn mit großem Aufwand.

10. Ich möchte fragen: Warum laßt ihr eure Schiffe aus-
laufen? Warum bewaffnet ihr eure Hände gegen wilde Tiere
wie gegen Menschen? Warum lauft ihr mit solcher Unruhe
bald da, bald dort hin? Warum häuft ihr Schätze auf Schätze?
Wollt ihr nicht bedenken, wie klein eure Körper sind? Ist
es nicht Wahnsinn und die äußerste Geistesverirrung, da
du doch so wenig fassest, so vieles zu begehren? Mögt ihr

daher auch euer Vermögen vergrößern, die Grenzen eurer
Besitzungen erweitern: ihr werdet doch nie euern Körper
weiter machen. Wenn auch euer Handelsverkehr gut rentiert,
wenn euch der Kriegsdienst viel eingetragen hat, wenn eure
überallher aufgespürten Nahrungsmittel sich gehäuft haben,
ihr werdet doch keinen Raum haben, wo ihr eure Vorräte
unterbringen könnt. Warum also scharrt ihr so vieles zusammen? Freilich, unsere Vorfahren, deren Tugend noch jetzt
eine Stütze unserer Laster bildet, waren unglücklich, weil der
Erdboden ihre Lagerstätte war, weil ihre Häuser noch nicht
von Gold strahlten, ihre Tempel noch nicht von Edelsteinen
funkelten. Ja, damals schwur man heilig gehaltene Eide bei
Göttern aus Ton, und die, welche sie angerufen hatten, kehr-
ten des Todes gewiß zum Feind zurück, um nicht falsch ge-
schworen zu haben. Freilich, unser Diktator, der den Gesand-
ten der Samniten Audienz gab, während er sich am Herde
seine so wohlfeile Speise mit derselben Hand bereitete, womit er schon oft den Feind geschlagen und den Lorbeerkranz
in den Schoß des kapitolinischen Jupiters niedergelegt hatte,
lebte weniger glücklich als zu unserer Zeit Apicius, welcher
in derselben Stadt, aus der man einst die Philosophen als
Verderber der Jugend hatte wegziehen heißen, als Lehrer der
Kochkunst auftrat und mit seiner Wissenschaft den Zeitgeist
ansteckte. Es lohnt der Mühe, sein Ende kennenzulernen.
Nachdem er hundert Millionen Sesterzien auf die Küche verwendet, nachdem er so viele Geschenke der Großen und eine
so ungeheure Summe, wie das Kapitol erfordert, für jedes
einzelne Gelage verschwendet hatte, übersah er, von Schulden erdrückt, notgedrungen zum ersten Male seinen Haus-
halt, und da er herausrechnete, daß ihm nur zehn Millionen
Sesterzien übrigblieben, so endete er sein Leben selbst mit
Gift, als ob er nun ein äußerst hungriges Leben führen
müßte, wenn er von zehn Millionen leben sollte. Wie groß
war die Üppigkeit eines Menschen, für den zehn Millionen
Sesterzien Bettelarmut waren! Nun glaube noch, daß es auf
die Größe des Vermögens, nicht des Geistes, ankomme.

11. Es gab also einen, dem mit zehn Millionen Sesterzien zu leben bangte und der dem, was andere mit Gelübden erflehen, durch Gift aus dem Wege ging. Diesem Menschen von so verkehrtem Sinne war jedoch der letzte Trunk der heilsamste. Da aß und trank er Gift, als er sich der unermeßlichsten Gastmähler nicht bloß erfreute, sondern auch rühmte, als er seine Laster zur Schau trug, als er den Staat in seine Schwelgerei hineinzog, als er die Jugend zu seiner Nachahmung reizte, die auch ohne schlechte Beispiele an sich schon gelehrig genug ist. So geht es denen, welche die Reichtümer nicht von der Vernunft abhängig machen, welche ihr bestimmtes Maß hält, sondern von einer lasterhaften Angewöhnung, deren Willkür eine maßlose und unbezwingliche ist. Der Begierde ist nichts genug, der Natur auch weniges. Daher hat die Armut eines Verbannten nichts Beschwerliches; denn kein Verbannungsort ist so arm, daß er nicht zur Ernährung eines Menschen mehr als genug fruchtbar wäre. — Aber ein Verbannter wird Kleidung und Haus vermissen! Auch dies wird er nur begehren, soweit er es braucht, und es wird ihm weder an einem Obdach, noch an einer Hülle fehlen; denn der Körper wird mit ebensowenigem bedeckt, als ernährt. Nichts, was die Natur dem Menschen notwendig machte, hat sie ihm mühsam gemacht. Doch vermißt er ein mit vielen Schnecken gefärbtes, mit Gold durchwebtes und mit vielen Farben kunstreich gesticktes Purpurkleid, so ist er nicht durch die Schuld der Natur, sondern durch seine eigene arm. Wenn du ihm auch alles ersetzest, was er verloren hat, du wirst ihm nicht helfen; denn mehr von dem, was er wünscht, wird ihm fehlen, als dem Verbannten von dem, was er hatte. Doch vermißt er ein von Goldgefäßen glänzendes Hausgerät und durch alte Künstlernamen sich auszeichnendes Silberzeug und ein Metall, das nur durch den Wahnsinn einiger weniger kostbar ist, und einen Schwarm von Sklaven, der das auch noch so große Haus enge macht, Zugvieh mit gleichsam ausgestopften und zum Fettwerden gezwungenen Leibern und Marmorgattungen aller Nationen: so wird, mag auch dies alles zusammengebracht werden, es

doch nie sein unersättliches Gemüt zufrieden stellen, ebensowenig, als irgendein Getränk hinreichen wird, den zu be-
friedigen, dessen Begier nicht aus Mangel, sondern aus der
Hitze der brennenden Eingeweide entsteht; denn das ist nicht
Durst, sondern Krankheit. Und das ist nicht nur bei dem
Gelde oder den Nahrungsmitteln der Fall, dasselbe Verhältnis findet bei jedem Verlangen statt, das nicht aus Mangel,
sondern aus einer Verkehrtheit hervorgeht; alles, was man
ihm zugesteht, wird nicht das Ende, sondern nur eine Steige-
rung der Begierde herbeiführen. Wer sich also innerhalb des
natürlichen Maßes hält, wird keine Armut spüren, wer aber
das natürliche Maß überschreitet, dem wird auch bei den
größten Schätzen die Armut folgen. Für das Notwendige
reichen auch Verbannungsorte aus, für das Überflüssige nicht
einmal Königreiche. Der Geist ist's, welcher reich macht;
dieser aber begleitet auch in die Verbannung und hat auch in
den rauhesten Einöden, wenn er nur so viel vorfindet, als
zur Erhaltung des Körpers notwendig ist, an seinen eigenen
Gütern Überfluß und Genuß. Geld geht den Geist nichts an,
nicht weniger als die unsterblichen Götter alles das, was
unerfahrene und zu sehr an ihrem Körper hangende Gemüter
hochschätzen. Marmor, Gold, Silber und große, polierte runde
Tische sind irdische Massen, die ein reiner, seiner Natur sich
bewußter Geist nicht lieben kann, der selbst leicht, ledig und,
wenn er einmal freigelassen sein wird, sich in die höchsten
Regionen aufzuschwingen bestimmt ist. Inzwischen durch-
späht er, soweit es ihm bei der Hemmung der Glieder und
der ihn umgebenden schweren Bürde möglich ist, mit raschem
Gedankenfluge das Göttliche. Deshalb kann er auch nie ein
Verbannter sein, da er frei, den Göttern verwandt und jeder
Welt, jeder Zeit gewachsen ist. Denn seine Gedanken schweben um jeden Himmel und dringen in jede Vergangenheit
und Zukunft. Dieser armselige Körper, der Kerker und die
Fessel des Geistes, wird hierhin und dorthin geworfen; an
ihm üben sich Qualen, Räubereien und Krankheiten; der
Geist selbst ist unverletzlich und ewig, an ihn kann niemand
Hand anlegen.

12. Glaube nicht, daß ich, um die Unannehmlichkeiten der Armut zu verkleinern, die niemand lästig findet, als wer sie dafür hält, nur die Lehren der Philosophen benutze. Zuerst betrachte, wie viel größer die Zahl *der* Armen ist, an denen du bemerken wirst, daß sie um nichts trauriger oder sorgenvoller sind als die Reichen: ja, ich weiß nicht, ob sie nicht um so vergnügter sind, mit je wenigerem ihr Geist belästigt ist. Wir wollen nun die Armen verlassen und zu den Reichen kommen: wie viele Zeitverhältnisse gibt es, wo sie den Armen ähnlich sind. Sehr beschränkt ist das Gepäck der Reisenden, und so oft die Notwendigkeit der Reise Eile verlangt, wird der Schwarm der Begleiter entlassen. Einen wie kleinen Teil ihrer Habe führen im Kriegsdienst Stehende mit sich, da die Lagerordnung alles unnötige Gepäck beseitigt. Und nicht bloß Zeitverhältnisse und Mangel an Raum macht sie den Armen gleich; sie bestimmen, wenn sie einmal der Überdruß am Reichtum befallen hat, selbst gewisse Tage, an denen sie auf dem Boden speisen und mit Beseitigung des Gold- und Silbergeschirrs sich irdener Gefäße bedienen. Die Wahnsinnigen! Was sie bisweilen begehren, fürchten sie für immer. O welch eine Verblendung des Geistes, welch eine Unkenntnis der Wirklichkeit treibt sie, die sie zum Vergnügen nachahmen! Fürwahr, so oft ich auf die Beispiele des Altertums zurückblicke, schäme ich mich, Tröstungen für die Armut anzuwenden, weil es ja mit der Üppigkeit unserer Zeit so weit gekommen ist, daß das Reisegeld der Verbannten mehr beträgt, als einst das Erbgut der Großen war. Es ist bekannt genug, daß Homer nur einen, Plato drei und Zeno, mit welchem die strenge und mannhafte Philosophie der Stoiker beginnt, gar keinen Sklaven hatte. Wird nun wohl jemand deshalb behaupten, daß jene Männer unglücklich gelebt haben, ohne selbst von allen gerade deswegen für höchst beklagenswert gehalten zu werden? Menenius Agrippa, der Mittler zwischen den Senatoren und dem Bürgerstande, wurde von zusammengeschossenem Gelde beerdigt. Attilius Regulus schrieb, während er die Karthager in Afrika schlug, an den Senat, sein Tagelöhner sei davongelaufen und sein

Feld von ihm verlassen, weshalb der Senat beschloß, es, so
lange Regulus abwesend sei, auf öffentliche Kosten bestellen
zu lassen. Wahrlich, es verlohnte sich, keinen Sklaven zu
haben, da das ganze römische Volk sein Ackersmann wurde.
Die Töchter des Scipio empfingen ihre Mitgift aus dem Staats-
schatze, weil ihnen ihr Vater nichts hinterlassen hatte. Es
war wahrhaftig recht und billig, daß das römische Volk für
Scipio *einmal* den Tribut verwendete, den es von Karthago
für immer bezog. O glückliche Männer dieser Mädchen, bei
denen das römische Volk die Stelle des Schwiegervaters ver-
trat! Hältst du die für glücklicher, deren Söhne Ballett-
tänzerinnen mit einer Aussteuer von einer Million Sesterzien heiraten, als den Scipio, dessen Töchter vom Senate, als
ihrem Pflegevater, schweres Kupfer zur Mitgift empfingen?
Kann nun wohl jemand die Armut unwürdig finden, da sie
so herrliche Bilder aufstellt? Kann ein Verbannter unwillig
darüber sein, daß ihm dies und jenes fehlt, da einem Scipio
die Mitgift für die Töchter, einem Regulus ein Tagelöhner,
einem Menenius die Begräbniskosten fehlten, wenn allen
diesen das, was ihnen fehlte, eben deshalb, weil es ihnen
fehlte, zu desto größerer Ehre ergänzt wurde? Durch solche
Anwälte also ist die Armut nicht bloß geschützt, sondern
auch zu Ansehen gebracht.

13. Man kann mir erwidern: »Warum hältst du jene Dinge
so kunstreich auseinander, die freilich einzeln ertragen werden können, vereinigt aber nicht? Die Ortsveränderung ist
erträglich, wenn man bloß den Ort verändert; die Armut ist
erträglich, wenn die Schande dabei fehlt, die allein schon
die Gemüter zu beugen pflegt.« Gegen jeden solchen, der
mich mit der Menge der Übel schrecken will, muß ich mich
also aussprechen: Wenn du gegen irgendeinen Teil des
Schicksals hinreichende Stärke besitzest, so wirst du sie
ebenso gegen alle haben; wenn die Tugend einmal die Seele
abgehärtet hat, so macht sie dieselbe von allen Seiten her
unverwundbar. Wenn die Habsucht dich verlassen hat, diese
wütendste Pest des menschlichen Geschlechts, so wird dir

auch der Ehrgeiz nichts zu schaffen machen. Wenn du den
letzten der Tage nicht als Strafe, sondern als ein Naturgesetz
ansiehst, so wird in die Brust, aus der du die Furcht verbannt hast, keine Angst mehr einzudringen wagen. Wenn
du bedenkst, daß die Geschlechtslust dem Menschen nicht
zum Vergnügen, sondern zur Fortpflanzung seines Geschlechts gegeben sei, so wird, wenn dich die Wollust nicht
mit ihrem Gifthauche berührt hat, auch jede andere Begierde,
ohne dich zu berühren, an dir vorübergehen. Die Vernunft
schlägt nicht nur die einzelnen, sondern sämtliche Laster
zugleich zu Boden; der Sieg findet nur einmal und im allgemeinen statt. Meinst du, irgendein Weiser könne durch Beschimpfung gekränkt werden, er, der alles in sich selbst
niedergelegt und sich von den Meinungen des großen Haufens losgemacht hat? Mehr noch als Beschimpfung ist ein
schimpflicher Tod. Dennoch betrat Sokrates mit derselben
Miene, mit welcher er einst die dreißig Tyrannen allein zur
Ordnung gerufen hatte, den Kerker, als wolle er dem Orte
selbst das Beschimpfende abnehmen; denn er konnte nicht
mehr als Gefängnis erscheinen, wenn ein Sokrates darin
war. Wer ist in dem Grade gegen das Erkennen der Wahrheit verblendet, daß er meinen sollte, das zweimalige Durch-
fallen des M. Cato bei der Bewerbung um die Prätur und um
das Konsulat sei ein Schimpf für *ihn* gewesen? Ein Schimpf
für die Prätur und das Konsulat war es, welchen Ämtern
durch Cato Ehre gebracht worden wäre. Niemand wird von
einem andern verachtet, wenn er nicht schon vorher von
sich selbst verachtet worden ist. Eine niedrige und ver-
worfene Seele mag für jene Schmach geeignet sein; wer sich
aber gegen die schrecklichsten Unfälle erhebt und die Übel,
von welchen andere zu Boden gedrückt werden, überwältigt,
der besitzt in seinem Elend selbst einen heiligen Schmuck,
wenn wir nämlich so gestimmt sind, daß nichts eine gleich
große Bewunderung bei uns erregt, als ein Mensch, der im
Elend stark bleibt. Aristides wurde in Athen zum Tode geführt. Wer ihm begegnete, schlug die Augen nieder und
seufzte, als ob hier nicht nur über einen gerechten Mann,

sondern über die Gerechtigkeit selbst Strafe verhängt würde. Dennoch fand sich einer, der ihm ins Gesicht spuckte: darüber konnte er unwillig werden, weil er wußte, daß sich dies kein Mensch mit reinem Munde unterstehen würde; aber er wischte sich ruhig das Gesicht ab und sagte lächelnd zu dem ihn begleitenden Beamten: »Ermahne ihn doch, daß er künftig nicht so grob küsse.« Das hieß der Beschimpfung selbst Schimpf bereiten. Ich weiß, daß einige behaupten, nichts sei schwerer zu ertragen als Verachtung; der Tod selbst sei ihnen lieber. Diesen antworte ich, daß die Verbannung oft aller Verachtung bar und ledig sei. Ist ein großer Mann gefallen, so liegt eben ein großer, und du mußt glauben, er werde ebensowenig verachtet, als wenn man auf den Trümmern heiliger Tempel herumtritt, welche gottesfürchtige Leute eben so verehren, als ob sie noch stünden.

14. Da du nun in Ansehung meiner nichts hast, was dich zu endlosem Weinen triebe, so folgt, daß deine eigenen Verhältnisse dich dazu aufregen. Es sind aber zwei Umstände möglich: denn entweder bekümmert es dich, daß du eine etwaige Stütze verloren zu haben glaubst, oder daß du die Sehnsucht an und für sich selbst nicht zu ertragen vermagst. Den ersteren Umstand brauche ich nur leicht zu berühren; denn ich kenne dein Herz, das an den Seinen nichts anderes als sie selbst liebt. Da laß nun jene Mütter sorgen, die sich mit weibischer Schwäche um die Macht ihrer Söhne mühen, die, weil Frauen keine Ehrenstellen verwalten können, im Namen jener ehrgeizig sind, die das väterliche Erbgut der Söhne teils erschöpfen, teils an sich ziehen, die andern zu Gefallen ihre Beredsamkeit anstrengen. Du hast dich der Güter deiner Kinder gar sehr erfreut, aber sehr wenig bedient; du hast unserer Freigebigkeit stets Schranken gesetzt, während du der deinigen keine setztest; du hast, als Tochter des Hauses, deinen begüterten Söhnen obendrein noch mitgeteilt; du hast unser väterliches Erbteil so verwaltet, daß du dafür besorgt warst wie für dein eigenes, und dich desselben enthieltest, als wäre es fremdes; du hast von der

Gunst, in der wir standen, so wenig Gebrauch gemacht, als ob du sie nur für andere Zwecke benutzen müßtest, und von unsern Ehrenstellen hast du nichts als die Freude und die Kosten gehabt; niemals sah deine Zärtlichkeit gegen uns auf den Nutzen. Du kannst also, nachdem dir der Sohn entrissen ist, das nicht vermissen, wovon du, als er noch unangefochten war, glaubtest, daß es dich nichts angehe.

15. Mein ganzer Trost muß sich also darauf richten, woraus die eigentliche Gewalt deines mütterlichen Schmerzes entspringt. »Ich entbehre die Umarmung des heißgeliebten Sohnes, ich kann seinen Anblick, seine Unterhaltung nicht genießen. Wo ist er, durch dessen Anblick ich meine traurigen Mienen erheiterte, in dessen Brust ich alle meine Bekümmernisse niederlegte? Wo sind die Gespräche, in denen ich unersättlich war, wo die Studien, an denen ich mit größerer Neigung als sonst eine Frau, mit größerer Vertraulichkeit als sonst eine Mutter teilnahm? Wo ist jenes Begegnen, wo die kindliche Heiterkeit beim jedesmaligen Erblicken der Mutter?« Du fügst dazu die Orte der Begrüßung und Bewirtung selbst, und, wie natürlich, alle Erinnerungen an den letzten Umgang, die am wirksamsten sind, das Gemüt zu quälen. Denn auch das verhängte die Grausamkeit des Schicksals über dich, daß du drei Tage früher, als mich der vernichtende Schlag traf, sorglos und ohne so etwas zu befürchten, zurückreisen solltest. Zum Glück hatte uns die Entfernung der Orte getrennt, zum Glück hatte dich eine mehrjährige Abwesenheit auf dieses Unglück vorbereitet: da kehrtest du zurück, nicht um dich deines Sohnes zu erfreuen, sondern nur um die gewohnte Sehnsucht zu verlieren. Wärest du lange vorher schon nicht da gewesen, so würdest du es standhafter ertragen haben, weil die Entfernung selbst die Sehnsucht gemildert haben würde; wärst du nicht zurückgereist, so hättest du wenigstens den letzten Genuß gehabt, deinen Sohn noch zwei Tage länger zu sehen. Nun aber hat es das grausame Schicksal so gefügt, daß du weder bei meinem Unglück zugegen, noch an meine Abwesenheit gewöhnt warst. Doch je

härter dies ist, desto größere Seelenstärke mußt du zu Hilfe
rufen und wie mit einem bekannten und schon öfters besieg-
ten Feinde desto hitziger kämpfen. Nicht aus einem unver-
letzten Körper strömt jetzt dein Blut; durch die Narben selbst
bist du verwundet worden.

16. Du hast nicht nötig, von der Entschuldigung Gebrauch
zu machen, die schon in dem Namen »Frau« liegt, der ein
beinahe ungemäßigtes, doch nicht unendliches Recht der
Tränen zugestanden ist, und deshalb haben unsere Vorfahren
eine Zeit von zehn Monaten zur Trauer über den Verlust
von Ehemännern festgesetzt, damit sie sich durch eine öffentliche Satzung mit der Hartnäckigkeit weiblichen Kummers
abfänden; sie haben die Trauer nicht verhindert, sondern ihr
nur ein Ziel gesteckt. Denn es ist ebensowohl eine törichte
Hartnäckigkeit, sich unbegrenztem Schmerze hinzugeben,
wenn man einen von seinen Teuersten verloren hat, als unmenschliche Fühllosigkeit, dabei gar keinen Schmerz zu empfinden. Das beste Maß zwischen naturgemäßer Liebe und
Vernunft ist, daß man die Sehnsucht zwar fühlt, aber unterdrückt. Du brauchst nicht gewisse Frauen ins Auge zu fassen,
deren einmal ins Gemüt aufgenommene Trauer nur der Tod
geendigt hat; du kennst welche, die das nach dem Verlust
ihrer Söhne angelegte Trauergewand nie wieder ablegten;
von dir aber verlangt ein vom Anfang an kräftigeres Leben
etwas mehr; die Entschuldigung des weiblichen Geschlechts
kann der nicht zustatten kommen, von der alle weiblichen
Schwächen entfernt waren. Dich hat nicht das größte Übel
unseres Zeitalters, Unzüchtigkeit, der Mehrzahl der Frauen
beigesellt, dich haben nicht Edelsteine, nicht Perlen bestochen,
dich haben nicht Reichtümer als das höchste Gut des menschlichen Geschlechts angestrahlt, dich, die in einem alten und
strengen Hause gut Erzogene, hat nicht die auch den Rechtschaffenen gefährliche Nachahmung der Schlechteren auf
Abwege geführt. Nie hast du dich deiner Fruchtbarkeit, als
ob sie dir dein Alter vorrückte, geschämt; nie hast du nach
der Sitte anderer, die sich nur durch ihre Gestalt zu empfeh-

len suchen, deinen schwangeren Leib wie eine unanständige Bürde zu verbergen gesucht, und nie hast du die in deinen Schoß aufgenommene Hoffnung auf Kinder vernichtet. Nie hast du dein Antlitz durch Schminke und erkünstelte Reize entstellt; nie hat dir eine Kleidung gefallen, die, wenn sie abgelegt wurde, nichts mehr entblößen konnte [1]; als der einzige Schmuck, die größte und keiner Zeit antastbare Schönheit, die höchste Zierde, erschien dir die Keuschheit. Du kannst also, um deinen Schmerz zu rechtfertigen, nicht den Namen des Weibes vorschützen, dem dich deine Tugenden entführt haben; du mußt von den Tränen der Weiber ebensoweit entfernt sein wie von ihren Fehlern. Selbst Frauen werden es nicht zugeben, daß du an deiner Wunde dich verzehrst, sondern werden dir, wenn du dich der notwendigen, aber leichteren Trauer schnell entledigt hast, dich aufzuraffen heißen, wenn du nur auf jene Frauen hinblicken willst, denen ihre anerkannte Seelenstärke einen Platz unter den großen Männern anwies. Die Cornelia hatte das Schicksal von zwölf Kindern bis auf zwei heruntergebracht. Will man die Leichen der Cornelia zählen, so hatte sie zehn Kinder verloren; will man ihren Wert berücksichtigen, so waren es Gracchen, die sie verloren. Und dennoch hat sie denen, die um sie her weinten und ihr Geschick verwünschten, es untersagt: »sie sollten das Schicksal nicht anklagen, das ihr Gracchen zu Söhnen gegeben habe.« Von einer solchen Frau mußte der geboren werden, der in der Volksversammlung sprach: »Du willst meine Mutter schmähen, die *mich* gebar?« Viel hochherziger jedoch scheint mir die Äußerung der Mutter. Der Sohn legte einen großen Wert auf die Geburt als einer der Gracchen, die Mutter auch auf die Leichen derselben. Rutilia folgte ihrem Sohne Cotta in die Verbannung und war durch Zärtlichkeit so an ihn gekettet, daß sie lieber das Exil ertragen wollte als die Sehnsucht nach ihrem Sohne, und kehrte nicht eher ins Vaterland zurück, als mit dem Sohne zugleich. Eben den-

---

[1] Die Frauen trugen nämlich zu Senecas Zeiten so dünn gewebte seidene Stoffe, daß sie den Blicken nichts verbargen, sondern vielmehr, was sie bedecken sollten, erst recht sichtbar machten.

selben aber verlor sie, als er schon zurückgekehrt war und im Staate in hohen Ehren stand, ebenso standhaft, als sie ihn begleitet hatte, und niemand bemerkte an ihr Tränen nach dem Begräbnis ihres Sohnes. Bei seiner Verbannung hat sie Seelenstärke, bei seinem Verluste Klugheit gezeigt; dort hat sie nichts von der Mutterliebe abgeschreckt, hier nichts in einer überflüssigen und törichten Traurigkeit festgehalten. Diesen Frauen will ich dich beigezählt wissen; deren Leben du stets nachgeahmt hast, deren Beispiel wirst du auch in Beschränkung und Unterdrückung des Kummers am besten folgen. Ich weiß wohl, daß die Sache nicht in unsrer Gewalt steht und daß keine Gemütsbewegung gehorchen will, am wenigsten aber die, welche aus dem Schmerze entspringt; denn sie ist unbändig und widerspenstig gegen jedes Mittel; wir wollen sie bisweilen zurückdrängen und unsere Seufzer verschlucken, allein an dem zu erkünstelter Fassung gezwungenen Gesichte selbst rollen die hervorbrechenden Tränen herab. Wir beschäftigen unser Gemüt zuweilen durch Schauspiele und Fechterkämpfe; aber mitten im Schauen, wodurch es abgezogen werden soll, überfällt es irgendeine leise Mahnung an seine Sehnsucht. Daher ist es besser, es zu besiegen als zu täuschen. Denn wenn es hintergangen und entweder durch Vergnügen oder Beschäftigungen abgezogen worden ist, so erhebt es sich wieder und sammelt gerade durch die Ruhe selbst Kraft zu einem tobenden Ausbruch; wenn es sich aber der Vernunft gefügt hat, ist es für immer beruhigt. Daher werde ich dir nicht die Mittel zeigen, die, wie ich weiß, viele angewendet haben, daß du dich entweder durch eine weite Reise zerstreuen oder durch eine angenehme vergnügen, daß du durch sorgfältige Rechnungsführung und Verwaltung des Vermögens viele Zeit ausfüllen, daß du dich immer wieder in irgendein neues Geschäft verwickeln sollst — alles das hilft nur für einen kurzen Augenblick und ist nicht eine Abhilfe, sondern nur eine Hemmung des Schmerzes; ich aber möchte lieber, daß derselbe aufhört, als daß er getäuscht würde. Deshalb führe ich dich dahin, wohin alle, die vor dem Schicksal fliehen, ihre Zuflucht nehmen müssen, zur Beschäftigung mit den edlen Wissenschaften; diese werden deine Wunde heilen und alle Traurigkeit aus deinem Herzen herausreißen. Hättest du dich auch noch nie mit ihnen befreundet, jetzt müßtest du sie betreiben; aber soviel dir die altertümliche Strenge meines Vaters zuließ, hast du alle schönen Künste zwar nicht ganz umfaßt, aber doch gekostet. O hätte doch mein Vater, der trefflichste der Männer, weniger der Sitte der Vorfahren nachgegeben und gewollt, daß du lieber in den Lehren der Weisheit gründlich unterrichtet, als bloß oberflächlich damit bekannt gemacht würdest! Dann brauchtest du dir jetzt eine Hilfe gegen das Schicksal nicht erst zu erwerben, sondern sie bloß hervorzunehmen. Jener Frauen wegen, welche die Wissenschaften nicht zur Weisheit benutzen, sondern dadurch nur eine Anleitung zur Üppigkeit bekommen, duldete er es weniger, daß du dich den Studien hingabst; durch die Gunst deines schnell auffassenden Geistes aber hast du doch mehr daraus geschöpft, als der Zeit nach zu erwarten stand; du hast einen Grund zu allen Wissenschaften gelegt. Kehre jetzt zu ihnen zurück; sie werden dich sicherstellen, sie werden dich trösten, sie werden dich ergötzen; wenn du sie mit aufrichtigem Sinne in deinen Geist aufgenommen hast, wird nie mehr ein Schmerz, nie mehr ein Kummer, nie mehr die überflüssige Qual fruchtloser Betrübnis in denselben einziehen; für nichts hiervon wird dein Herz offen sein; denn für die übrigen Gebrechen ist es ja längst verschlossen. Dies ist das sicherste Schutzmittel, welches allein dich der Gewalt des Schicksals entreißen kann. Weil du aber, ehe du in jenem Hafen angelangt bist, den dir die Philosophie verspricht, der Hilfsmittel bedarfst, auf die du dich stützen kannst, will ich dir einstweilen deine Trostgründe zeigen. Blicke auf meine Brüder; solange diese dir erhalten bleiben, darfst du das Schicksal nicht anklagen. An beiden hast du, was dich hinsichtlich ihrer verschiedenartigen Vorzüge erfreuen kann. Der eine hat durch seinen Fleiß Ehrenstellen erlangt, der andere sie weise verschmäht. Finde dich zufriedengestellt durch die Würde des einen Sohnes, durch die Ruhe des andern und durch die kindliche Liebe beider. Ich kenne die innersten Gesinnungen meiner Brüder; der eine vergrößert seine Würde, um dir zur Ehre zu gereichen, der andere hat sich in ein stilles und ruhiges Leben zurückgezogen, um dir seine Zeit zu widmen. Vortrefflich hat das Schicksal deine Kinder verteilt, dir sowohl zum Beistande, als zur Freude; du kannst durch die Würde des einen geschützt werden und dich der Muße des andern erfreuen. Sie werden in Dienstbeflissenheit gegen dich wetteifern, und die Sehnsucht nach einem wird Ersatz finden in der kindlichen Liebe von zweien. Ich kann dreist versprechen, es wird dir nichts fehlen, außer der Zahl. Von ihnen hinweg schaue auch auf deine Enkel, auf Marcus, den reizenden Knaben, bei dessen Anblick keine Traurigkeit dauern kann. Niemand kann etwas so Wichtiges, niemand etwas so Neues auf dem Herzen haben, das er, wenn er sich ihm anschmiegt, nicht milderte. Wessen Tränen sollte nicht sein heiteres Wesen stillen? Wessen durch Sorge gepreßte Brust sollten seine launigen Einfälle nicht erleichtern? Wen sollte sein Mutwille nicht zu Scherzen ermuntern? Wen sollte nicht seine Geschwätzigkeit, deren niemand überdrüssig werden kann, anziehen und den Gedanken, in die er sich vertieft, entreißen? Halte dich an die Novatilla, die dir bald Urenkel schenken wird, die ich so an mich gezogen hatte, daß es scheinen konnte, sie sei durch meinen Verlust zur Waise geworden, obgleich ihr Vater noch lebte; diese liebe nun auch mit an meiner Statt. Das Schicksal hat ihr jüngst die Mutter entrissen: deine Liebe kann bewirken, daß sie den Verlust der Mutter nur bedauert, nicht aber fühlt. Jetzt bilde ihren Charakter, jetzt ihr Äußeres; tiefer dringen die Lehren ein, die in jugendlichem Alter eingeprägt werden. Sie gewöhne sich an deine Unterhaltung, sie bilde sich nach deinem Willen; du wirst ihr viel geben, wenn du ihr auch nichts weiter gibst als dein Beispiel. Diese dir so heilige Pflicht wird dir als Trostmittel dienen, denn nichts kann ein aus Liebe trauerndes Gemüt von seinem Kummer ablenken, als allein die Vernunft und edle Beschäftigung. Auch deinen Vater würde ich unter die wirksamen Trostmittel rechnen, wenn er nicht abwesend wäre; so aber nimm wenigstens aus deiner Gemütsstimmung ab, woran ihm gelegen sein muß; und du wirst einsehen, wieviel pflichtmäßiger es sei, daß du dich ihm erhältst, als daß du dich mir opferst. So oft dich eine unmäßige Gewalt des Schmerzes befällt und mit sich fortreißen will, so denke an deinen Vater; du hast zwar dadurch, daß du ihm so viele Enkel und Urenkel gabst, bewirkt, daß du nicht seine Einzige bist; die Vollendung seines glücklich hingebrachten Lebens aber beruht doch nur auf dir. So lange er lebt, ist es Unrecht, wenn du dich darüber beklagst, daß du noch lebst.

17. Das größte Trostmittel habe ich bis jetzt noch verschwiegen: deine Schwester, das treue Herz, in welches du alle deine Sorgen wie in deine zweite Hälfte ausschütten kannst, jenes Herz, das für uns alle mütterlich fühlt. Mit ihren Tränen hast du die deinigen vermischt, an ihrer Brust dich zuerst wieder erholt. Sie folgt zwar stets deinen Gemütsstimmungen, doch auch meinethalben, nicht bloß deinetwegen betrübt sie sich. Von ihren Händen bin ich in die Stadt geleitet worden, unter ihrer liebevollen und mütterlichen Pflege bin ich von langwieriger Krankheit genesen, sie hat ihre Beliebtheit benutzt, mir das Quästoramt zu verschaffen, und obgleich sie sonst nicht einmal eine gewagte Ansprache oder ehrenvolle Begrüßung ertrug, überwand doch zu meinen Gunsten ihre Liebe diese Schüchternheit. Nicht die zurückgezogene Lebensweise, nicht ihre bei so großer Frechheit der Frauen bäurisch erscheinende Bescheidenheit, nicht die Ruhe, nicht ihre stillen und der Muße entsprechenden Sitten haben ihr im Wege gestanden, mir zuliebe sogar ehrgeizig zu werden. Sie, teuerste Mutter, ist der Trost, durch den du dich aufrichten magst; mit ihr verbinde dich so eng als möglich, sie schließe durch die innigste Umarmung an dich. Trauernde pflegen das, was sie am meisten lieben, zu fliehen und freien Lauf für ihren Schmerz zu suchen: du wende dich und alle deine Gedanken an sie. Magst du nun die jetzige Kleidung beibehalten oder ablegen wollen, bei ihr wirst du für deinen Schmerz entweder ein

Ziel oder eine Teilnehmerin finden. Doch wenn ich die Klugheit der vortrefflichsten Frau kenne, so wird sie nicht dulden, daß du dich in nutzloser Trauer verzehrst, und wird dir ein Beispiel erzählen, wovon auch ich Augenzeuge war. Sie hatte auf der Seereise selbst ihren teuern Gatten verloren, unsern Oheim, den sie als Jungfrau geheiratet hatte; doch sie ertrug zu gleicher Zeit die Trauer und die Furcht und brachte nach überstandenen Stürmen als Schiffbrüchige seinen Leichnam heim. O wie vieler Frauen herrliche Taten liegen im Dunkeln! Wäre es ihr beschieden gewesen, im Altertume zu leben, das so viel einfachen Sinn für Bewunderung der Tugenden hatte, mit welchem Wetteifer würden ausgezeichnete Geister eine Frau gepriesen haben, die, ihre Schwachheit vergessend, vergessend sogar des auch für die stärksten Männer furchtbaren Meeres, ihr Leben Gefahren preisgegeben hat eines Begräbnisses wegen, und während sie an die Leiche ihres Gatten dachte, nichts für ihr eigenes Leben fürchtete? In den Liedern aller Dichter wird jene Frau verherrlicht, die sich statt ihres Mannes dem Tode weihte; dies aber ist mehr, dem Gatten mit Lebensgefahr ein Grab zu suchen; das ist größere Liebe, die durch gleiche Gefahr von der kleineren befreit. Hiernach wird sich niemand mehr wundern, daß sie sich in den sechzehn Jahren, wo ihr Gatte Ägypten verwaltete, nie öffentlich zeigte, niemandem aus der Provinz Zutritt in ihr Haus gestattete, nichts von ihrem Manne begehrte und nichts von ihm begehren ließ. Daher blickte die geschwätzige und in Schmähungen der Statthalter erfinderische Provinz, in welcher selbst die, welche sich frei von Schuld erhielten, der übeln Nachrede nicht entgingen, zu ihr wie zu einem in seiner Art einzigen Muster strenger Tugend empor, enthielt sich — was dem sehr schwer fällt, der selbst an gefährlichen Witzen Gefallen findet — aller Frechheit der Äußerungen, und wünscht sich noch heute stets eine solche, wie sie war; obgleich sie nie eine solche wieder zu besitzen hofft. Es wäre schon viel gewesen, wenn die Provinz sechzehn Jahre lang mit ihr zufrieden gewesen wäre; mehr aber ist, daß sie nichts von ihr zu erzählen wußte. Dies erwähne ich nicht des-

wegen, um ihr Lob auszuführen, denn so kurz darüber hin-
zugehen, hieße es schmälern; sondern damit du erkennst,
das sei eine hochherzige Frau, die nicht Ehrgeiz, nicht Habsucht, die Begleiterinnen und Unholde aller Macht, über-
wältigten, die, als sie nach Entmastung ihres Fahrzeugs den
Schiffbruch vor Augen sah, die Furcht nicht abschreckte, an
ihrem entseelten Gatten hangend darauf bedacht zu sein,
nicht etwa wie sie selbst entkäme, sondern wie sie jenen zu
Grabe brächte. Eine dieser gleiche Seelenstärke mußt auch
du beweisen, dein Gemüt von der Trauer ablenken und
darauf hinarbeiten, daß niemand glauben könne, du be-
reuest, mich geboren zu haben. Übrigens, weil doch, wenn
du auch alles tust, deine Gedanken notwendig zuweilen auf
mich zurückkommen müssen, und keines von deinen Kindern
dir jetzt häufiger vor der Seele schweben wird, nicht als ob
die andern dir weniger lieb wären, sondern weil es natürlich
ist, daß man seine Hand öfters auf die Stelle legt, welche
schmerzt: so vernimm, wie du dir mich denken sollst: froh
und heiter, wie in der glücklichsten Lage; denn sie ist die
glücklichste, weil der Geist, von jeder andern Beschäftigung
frei, Zeit hat für seine Tätigkeit und sich bald an leichteren
Studien ergötzt, bald nach Wahrheit dürstend sich zur Betrachtung seiner eigenen Natur und des Weltalls erhebt.
Zuerst erforscht er die Länder und ihre Lage; dann die Beschaffenheit des sie umströmenden Meers und seine wechselnde Ebbe und Flut; darauf betrachtet er alles Furchtbare
zwischen Himmel und Erde, diesem durch Donner, Blitze,
Stürme, Regengüsse, Schneegestöber und Hagelwetter in
Aufruhr versetzten Raum; dann, nach Durchwanderung der
niedern Regionen, schwingt er sich zu den höchsten auf und
genießt den über alles schönen Anblick der Himmelskörper,
und seiner Unsterblichkeit eingedenk geht er in alles ein,
was jemals war und sein wird.

AUS DEN BRIEFEN AN LUCILIUS

Über den Wert der Zeit

Mache es so, mein Lucilius: rette dich dir selbst; sammle und erhalte dir die Zeit, die dir bisher entweder geraubt oder entwendet wurde oder entschlüpfte. Überzeuge dich selber, es ist so, wie ich dir schreibe: hier wird uns eine Stunde entrissen, dort eine heimlich entzogen, eine andere entschlüpft unvermerkt. Der schimpflichste Verlust jedoch ist der durch Nachlässigkeit; und wenn du die Sache genauer betrachtest, so verfließt der größte Teil des Lebens den Menschen, indem sie Böses tun, ein großer, indem sie nichts tun, das ganze Leben aber, indem sie immer etwas anderes tun, als was sie eigentlich sollten. Wen kannst du mir nennen, der einigen Wert auf die Zeit legt, der den Tag schätzt, der einsieht, daß er täglich stirbt? Denn darin irren wir, daß wir den Tod nur als etwas Zukünftiges erwarten: er ist zum großen Teile schon vorüber; alles, was von unserem Lebensalter hinter uns liegt, hat der Tod in Händen. Mache es demnach so, mein Lucilius, wie du schreibst, daß du es tust: halte deine Stunden zusammen; du wirst dann weniger von dem Morgen abhängen, wenn du das Heute erfassest. Indem man das Leben verschiebt, eilt es vorüber. Alles, mein Lucilius, ist fremdes Eigentum; nur die Zeit ist unser. Nur diese eine flüchtige und leicht entschlüpfende Sache hat uns die Natur zu eigen gegeben, und doch vertreibt uns daraus, wer da will. Und so groß ist die Torheit der Sterblichen, daß sie das Geringfügigste und Wertloseste, leicht Ersetzbare sich anrechnen lassen, wenn sie es erlangt haben, niemand aber etwas schuldig zu sein glaubt, wenn er Zeit empfangen hat, während doch diese das einzige ist, was nicht einmal der Dankbare wieder erstatten kann. Du wirst vielleicht fragen,

was ich selbst tue, der dir diese Lehren gibt. Ich will es dir
ganz offen gestehen: was ein verschwenderischer, dabei aber
sorgfältiger Mensch tut: die Rechnung über meine Ausgaben
stimmt. Ich kann nicht sagen, daß ich nichts vertue, aber ich
kann sagen, was ich vertue und warum und wie; ich kann
die Ursachen meiner Armut angeben. Allein es geht mir, wie
den meisten, die ohne ihre Schuld in Dürftigkeit geraten
sind; alle verzeihen, aber niemand hilft ihnen. Wie also?
Ich halte den nicht für arm, dem das wenige, was er etwa
noch übrig hat, genügt. Du jedoch, wünsche ich, erhalte dir
lieber das Deine und fange bei guter Zeit an. Denn, wie
unsere Vorfahren meinten, »zu spät kommt die Sparsamkeit
bei der Neige«. Nicht bloß das Wenigste nämlich, sondern
auch das Schlechteste bleibt auf dem Boden zurück. Lebe
wohl.

Über die zweckmäßigste Art des Lesens

Nach dem, was du mir schreibst, und nach dem, was ich
höre, fasse ich eine gute Hoffnung von dir. Du ziehst nicht
hin und her und störst dich nicht durch öfteren Wechsel
des Aufenthaltsortes. Solch unstetes Herumtreiben ist das
Zeichen eines kranken Gemüts. Festen Stand fassen und bei
sich verweilen können, halte ich für den ersten Beweis eines
zur Ruhe gelangten Geistes. Siehe aber zu, ob nicht das Lesen
vieler Schriftsteller und von Büchern aller Art etwas Flatter-
haftes und Unstetes an sich habe. Du mußt bei bestimmten
einzelnen Geistern verweilen und aus ihnen dich nähren,
wenn du etwas daraus ziehen willst, das treu in der Seele
haftet. Nirgends ist, wer überall ist. Wer sein Leben auf
Reisen hinbringt, hat viele Gastfreunde, aber keine Freunde.
Ebenso ist es mit denen, die sich an keines Menschen Geist
vertraulich anschließen, sondern hurtig und eilfertig bei allen
vorübergehen. Keine Speise ist dienlich und geht in den
Körper über, die, sobald sie genossen ist, gleich wieder ausgeschieden wird. Nichts hindert in dem Grade die Genesung
wie der häufige Wechsel der Arzneimittel. *Die* Wunde kommt

nicht zur Vernarbung, an der viele Heilmittel versucht werden; *die* Pflanze erstarkt nicht, die häufig versetzt wird;
nichts ist so dienlich, daß es im Vorübergehen nützte. Die
Menge der Bücher zerstreut. Da du also nicht so viel lesen
kannst, wie du haben möchtest, so genügt es, so viel zu
haben, wie du lesen kannst. »Aber«, sagst du, »ich mag gern
bald in diesem, bald in jenem Buche blättern.« Es ist das
Zeichen eines verdorbenen Magens, von vielem zu kosten;
was zu verschiedener und entgegengesetzter Art ist, verun-
reinigt, aber nährt nicht. Daher lies immer nur bewährte
Schriftsteller, und hast du einmal Lust gehabt, auch bei
andern einzusprechen, so kehre bald wieder zu den früheren
zurück. Verschaffe dir täglich etwas von Hilfsmitteln gegen
die Armut, gegen den Tod und nicht minder gegen die
übrigen Übel; und wenn du vieles durchlaufen hast, so lies
eines heraus, das du an diesem Tage verdauen kannst. Das
tue auch ich selbst; von mehrerem, was ich gelesen habe,
halte ich etwas fest. Das Heutige ist folgender Ausspruch,
den ich bei Epikur gefunden habe (denn ich pflege auch ins
feindliche Lager [1] hinüberzugehen, nicht als Überläufer, sondern als Kundschafter): »Eine ehrenvolle Sache«, sagt er, »ist
die vergnügte Armut.« Dann ist es aber keine Armut mehr,
wenn sie vergnügt ist. Nicht, wer wenig hat, sondern wer
mehr begehrt, ist arm. Denn was liegt daran, wie viel jener
in seinem Kasten, in seinen Speichern liegen hat, wie viele
Herden er weidet, wie viele Kapitale er ausleiht, wenn er
nach Fremdem trachtet und zusammenrechnet, nicht was
schon erworben ist, sondern was erst erworben werden soll?
Du fragst, welches das Maß des Reichtums sei? Fürs erste,
zu haben, was nötig ist, nächst dem, was genug ist.

[1] Stoiker und Epikureer waren philosophische Gegner.

Von dem Vertrauen zu Freunden

Du hast, wie du schreibst, deine Briefe einem Freunde zur Bestellung an mich übergeben. Sodann warnst du mich, ihm nicht alles dich Betreffende mitzuteilen, weil du das nicht einmal selbst zu tun pflegtest. So hast du in einem und demselben Briefe gesagt und geleugnet, daß er dein Freund sei. Du hast daher dieses Wort in dem allgemeinen Sinne gebraucht und ihn so deinen Freund genannt, wie wir alle Amtsbewerber »wackere Männer« nennen und die uns Begegnenden, wenn uns ihr Name nicht einfällt, als »Herren« begrüßen. Von dieser Seite betrachtet, mag es hingehen! Doch, wenn du einen für deinen Freund hältst, dem du nicht ebensoviel vertraust als dir selbst, so irrst du gewaltig und kennst das Wesen der wahren Freundschaft nicht. Berate dich vielmehr über alles mit deinem Freunde, doch vorher über ihn selbst. Nach geschlossener Freundschaft muß man trauen, vor Abschluß der Freundschaft prüfen. Diejenigen aber vermengen die Pflichten auf verkehrte Weise, welche gegen die Vorschriften des Theophrast erst prüfen, wenn sie schon geliebt, und nicht vielmehr lieben, nachdem sie geprüft haben. Überlege lange, ob einer in deine Freundschaft aufzunehmen sei; hast du aber einmal beschlossen, daß es geschehe, dann nimm ihn mit deinem ganzen Herzen auf und sprich mit ihm ebenso offen wie mit dir selbst. Du aber lebe so, daß du dir nichts vertraust, außer was du auch deinem Freunde vertrauen kannst. Doch weil dabei manches vorkommt, was die Gewohnheit zu Geheimnissen gemacht hat, so teile mit dem Freunde alle deine Sorgen, alle deine Gedanken. *Hältst* du ihn für treu, so wirst du ihn auch dazu *machen*. Denn manche schon haben hintergehen gelehrt, indem sie hintergangen zu werden fürchteten, und dem andern durch Argwohn ein Recht gegeben, sich an ihnen zu versündigen. Warum also sollte ich in Gegenwart meines Freundes irgendein Wort zurückhalten? Warum sollte ich in seiner Anwesenheit nicht allein zu sein glauben? Einige erzählen allen ihnen in den Weg Kommenden, was nur den Freunden zu vertrauen ist,

und entladen sich alles dessen, was sie beschwert, in jedes
Ohr; andere wieder scheuen sogar die Mitwissenschaft derer,
die ihnen die Teuersten sind, und drängen als Leute, die
sogar sich selbst nichts vertrauen würden, wenn sie könnten,
jedes Geheimnis tief in ihr Inneres zurück. Keins von beiden
darf man tun; denn beides ist ein Fehler, sowohl allen zu
trauen als keinem; doch das eine möchte ich einen edleren,
das andere einen sicherer stellenden Fehler nennen.

Vermeide die Menge
und trachte nicht nach ihrem Beifall

Du fragst, was du vor allem meiden sollst? Das Menschengewühl. Noch kannst du dich ihm nicht mit Sicherheit überlassen. Ich wenigstens will meine Schwäche gestehen. Nie
bringe ich dieselbe sittliche Haltung, in der ich ausging,
nach Hause zurück; immer wird etwas von dem, was ich
geordnet, in Unordnung gebracht; manches von dem, was
ich verscheucht hatte, kehrt wieder. Was Kranken begegnet,
die eine lang anhaltende Schwäche so mitgenommen hat,
daß sie nicht ohne Schaden ins Freie gebracht werden können,
das widerfährt auch uns, deren Gemüter aus langer Krankheit sich erholen. Nachteilig ist der Verkehr mit der Menge.
Da ist keiner, der uns nicht irgendeinen Fehler empfiehlt
oder aufdrängt oder unvermerkt anhängt. In der Tat, je
größer die Volksmenge ist, in die wir uns mischen, desto
größer ist auch die Gefahr. Nichts aber ist so schädlich für
die guten Sitten, als bei irgendeinem Schauspiel zu sitzen;
denn dann beschleichen uns bei der Ergötzung die Laster um
so leichter. Dem großen Haufen entziehen muß man das
zarte und noch zu wenig feste Gemüt; leicht tritt man zur
Mehrheit über. Selbst einen Sokrates, Cato und Lälius hätte
eine ihnen unähnliche Menge aus ihrer sittlichen Haltung
herauszuwerfen vermocht; so wenig ist irgendeiner von uns,
die wir noch so sehr bemüht sind, unserem Geiste eine feine
Bildung zu geben, den Andrang der Laster auszuhalten im-

stande, die mit so großem Gefolge heranziehen. Ein einziges
Beispiel der Schwelgerei oder der Habsucht stiftet viel Unheil; ein weichlicher Lebensgefährte entnervt und verweich-
licht uns allmählich; ein reicher Nachbar regt unsere Begierden auf; ein bösartiger Genoß reibt seinen Rost auch dem
Reinsten und Schlichtesten an. Was, glaubst du, wird dem
Gemüte begegnen, auf welches vom ganzen Volke ein Angriff erfolgt? Notwendig mußt du entweder nachahmen oder
hassen. Beides aber ist zu vermeiden: daß du weder den
Schlechten ähnlich werdest, weil ihrer viele sind, noch der
Feind vieler, weil sie dir unähnlich sind. Ziehe dich in dich
selbst zurück, so viel du kannst; verkehre mit denen, die dich
besser machen werden, und verstatte solchen den Zutritt, die
du besser machen kannst. Hierbei findet eine Wechselwir-
kung statt, und die Menschen lernen, indem sie lehren. Die
Ruhmsucht, dein Talent zu offenbaren, darf dich nicht unter
das Volk führen mit dem Wunsche, ihm Vorlesungen zu
halten oder etwas mit ihm abzuhandeln. Allerdings wünschte
ich, daß du dies tätest, wenn du eine für den Pöbel passende
Ware hättest. So aber ist niemand, der dich zu verstehen ver-
möchte. Vielleicht wird dir einer und der andere aufstoßen;
aber auch selbst diesen wirst du erst heranbilden und unter-
weisen müssen, daß er dich verstehen lerne. »Für wen also
habe ich dies alles gelernt?« Du brauchst nicht zu fürchten,
deine Mühe verloren zu haben, wenn du es für dich gelernt
hast. — Doch um heute nicht für mich allein gelernt zu haben,
will ich dir drei mir aufgestoßene herrliche Aussprüche ungefähr desselben Sinnes mitteilen. Demokrit sagt: »Einer gilt
mir für das Volk und das Volk für einen.« Gut antwortete
auch jener, als er von jemand gefragt wurde, was er mit so
großem Fleiß in einer Kunst bezwecke, die nur bei sehr
wenigen Eingang finden werde: »Mir genügen wenige, mir
genügt einer, mir genügt auch gar keiner.« Vortrefflich ist
auch dieser dritte Satz, den Epikur einem der Genossen seiner
wissenschaftlichen Beschäftigungen schrieb: »Dies schreibe
ich nicht für viele, sondern für dich: denn wir sind einer dem
andern ein hinreichendes Publikum.« Dies, mein Lucilius,

mußt du in deine Seele niederlegen, um das aus dem Beifall
der Menge entspringende Vergnügen zu verachten. Viele
loben dich; welchen Grund aber hast du, mit dir zufrieden
zu sein, wenn du ein solcher bist, den die Menge versteht?
Nach innen sollen deine Vorzüge schauen.

Der Weise ist auch in der Muße tätig

»Du rätst mir«, sagst du, »das Menschengewühl zu meiden,
mich zurückzuziehen, und mir an meinem Bewußtsein genügen zu lassen. Wo bleiben nun jene unsere Vorschriften,
welche gebieten, noch in Tätigkeit zu sterben?« Wie denn?
Rate ich dir zur Untätigkeit? Wisse: ich habe mich verborgen
und meine Türe verschlossen, um recht vielen nützen zu können. Kein Tag verfließt mir in Untätigkeit; einen Teil der
Nächte sogar widme ich den wissenschaftlichen Beschäftigungen. Ich bleibe nicht ohne Schlaf, aber ich erliege ihm
und halte noch meine vom Wachen ermatteten und zufallen-
den Augen auf die Arbeit geheftet. Ich habe mich nicht nur
von den Menschen zurückgezogen, sondern auch von den
Dingen und vor allem von meinen eigenen. Der Nachwelt
gilt meine Sorge; für sie schreibe ich das und jenes nieder,
was ihr vielleicht nützen kann; heilsame Ermahnungen,
gleichsam Rezepte nützlicher Arzneimittel, übergebe ich dem
Papiere; daß sie wirksam sind, habe ich an meinen eigenen
Schäden erfahren, die, wenn sie auch noch nicht völlig geheilt
sind, doch wenigstens aufgehört haben, weiterzugreifen. Den
rechten Weg, den ich erst spät und ermüdet vom Herumirren kennengelernt habe, zeige ich jetzt andern. Vermeidet
alles, rufe ich, was dem großen Haufen gefällt und was der
Zufall verleiht. Bei jedem zufälligen Gute bleibt argwöhnisch
und schüchtern stehen. Das Wild und die Fische werden durch
irgendeine lockende Hoffnung berückt. Ihr haltet jene Dinge
für Geschenke des Glücks? Es sind Fallstricke. Wer nur immer von uns ein sicheres Leben führen will, der vermeide, so
viel er nur kann, jene Leimruten. Bei ihnen täuschen wir uns

auf die kläglichste Weise: wir glauben sie zu besitzen, und wir hangen nur daran fest. In Abgründe führt ein solcher Lauf; das Ende eines so hochgehenden Lebens ist der Fall. Ja, man kann dann nicht einmal Widerstand leisten, wenn das Glück uns in die Quere zu führen begonnen hat.

Halte also fest an dieser vernünftigen und heilsamen Lebensregel, daß du dem Körper nur so viel zugestehst, als für die Gesundheit genügt. Er muß etwas hart behandelt werden, damit er der Seele nicht ungehorsam sei: die Speise stille den Hunger, der Trank lösche den Durst, das Kleid halte die Kälte ab, das Haus sei eine Schutzwehr gegen alles dem Körper Feindliche. Ob es aus Rasen aufgeführt ist oder aus verschiedenem Gestein fremder Länder, ist gleichgültig; von einem Strohdach wird der Mensch ebensogut bedeckt wie von einem goldenen. Verachtet alles, was überflüssige Bemühung zum Schmuck und zur Zierde aufgestellt hat. Bedenket, daß nichts als der Geist bewunderungswürdig ist, für den es, ist er selbst groß, nichts Großes gibt. Wenn ich so mit mir selbst, so mit der Nachwelt rede, glaubst du nicht, daß ich nützlicher wirke, als wenn ich hinginge, um als Rechtsanwalt einen Termin abzuwarten, oder einem Testamente meinen Siegelring aufdrückte oder im Staate einem Amtsbewerber meine Hand und Stimme liehe? Glaube mir: die nichts zu tun scheinen, tun oft das Wichtigste; Menschliches und Göttliches betreiben sie zu gleicher Zeit.

Ist auch der Weise sich selbst genug,
so wünscht er sich doch Freunde

Du wünschest zu wissen, ob Epikur diejenigen mit Recht tadelt, welche sagen, der Weise sei sich selbst genug und bedürfe deshalb keines Freundes. Diese Behauptung stellt Epikur gegen den Stilpon und diejenigen auf, denen eine unempfindliche Seele als das höchste Gut erscheint. Man muß aber notwendig in eine Zweideutigkeit verfallen, wenn man Apatheia kurzweg durch ein Wort ausdrücken und *impatien-*

tia sagen will. Denn man kann darunter gerade das Gegenteil von dem verstehen, was wir ausdrücken wollen. Wir wollen mit *impatiens* den bezeichnen, der die Empfindung jedes
Leidens zurückweist, und man wird darunter den verstehen,
der gar kein Übel ertragen könne. Siehe also zu, ob es nicht
passender ist, von einer *unverwundbaren Seele* zu sprechen
oder von einer Seele, *die über allem Leiden steht*. Das ist der
Unterschied zwischen uns und jenen: unser Weiser besiegt
zwar jedes Ungemach, aber er empfindet es; der ihrige empfindet es nicht einmal. Darin kommen wir mit jenen überein,
daß der Weise sich selbst genug sei; dennoch aber wünscht er
einen Freund, einen Nachbar, einen Hausgenossen zu haben,
wiewohl er sich selbst genügt. Siehe, wie sehr er sich selbst
genug ist: bisweilen genügt ihm schon ein Teil seiner selbst.
Wenn ihn eine Krankheit oder ein Feind einer Hand beraubt,
wenn ein Unfall ihm ein Auge ausgestoßen, so wird ihm das
genügen, was ihm übriggeblieben, und er wird mit verletz-
tem und verstümmeltem Körper ebenso vergnügt sein als er
bei unverletztem war. Er vermißt nicht, was ihm fehlt, wenn
er auch lieber wünscht, es möchte ihm nichts fehlen. Insofern
ist der Weise sich selbst genug; nicht, daß er ohne Freund
sein will, sondern daß er es *kann*; und dieses »*er kann es*«
meine ich so: wenn er ihn verliert, erträgt er es mit Gleichmut. Ohne Freund wird er übrigens nie sein: er hat es in
seiner Gewalt, wie schnell er ihn ersetzen will. Wie ein Phi-
dias, wenn ihm eine Bildsäule verdorben ist, sofort eine
andere verfertigen wird, so wird dieser, ein Meister in der
Kunst, Freundschaften stiften, einen andern an die Stelle des
Verlorenen setzen. Du fragst, wie er sich so schnell einen
Freund verschaffen werde? Ich will es dir sagen mit Hecato:
»Ich will dir ein Liebesmittel zeigen ohne einen Trank, ohne
ein Kraut, ohne Spruch irgendeiner Zauberin: Willst du geliebt sein, so liebe.«

Jetzt laß uns zu unserem Hauptsatze zurückkehren. Der
Weise wünscht, auch wenn er sich selbst genügt, doch einen
Freund zu besitzen, wäre es auch aus keinem anderen Grunde,
als um die Freundschaft zu üben, damit eine so große Tugend

nicht brach liege; nicht dazu, um, wie Epikur in eben jenem
Briefe sagt, jemanden zu haben, der bei ihm sitze, wenn er
krank, oder ihm beispringe, wenn er ins Gefängnis geworfen
oder in Not sei, sondern um jemanden zu haben, an dessen
Krankenlager er selbst sitzen, den er, von feindlichen Wachen
umgeben, befreien könne. Wer nur sich berücksichtigt und
deshalb eine Freundschaft schließt, denkt schlecht; wie er angefangen hat, so wird er enden. Er hat sich einen Freund verschafft, damit er ihm gegen Fesseln Hilfe bringen soll: sobald
die fallende Kette geklirrt hat, wird er davongehen. Wer des
Nutzens wegen zum Freunde angenommen worden ist, wird
so lange gefallen, als er sich nützlich machen wird. Daher
umlagert ein Schwarm von Freunden die Glücklichen: um
die Gestürzten her herrscht Einsamkeit, und da, wo sie auf
die Probe gestellt werden, machen sich die Freunde davon.
Daher kommt jene Menge abscheulicher Beispiele von solchen, die ihren Freund aus Furcht im Stiche ließen, oder von
solchen, die ihn aus Furcht verrieten. Der Anfang und das
Ende müssen einander notwendig entsprechen. Wer Freund
zu sein anfing, weil es ihm nützte, dem wird, wenn ihm an
der Freundschaft noch irgend etwas außer ihr selbst gefällt,
auch irgendein Preis *gegen* sie gefallen. »Wozu verschaffst
du dir einen Freund?« fragst du. Um jemand zu haben, für
den ich sterben, den ich in die Verbannung begleiten, für
dessen Tod ich eintreten und mich opfern kann. Was du be-
schreibst, ist nicht Freundschaft, sondern Spekulation, die
ihrem Vorteile nachgeht und berechnet, was sie gewinnen
wird. Unzweifelhaft hat die Gemütsstimmung der Liebenden
etwas Ähnliches mit der Freundschaft: man könnte sie eine
rasende Freundschaft nennen. Liebt denn nun jemand des
Gewinnes oder der Ehre und des Ruhmes wegen? Die Liebe
an und für sich entflammt, alles andere hintansetzend, die
Herzen zur Begierde nach dem schönen Gegenstande, nicht
ohne Hoffnung gegenseitiger Zärtlichkeit. Wie denn also?
Aus der edleren Ursache geht die unedle Empfindung hervor? Es handelt sich, sagst du, jetzt nicht darum, ob die
Freundschaft um ihrer selbst willen wünschenswert sei; aber

es kann zu ihr herantreten, auch wer sich selbst genug ist.
Wie also wird er zu ihr herantreten? Wie zu einem Gegenstande von höchster Schönheit, nicht von Gewinnsucht be-
herrscht, noch durch den Wechsel des Schicksals erschreckt.
Es entkleidet die Freundschaft ihrer erhabenen Würde, wer
sie nur für die Fälle des Glücks stiftet.

Der Weise ist sich selbst genug. Diesen Satz, mein Lucilius, pflegen die meisten falsch auszulegen; sie verdrängen
den Weisen von allem Möglichen und beschränken ihn auf
seine eigene Haut. Allein man muß unterscheiden, was jener
Satz verspricht und wie weit sein Versprechen geht. Der
Weise ist sich selbst genug, um glücklich zu leben, nicht,
um überhaupt zu leben. Denn zu diesem bedarf er noch vieler
anderer Dinge, zu jenem aber nur einer gesunden, erhabenen
und das Glück verachtenden Seele. Ich will dich auch noch auf
eine Unterscheidung des Chrysippus hinweisen. Er sagt,
»dem Weisen mangele nichts, er bedürfe aber doch mancher
Dinge; der Tor dagegen bedarf nichts, denn er weiß es nicht
zu gebrauchen, aber es mangelt ihm alles.« Der Weise bedarf
der Augen, Hände und vieler anderer zum alltäglichen Leben nötiger Dinge; aber es mangelt ihm nichts. Denn Mangel
beruht auf Notwendigkeit, für den Weisen aber ist nichts
notwendig. Mag er sich also auch noch so sehr selbst genug
sein, so bedarf er doch der Freunde, und er wünscht deren
möglichst viele zu haben, nicht um glücklich zu leben, denn
er lebt auch ohne Freunde glücklich. Das höchste Gut sucht
nicht Hilfsmittel von außen her; es wird daheim gepflegt, im
Innern, es besteht ganz in sich selbst. Dem Zufall unterworfen zu sein beginnt, wer einen Teil seiner selbst außerhalb
sucht. Wie jedoch wird sich das Leben des Weisen gestalten,
wenn er in Fesseln geschlagen oder einsam unter irgendeinem fremden Volke hausend oder auf langwieriger See-
fahrt zurückgehalten oder an ein ödes Gestade ausgeworfen,
von Freunden verlassen wird? Wie das Leben Jupiters, wenn
er nach Auflösung der Welt und Verschmelzung aller Götter
in *einen*, bei einem kurzen Stillstand der Natur, seinen Gedanken dahingegeben in sich ruhen wird. Etwas der Art tut

der Weise: er birgt sich in sich selbst, er ist mit sich allein.
So lange er nun freilich seine Lage nach eigenem Gutdünken
einrichten kann, ist er sich selbst genug; er heiratet — und ist
sich selbst genug, er bekommt Kinder — und ist sich selbst
genug; und doch wird er nicht leben mögen, wenn er ohne
Menschen leben sollte. Zur Freundschaft zieht ihn nicht
eigener Nutzen, sondern ein natürlicher Reiz. Denn wie uns
ein süßes Verlangen nach anderen Dingen angeboren ist, so
auch nach der Freundschaft. Wie die Einsamkeit uns verhaßt
ist und wie das Verlangen nach Geselligkeit von Natur den
Menschen mit Menschen verbindet, so liegt darin auch ein
Reizmittel, das uns nach Freundschaften trachten läßt.
Nichtsdestoweniger wird er, obgleich er seine Freunde aufs
innigste liebt, obgleich er sie sich gleichstellt, oft sogar sich
vorzieht, dennoch all sein Gut auf sich selbst beschränken
und sagen, was einst jener Stilpon sagte, welchen der Brief
Epikurs verspottet. Als dieser nämlich nach Einnahme seiner
Vaterstadt, nach Verlust seiner Frau und Kinder die allgemeine Brandstätte alleinstehend, aber doch glücklich verließ,
und Demetrius ihn fragte, ob er etwas verloren hätte, sagte
er: »Ich führe alle meine Habe mit mir.« Siehe da! Ein starker und tapferer Mann! Selbst seinen siegenden Feind hat er
besiegt. »Ich habe nichts verloren«, sprach er, und nötigte so
jenen, zu zweifeln, ob er gesiegt habe. »Ich führe alle meine
Habe mit mir«, die Gerechtigkeit, die Tugend, die Klugheit,
und eben diesen Grundsatz, nichts für ein Gut zu halten, was
mir entrissen werden kann. Wir bewundern einige Tiere, die
ohne Schaden für ihren Körper mitten durch das Feuer hin-
durchgehen: um wie viel bewundernswürdiger ist dieser
Mann, der durch Wasser, Trümmer und Flammen unverletzt
und unbeschädigt entkam! Du siehst, wie viel leichter es ist,
ein ganzes Volk, als einen Mann zu besiegen. Dies Wort aber
hat er mit dem Stoiker gemein; auch dieser trägt ebenso seine
Güter unberührt durch eingeäscherte Städte. Er ist sich selbst
genug: in diese Grenze schließt er seine Glückseligkeit ein.
Und damit du nicht glaubst, daß nur wir mit so großartigen
Worten um uns werfen: sogar Stilpons Tadler selbst, Epi-

kurus, hat eine ähnliche Äußerung getan, die du noch freundlich hinnehmen mögest. »Wem das Seinige nicht das Herr-
lichste dünkt«, sagt er, »der ist, wäre er auch Herr der
ganzen Welt, dennoch unglücklich.« Oder wenn es dir so
besser ausgedrückt scheint (denn wir brauchen uns nicht
sklavisch an die Worte zu binden, sondern nur an den Gedanken): »Unglücklich ist, wer sich nicht für den Glücklichen
hält, und wenn er die ganze Welt beherrschte.« Um dich aber
zu überzeugen, daß diese Ansicht eine allgemeine sei, da sie
nämlich die Natur selbst diktiert, so wirst du bei dem Dichter
die Worte finden: Nicht glücklich ist, wer es zu sein nicht
glauben will. Denn was liegt daran, wie dein Zustand wirklich beschaffen ist, wenn er dir ein schlimmer zu sein scheint?
»Wie denn also?« sagst du. »Wenn jener Mensch, der mit
Schande reich ist, oder jener, der Herr vieler, aber noch mehrerer Sklave ist, sich glücklich nennt: wird er durch seinen
Ausspruch wirklich glücklich werden?« Es kommt nicht darauf
an, was er sagt, sondern was er fühlt, auch nicht, was er eben
heute, sondern was er beständig fühlt. Du brauchst aber nicht
zu befürchten, daß ein so wichtiges Gut an einen Unwürdigen
komme. Niemandem als dem Weisen gefällt das Seine; jeder
Tor leidet an Selbstüberdruß.

Wie kann man ohne Schaden mit sich allein sein?

So ist es. Ich ändere meine Meinung nicht: fliehe die
Menge, fliehe die Wenigen, fliehe selbst einen. Ich habe keinen, mit dem ich dich in Gemeinschaft gesetzt wünschte.
Und siehe, in welcher Meinung du bei mir stehst: ich wage
es, dich dir selbst anzuvertrauen. Als Krates, ein Zuhörer
jenes Stilpon selbst, dessen ich in meinem vorigen Briefe
gedachte, einen einsam herumspazierenden Jüngling erblickte,
fragte er ihn: was er da so allein mache? »Ich spreche mit mir
selbst«, antwortete er. Darauf Krates: »Gib acht, daß du mit
keinem schlechten Menschen sprichst.« Über einen Trauernden und sich Fürchtenden pflegen wir zu wachen, damit er

die Einsamkeit nicht mißbrauche; unter den Unverständigen gibt es keinen, der sich selbst überlassen werden dürfte. Dann sinnen sie auf böse Anschläge; dann bereiten sie entweder andern oder sich selbst zukünftige Gefahren; dann gehen sie ihren unreinen Gelüsten nach; dann malt sich das Herz alles das aus, was es vorher aus Furcht oder Scham geheim gehalten; dann steigert es die Verwegenheit, reizt es die Wollust, stachelt es die Zornsucht. Der einzige Vorteil endlich, den die Einsamkeit hat, keinem etwas anzuvertrauen und keinen Angeber fürchten zu müssen, geht für den Toren verloren: er verrät sich selbst. Siehe daher, was ich von dir hoffe, nein, was ich mir verbürge (denn Hoffnung ist der Name eines ungewissen Gutes): ich finde keinen, mit dem ich dich lieber zusammen sehen möchte, als mit dir selbst. Ich erinnere mich noch, mit welcher Seelengröße du Worte hinwarfst, voll von großer Stärke. Da wünschte ich mir sofort Glück und sprach: das kam nicht nur von dem Saume der Lippen; solche Äußerungen haben eine feste Grundlage; dieser Mensch ist nicht einer aus dem großen Haufen, er trachtet nach seinem Heil. So lebe, wie du sprichst.

Weiser Gebrauch der Zeit

Wohin ich mich wende, erblicke ich Beweise meines hohen Alters. Ich war auf mein Gut vor der Stadt gekommen und klagte über die Kosten des baufälligen Gebäudes. Der Verwalter sagte, nicht seine Nachlässigkeit trage die Schuld daran; er tue alles, aber das Landhaus sei alt. Dieses Landhaus aber ist unter meinen Händen emporgewachsen; was also wird mit mir werden, wenn Mauersteine meines Alters schon so morsch sind? Erzürnt auf jenen ergreife ich die erste beste Gelegenheit, meinen Ärger auszulassen. »Es ist ganz offenbar«, sage ich, »daß diese Platanen vernachlässigt werden. Sie haben kein Laub; wie knorrig und verdorrt sind die Äste, wie verkümmert und garstig die Stämme! Das würde nicht sein, wenn jemand den Boden um sie her auflockerte

und sie begösse.« Er schwört bei meinem Schutzgeist, er tue
alles; seine Sorgfalt fehle in keiner Hinsicht — aber die
Bäume seien alt. Unter uns gesagt: ich selbst hatte sie ge-
pflanzt, ich hatte ihr erstes Blatt gesehen. Ich wende mich
zur Tür und frage: »Wer ist jener abgelebte Alte da, der mit
Recht an die Türe gestellt ist? Denn er schaut schon zu ihr
hinaus [1]. Wo hast du den aufgetrieben? Wie konnte dir's
Vergnügen machen, einen fremden Leichnam aufzunehmen?«
Jener aber fragte: »Erkennst du mich denn nicht? Ich bin ja
Felicio, dem du so oft Bilderchen gebracht hast; ich bin der
Sohn des Verwalters Philositus, dein Liebling.« »Der Mensch
ist völlig verrückt«, sprach ich. »Noch als kleines Knäblein
ist er mein Liebling geworden.« — »Das kann recht wohl
sein; es fallen ihm gerade jetzt die Zähne aus.«

Das verdanke ich meinem Landgute, daß mir, wohin ich
blicken mochte, mein Alter vor die Augen trat. Wir wollen
es liebend umfassen und wert halten; es ist reich an Genuß,
wenn man es nur zu benutzen weiß. Am angenehmsten sind
Früchte, wenn sie zu Ende gehen; das Knabenalter hat an
seinem Ende den größten Reiz; den Weintrinker ergötzt der
letzte Trunk am meisten: jener, der ihn niederwirft und die
Trunkenheit vollendet. Das Lieblichste, was die Lust des
Menschen in sich schließt, verspart sie auf das Ende. Das
angenehmste Lebensalter ist das, welches sich schon abwärts
neigt, aber doch nicht jählings stürzt: und selbst jenes auf
der letzten Stufe stehende hat meinem Urteile nach seine
Genüsse, oder es tritt an die Stelle der Genüsse eben das
Gefühl, keiner mehr zu bedürfen. Wie süß ist es, seine Begierden müde gemacht und hinter sich gelassen zu haben!
»Es ist lästig«, sagst du, »den Tod vor Augen zu sehen.« Ja,
der Jüngling muß ihn so gut vor Augen haben wie der Greis;
denn wir werden nicht nach Altersklassen abgerufen. Sodann
ist niemand so sehr Greis, daß es frech von ihm wäre, noch
auf einen Tag zu hoffen. Ein Tag aber ist eine Stufe des Lebens; die ganze Lebenszeit besteht aus Teilen und enthält

[1] Die Toten wurden mit dem Gesicht gegen die Haustüre gekehrt im Atrium
ausgestellt.

Kreise, von welchen die größeren die kleineren umschließen. Einer ist es, der alle umfaßt und einschließt: er zieht sich vom Geburts- bis zum Sterbetage. Ein zweiter schließt die Jahre des Jünglingsalters ein; wieder ein anderer faßt die ganze Kindheit in seinem Umfang zusammen; hierauf das einzelne Jahr, das alle Zeiten in sich faßt, aus deren Vervielfältigung das Leben sich zusammensetzt. Der Monat wird von einem engeren Kreise umgürtet und den engsten Umkreis hat der Tag; doch auch dieser gelangt vom Anfange zum Ende, vom Aufgang bis zum Untergang. Daher hat man jeden Tag so einzurichten, als ob er die Reihe schlösse und die Summe der Lebenstage voll mache. Fügt Gott noch den morgenden Tag hinzu, so laß uns ihn froh annehmen. Der ist der glücklichste und sorgenfreieste Besitzer seiner selbst, der das Morgen ohne Unruhe erwartet. Jeder, der sagen kann: »Ich habe gelebt«, steht täglich zu seinem Gewinn auf.

Mittel gegen die Furcht

Ich weiß, daß du viel Mut hast. Denn auch schon, ehe du dich mit heilsamen und alles Schwere besiegenden Lehren ausrüstetest, warst du dem Schicksal gegenüber hinlänglich mit dir selbst zufrieden; und noch weit mehr, nachdem du mit ihm handgemein geworden bist und deine Kräfte versucht hast, die nie ein sicheres Selbstvertrauen gewähren können, außer wenn viele Schwierigkeiten von da und dorther erschienen, und uns bisweilen wirklich recht nahe getreten sind. So wird jener wahre Mut, der nie unter fremde Willkür kommen wird, bewährt. Dies ist seine Feuerprobe. Kein Ringkämpfer kann großen Mut zum Kampfe mitbringen, der noch niemals braun und blau geschlagen worden ist. Der aber, der sein Blut schon fließen sah, dessen Zähne krachten unter Faustschlägen, der niedergerungen die ganze Last seines Gegners auf seinem Leibe trug und zu Boden geschleudert den Mut nicht verlor, der, so oft er fiel, trotziger wieder aufstand, der schreitet mit großer Hoffnung zum

Kampfe hinab. Also, um dieses Gleichnis zu verfolgen, oft
schon lag das Schicksal über dir und doch ergabst du dich
nicht, sondern sprangst empor und stelltest dich noch be-
herzter wieder fest. Denn versuchte Tapferkeit steigert sich.
Doch, wenn es dir gefällt, empfange von mir einige Hilfsmittel, durch die du dich verwahren kannst.

Zahlreicher, mein Lucilius, sind die Dinge, die uns schrek-
ken, als die, welche uns drücken, und öfter leiden wir in der
Einbildung als in der Wirklichkeit. Ich rede mit dir nicht
die Sprache der Stoiker, sondern diese mehr herabgestimmte.
Denn wir Stoiker sagen: alles das, was Seufzer und Gestöhn
auspreßt, ist unbedeutend und verächtlich. Wir wollen diese
großen und, bei den Göttern! wahren Worte beiseite lassen.
Nur diese Lehre gebe ich dir: sei nicht unglücklich vor der
Zeit; denn das, was dich, als dir drohend, in Angst versetzt,
wird vielleicht nie kommen, oder ist wenigstens noch nicht
gekommen. Einiges also quält uns mehr, als es sollte, anderes eher, als es sollte, wieder anderes, was uns überhaupt
gar nicht quälen sollte. Wir vergrößern entweder unsern
Schmerz, oder erdichten ihn, oder nehmen ihn voraus. Jener
erste Punkt möge, weil die Sache noch streitig ist und gleichsam ein förmlich eingeleiteter Prozeß darüber schwebt, für
den Augenblick noch ausgesetzt bleiben; denn von dem, was
ich unbedeutend nenne, wirst du behaupten, es sei das Ärgste:
ich weiß, daß einige unter Geißelhieben lachen und andere
bei einem Backenstreich jammern. Wir werden später sehen,
ob diese Dinge durch eigene Kraft oder durch unsere Schwäche
stark sind; nur das versprich mir, daß du, so oft Leute um
dich herstehen, die dich überreden wollen, du seiest unglücklich, nicht beachten willst, was du von ihnen hörst, sondern
was du empfindest; daß du dein Gefühl zu Rate ziehen und,
da du ja deine Verhältnisse am besten kennst, dich selbst
fragen willst: Was ist der Grund, daß jene mich beweinen,
daß sie so ängstlich tun, daß sie sogar meine Berührung
fürchten, als ob mein Ungemach auf sie überspringen könnte?
Ist denn hier ein Übel? Oder ist die Sache mehr verrufen als
schlimm? Frage dich selbst: Quäle und kümmere ich mich

etwa ohne Grund, und mache ich vielleicht zu einem Übel, was keines ist? »Wie aber«, fragst du, »soll ich erkennen, ob das nichtig oder wahr ist, was mich ängstigt?« Vernimm darüber diese Regel: Wir werden entweder von Gegenwärtigem oder von Zukünftigem oder von beidem zugleich gequält. Über das Gegenwärtige ist das Urteil leicht. Ist dein Körper frei, ist er gesund und wird ihm durch keine Verletzung Schmerz bereitet, nun so sehen wir zu, was da kommen wird; für heute hat es nichts auf sich. »Aber es wird kommen.« Fürs erste untersuche, ob sichere Zeichen vorhanden sind, daß ein Übel kommen wird; denn meistens sorgen wir uns über Vermutungen ab, und, was Kriege zu beendigen pflegt, noch weit mehr aber einzelne aufreibt, *das Gerücht*, treibt sein Spiel mit uns. Ja, so ist es, mein Lucilius. Eiligst geben wir dem Wahn nach; wir prüfen und untersuchen nicht, was uns in Furcht setzt, sondern zittern und wenden den Rücken gleich wie die, welche eine durch eine Viehherde erregte Staubwolke aus dem Feldlager treibt oder die irgendein Märchen, ohne Gewährsmann ausgesprengt, in Schrecken setzt. Ich weiß nicht, wie es kommt, daß Grundloses uns mehr in Bestürzung setzt; denn das Wahre hat sein Maß; alles aber, was aus ungewissen Quellen entspringt, ist der Vermutung und Willkür eines zagenden Gemüts dahingegeben. Keine Furcht ist daher so verderblich, so unheilbar wie die eines Wahnsinnigen; denn jede andere ist unvernünftig, diese aber unsinnig. Untersuchen wir also die Sache genauer. Es ist wahrscheinlich, daß ein Übel eintreten wird; darum aber ist es nicht gleich wahr. Wie vieles ist unerwartet gekommen! Wie vieles Erwartete ist nie erschienen! Und wenn es auch wirklich bevorsteht, was nützt es, seinem Schmerze entgegenzulaufen? Du wirst ihn früh genug empfinden, wenn er da sein wird; unterdessen versprich dir Besseres. Was du dadurch gewinnen wirst? Zeit! Vieles wird dazwischentreten, wodurch die kommende Gefahr, wie nahe sie auch herangetreten ist, zum Stillstehen gebracht oder ganz beseitigt oder auf ein anderes Haupt abgeleitet werden kann. Schon manche Feuersbrunst ließ einen Weg zur Rettung offen; schon manchen trug ein einstürzendes Gebäude sanft auf den Boden hinab; manchmal wurde das Schwert vom Nacken selbst noch zurückgezogen, und mancher über- lebte seinen Henker. Selbst das Unglück hat seinen Wankel- mut. Vielleicht wird es eintreten, vielleicht aber auch nicht; inzwischen ist es wenigstens noch nicht da. Stelle dir also Besseres vor. Zuweilen schafft sich die Seele falsche Bilder, ohne daß Zeichen erscheinen, die ein Unheil voraus verkün- digten; oder sie faßt ein Wort von zweifelhafter Bedeutung in zu schlimmem Sinne auf, oder stellt sich den Groll eines andern größer vor als er ist und bedenkt nicht, wie sehr er erzürnt sei, sondern wieviel der Erzürnte vermöge. Es ist aber kein Grund mehr da, zu leben, und des Elendes kein Maß, wenn man alles fürchtet, was man nur immer fürchten kann. Hier muß die Klugheit helfen; hier weise durch Gei- stesstärke selbst die Furcht vor dem Augenscheinlichen zu- rück; wo nicht, so vertreibe eine Schwäche durch die andere und dämpfe die Furcht durch die Hoffnung. Von allem, was wir fürchten, ist nichts so gewiß, daß es nicht noch gewisser wäre, das Gefürchtete werde ausbleiben und das Gehoffte täuschen. Hoffnung und Furcht also prüfe genau, und so oft alles ungewiß ist, begünstige dich selbst und glaube, was dir lieber ist. Selbst wenn du mehr Stimmen hast für die Furcht, so neige dich nichtsdestoweniger auf die andere Seite und höre auf, dich zu beunruhigen. Auch erwäge öfters, daß der größere Teil der Menschen, auch wenn weder irgendein Übel da ist, noch sicher zu erwarten steht, sich abängstigt und unstät hin und her läuft. Denn niemand leistet sich selbst Widerstand, wenn er einmal angefangen hat, in Aufregung zu sein, noch führt er seine Furcht auf die Wahrheit zurück. Niemand spricht: »Der Gewährsmann verdient keinen Glau- ben; er hat es erdichtet oder nur geglaubt.« Wir geben uns den Erzählenden hin; wir zittern vor Zweifelhaftem als vor Gewissem, wir halten kein Maß in den Dingen, eine Bedenk- lichkeit wird sogleich zur Furcht. Ich schäme mich, so mit dir zu sprechen und dich mit so gelinden Heilmitteln zu behan- deln. Ein anderer mag sagen: Vielleicht wird es nicht kommen; du sage: Was weiter, wenn es auch kommt? Wir werden sehen, wer von beiden siegen wird. Vielleicht kommt es zu meinen Gunsten, und ein Tod, der mein Leben adeln wird. Ein Schirlingsbecher hat des Sokrates Größe vollendet. Entwinde dem Cato sein Schwert, den Schirmer seiner Freiheit, und du hast ihm einen großen Teil seines Ruhmes entzogen. Doch schon zu lange ermahne ich dich, da bei dir mehr eine Erinnerung als eine Ermahnung nötig ist. Ich führe dich nicht auf einen von deiner Natur abweichenden Weg; du bist geboren zu dem, was ich sage. Um so mehr erhöhe und verschönere dein Gutes.

Natürliche und blinde Begierden

»Wenn du nach der Natur lebst, wirst du nie arm sein, wenn nach dem Wahne, nie reich«, sagt Epikur. Wenig verlangt die Natur, der Wahn Ungemessenes. Man häufe auf dich, was viele Begüterte zusammen besaßen; das Glück erhebe dich über das Maß des Vermögens eines Privatmannes, es bedecke dich mit Gold und bekleide dich mit Purpur, es führe dich zu einer solchen Fülle von Herrlichkeiten und Schätzen, daß du die Erde bedeckst mit deinen Marmorgebäuden, es sei dir vergönnt, nicht bloß Reichtümer zu besitzen, sondern darauf zu treten; es mögen dazu noch Bildsäulen und Gemälde kommen und was sonst noch die Kunst für die Üppigkeit mühevoll bereitet hat, — du wirst von diesem allen nur lernen, noch Größeres zu begehren. Natürliche Bedürfnisse sind begrenzt; was aus dem Irrwahn entspringt, hat kein Ziel, wo es ende; denn das Falsche hat keine Grenze. Dem auf der Straße Wandernden ist irgendein Ziel gesteckt; das Herumirren ist endlos. Daher ziehe dich zurück vom Eiteln, und wenn du wissen willst, ob das, was du begehrst, auf einer natürlichen oder blinden Begierde beruht, so betrachte, ob es irgendwo zum Stillstand kommen kann. Wenn dir, nachdem du schon weit vorgeschritten bist, noch immer ein Weiteres übrigbleibt, so wisse, daß es nichts Natürliches ist.

Die Philosophie soll einen festen Charakter bilden

Wenn du dich wohl befindest und dich für würdig hältst, einmal der Deinige zu werden, so freue ich mich; denn mein Ruhm wird es sein, wenn ich dich den Wogen entzogen habe, auf denen du ohne Hoffnung herauszukommen herumtreibst. Nur darum aber, mein Lucilius, bitte und dazu ermahne ich dich, daß du die Philosophie in die Tiefen deines Herzens senkest und die Probe deiner Fortschritte nicht an einer Rede oder einer Schrift, sondern an der Festigkeit deines Willens und der Verminderung deiner Begierden machst. Bewähre deine Worte durch die Tat. Andrer Art ist die Aufgabe des Deklamators, der nach dem Beifall des Zuhörerkreises hascht, oder dessen, der die Ohren junger und müßiger Leute durch einen mannigfaltigen und leicht hinrollenden Vortrag unterhält. Die Philosophie lehrt handeln, nicht reden; sie fordert, daß jeder nach seinen Vorsätzen lebe, damit nicht das Leben der Rede widerspreche, und alle Handlungen *eine* Farbe haben. Das ist sowohl die größte Aufgabe, als das größte Kennzeichen der Weisheit, daß die Handlungen mit den Worten in Einklang stehen und der Mensch sich selbst überall gleich und derselbe sei. Wer wird das leisten? Wenige, aber doch einige. Es ist schwer; und ich sage nicht, daß der Weise stets in gleichem Schritte gehen werde, aber doch auf gleichem Wege. Beobachte also, ob deine Kleidung und Wohnung einander widersprechen, ob du etwa gegen dich freigebig, gegen die Deinigen knauserig bist, ob du haushälterisch speisest, aber verschwenderisch bauest. Ergreife ein für allemal eine Richtschnur, nach der du lebst, und nach dieser bringe dein ganzes Leben ins gleiche. Einige schränken sich zu Hause ein, draußen aber machen sie sich breit und blähen sich auf. Diese Ungleichheit ist ein Fehler und das Zeichen eines schwankenden Gemüts, das noch nicht seine gehörige Haltung hat. Nun will ich auch noch sagen, woher jene Unbeständigkeit und Unähnlichkeit der Handlungen und Entschließungen kommt. Niemand setzt sich vor, was er will; oder wenn er es sich vorgesetzt hat, verharrt er nicht dabei, sondern springt zu etwas anderem über, und ändert nicht nur seinen Entschluß, sondern kommt von ihm zurück und verfällt wieder in das, was er aufgegeben und verdammt hat. Um daher die alten Begriffsbestimmungen der Weisheit zu verlassen und die ganze Regel für das menschliche Leben kurz zusammenzufassen, kann ich mich mit folgendem begnügen: Was ist Weisheit? Immer dasselbe wollen und nicht wollen. Du brauchst dabei nicht die Einschränkung beizufügen, daß das recht sein müsse, was du willst; denn niemandem kann immer eines und dasselbe gefallen, wenn es nicht eben das Rechte ist. Die Menschen wissen nicht, was sie wollen, außer in dem Augenblicke, wo sie wollen: fürs Ganze hat sich noch keiner über sein Wollen oder Nichtwollen entschieden. Täglich wechselt das Urteil und verwandelt sich in das Gegenteil; und die meisten führen ihr Leben wie zum Spiel. Halte also fest, womit du begonnen hast, und du wirst vielleicht zum Höchsten gelangen oder doch zu dem, wovon du allein erkennst, daß es noch nicht das Höchste ist.

Weise leben, nicht lange leben, ist unsere Aufgabe

»Jeder geht so aus dem Leben, als wäre er eben erst in dasselbe eingetreten«, sagt Epikur. Nimm den ersten besten Jüngling, Greis oder Mann, und du wirst ihn in gleicher Furcht vor dem Tode, in gleicher Unkenntnis des Lebens finden. Keiner hat etwas fertig; denn immer verschieben wir unsere Geschäfte auf die Zukunft. Nichts ergötzt mich an jenem Ausspruch mehr, als daß den Greisen Kindheit vorgeworfen wird. »Niemand«, sagt er, »geht anders aus dem Leben, als wie er geboren wurde.« Dies aber ist falsch; wir sterben schlechter, als wir geboren werden, und dies ist unser eigener Fehler, nicht der der Natur. Diese muß sich über uns beklagen und sagen: Was soll das? Ich habe euch ohne Begierden, ohne Furcht, ohne Aberglauben, ohne Treulosigkeit und ohne alle übrigen Gebrechen geschaffen; so geht doch hinaus, wie ihr hereingetreten seid! Der hat die Weisheit

erfaßt, der ebenso sorglos stirbt, wie er geboren wird. So
aber zittern wir, wenn eine Gefahr sich naht; der Mut, die
Farbe entweicht, unnütze Tränen entfließen uns. Was ist
schimpflicher, als just auf der Schwelle der Sorgenlosigkeit
ängstlich zu sein? Die Ursache aber ist diese, daß wir leer an
allem Guten und auf Fristung des Lebens ängstlich bedacht
sind. Denn kein Teil desselben bleibt bei uns zurück; es ist
vorüber und zerronnen. Aber niemand sorgt dafür, daß er
weise, sondern daß er lange lebe, während doch allen gelingen kann, weise, keinem jedoch, lange zu leben.

Was wahre Freude ist und wie sie uns zuteil wird

Du meinst, ich werde dir schreiben, wie glimpflich diesmal
der Winter mit uns verfahren, der sowohl gelind als kurz
war, wie mißgünstig dagegen der Frühling, wie unzeitig die
jetzige Kälte sei, und andere dergleichen Albernheiten, wie
Leute, die nur nach Stoff zum Schreiben suchen. Ich will
vielmehr etwas schreiben, was sowohl mir als dir nützen
kann. Was aber wird dies anderes sein, als daß ich dich zu
einer guten Gesinnung ermuntere? Welches die Grundlage
einer solchen sei, fragst du. Freue dich nicht eitler Dinge.
Die Grundlage nannte ich dies? Nein, es ist der Gipfel. Zum
Höchsten ist gelangt, wer da weiß, worüber er sich freut,
wer sein Glück nicht fremder Macht unterwirft. Besorgt und
ungewiß über sich selbst ist, wen irgendeine Hoffnung reizt,
wäre auch zur Hand, wäre auch nicht schwer zu erlangen,
was er hofft, hätten ihn auch seine Hoffnungen noch nie
betrogen. Dies betreibe vor allen Dingen, mein Freund: lerne
dich freuen. Glaubst du, ich entziehe dir viele Genüsse, wenn
ich das Zufällige entferne, wenn ich die Hoffnungen, diese
süßesten Ergötzungen, gemieden wissen will? Im Gegenteil,
ich will, daß es dir nie an Freude fehle; ich will, daß sie dir
in deinem Hause erwachse; und sie erwächst auch, wenn sie
in dir selbst wohnt. Die übrigen Erheiterungen füllen das
Herz nicht; sie glätten nur die Stirn und sind flüchtig: du

müßtest denn etwa meinen, wer lacht, freue sich. Die Seele muß frisch, voll Zuversicht und über alles erhaben sein. Glaube mir, wahre Freude ist eine ernste Sache. Oder meinst du, daß einer mit heiterer oder gar vergnüglicher Miene den Tod verachte, der Armut sein Haus öffne, seine Lüste im Zaume halte, auf geduldiges Ertragen der Schmerzen sinne? Wessen Herz solche Gedanken bewegen, der lebt in großer, aber wenig schmeichelnder Freude. Den Besitz dieser Freude wünsche ich dir; nie wird sie dir fehlen, wenn du einmal gefunden hast, woher sie zu gewinnen ist. Wertlose Metalle finden sich an der Oberfläche; das sind die köstlichsten, deren Adern die Tiefe birgt, sie werden den Wünschen des unablässig Grabenden immer vollständiger entsprechen. Woran sich der große Haufe ergötzt, das gewährt nur ein geringes und oberflächliches Vergnügen, und jede uns von außen zugeführte Freude entbehrt der Grundlage; diejenige aber, von der ich spreche und zu der ich dir zu verhelfen strebe, ist eine festbegründete und mehr nach innen gehende. Tue, ich bitte dich, mein Teuerster, was allein dich glücklich machen kann: wirf weg und zertritt jene Dinge, die von außen glänzen und von andern dir versprochen werden. Trachte nach dem wahren Gut und freue dich des Deinigen. Was heißt aber »des Deinigen«? Deiner selbst und des besseren Teils deiner selbst. Auch diesen leidigen Körper halte, obgleich nichts ohne ihn geschehen kann, mehr für eine notwendige als wichtige Sache. Er gewährt nur eitle, kurze, Reue bringende, und wenn sie nicht mit großer Mäßigung geregelt werden, ins Gegenteil ausschlagende Genüsse. Ich sage dir: die Lust neigt sich, an einem jähen Abhang stehend, dem Schmerze zu, wenn sie nicht Maß hält; schwer aber ist es, Maß zu halten in dem, was man für ein Gut ansieht. Begierde nach dem wahren Gute jedoch ist sicher. Du fragst, was dieses sei oder woher es uns komme? Ich will dir's sagen: aus einem guten Gewissen, aus edlen Entschlüssen, aus rechtschaffenen Handlungen, aus der Verachtung alles Zufälligen, aus dem ruhigen und stetigen Gange eines immer einen und denselben Weg verfolgenden Lebens. Denn die, welche von

einem Vorsatz zum andern überspringen oder nicht einmal überspringen, sondern durch irgendeinen Zufall sich
hinüberwerfen lassen, wie können sie, so in der Schwebe
hangend und unstet, irgend etwas gewiß und bleibend besitzen? Wenige gibt es, die sich und das ihrige nach einem
festen Plane ordnen; die übrigen gehen nicht, sondern lassen
sich herumtreiben nach Art von Dingen, die auf den Wogen
schwimmen. Von ihnen trägt den einen eine ruhigere Welle
zögernd und sanfter dahin, einen andern reißt eine unge-
stümere fort, wieder einen setzt eine Woge in schon ermat-
tendem Laufe am nächsten Ufer ab, einen andern wirft eine
reißende Strömung ins hohe Meer hinaus. Daher müssen wir
fest bestimmen, was wir wollen, und dabei beharren.

Manche fangen wirklich erst dann zu leben an, wenn sie
aufhören sollen. Wenn du dies für wunderbar hältst, so will
ich etwas hinzufügen, worüber du dich noch mehr verwundern wirst. Manche haben zu leben aufgehört, ehe sie an-
fingen. Lebe wohl!

Über den Selbstmord

Epikur tadelt nicht weniger die, welche den Tod wünschen, als die, welche ihn fürchten, und sagt: »Lächerlich ist
es, aus Überdruß am Leben in den Tod zu rennen, wenn
man es durch seine Lebensweise dahin gebracht hat, in ihn
rennen zu müssen.« Ebenso sagt er an einer andern Stelle:
»Was ist so lächerlich, als nach dem Tode zu verlangen, nachdem du dir durch Furcht vor dem Tode ein unruhiges Leben
bereitet hast?« Diesen Aussprüchen magst du auch folgendes
Wort desselben Gepräges beifügen: »Die Unklugheit, ja der
Unsinn der Menschen ist so groß, daß manche sich durch
Furcht vor dem Tode zum Tode zwingen lassen!« Mit welchen von diesen Aussprüchen du dich auch beschäftigst, du
wirst deinen Geist kräftigen zur ruhigen Ertragung des Todes
wie des Lebens. Wie? Zu beidem sind wir zu ermutigen und
zu kräftigen, daß wir das Leben weder zu sehr lieben, noch

zu sehr hassen. Selbst wenn die Vernunft uns rät, ihm ein Ende zu machen, dürfen wir doch nicht unbesonnen und mit hastiger Eile den Anlauf dazu nehmen. *Der mutige und weise Mann darf nicht aus dem Leben fliehen, sondern gehen.* Und vor allem werde auch jene Stimmung vermieden, die schon viele ergriffen hat: die Wollust, zu sterben. Denn, mein Lucilius, es gibt wie zu vielen andern Dingen, so auch zum Sterben einen unüberlegten Hang des Herzens, der oft edelgesinnte Männer vom kräftigsten Charakter ergreift, oft freilich auch feige und kleinmütige. Jene verachten das Leben, diese sind seiner müde. Einige beschleicht ein Überdruß, immer dasselbe zu tun und zu sehen, und nicht sowohl ein Haß gegen das Leben, als ein Ekel an ihm, in den wir, von der Philosophie selbst getrieben, leicht verfallen, indem wir sagen: »Wie lange doch dies Einerlei! Nun ja, ich werde erwachen und schlafen, hungern und mich sättigen, frieren und schwitzen. Kein Ding hat ein Ende, sondern alles ist zu einem Kreislauf verknüpft, flieht und verfolgt sich. Den Tag verdrängt die Nacht, die Nacht den Tag, der Sommer endigt in den Herbst, dem Herbste sitzt der Winter auf den Fersen, der wieder vom Frühling beschränkt wird. Alles geht vorüber, um wiederzukehren, ich tue nichts Neues, ich sehe nichts Neues; am Ende wird auch dies zum Ekel.« Viele gibt es, die es nicht für lästig halten, zu leben, aber für überflüssig.

Über den Wechsel des Aufenthaltsortes

Du glaubst, das sei dir allein begegnet, und wunderst dich darüber als über etwas Neues, daß du durch eine so lange Reise und so vielfachen Wechsel des Ortes dennoch den Trübsinn und die Schwermut deines Gemüts nicht verscheucht hast. Den Sinn mußt du wechseln, nicht den Himmelsstrich. Magst du über das weite Meer schiffen, mögen dir, wie unser Virgilius sagt, Länder und Städte entschwinden: wohin du auch immer kommst, deine Fehler werden dir folgen. Zu einem, der über ganz dasselbe klagte, sagte Sokra-

tes: »Was wunderst du dich, daß deine Reisen dir nichts
nützen, da du dich selbst mit herumschleppst?« Derselbe
Umstand, der dich forttrieb, verfolgt dich. Was kann dir die
Neuheit der Länder frommen? was das Bekanntwerden mit
Städten und Gegenden? Vergeblich ist dieses Umhertreiben.
Du fragst, warum dir diese Flucht nichts hilft? Du fliehst mit
dir selbst. Die Last deiner Seele muß erst abgelegt werden;
eher wird dir kein Ort gefallen. Denke dir deinen jetzigen
Zustand als einen solchen, wie ihn unser Virgilius als den
der schon aufgeregten und entflammten und von einem
Geiste, der nicht der ihrige ist, erfüllten Seherin schildert:

> Rasend tobt die Prophetin, ob etwa der Brust
> Sie entschütteln könne den mächtigen Gott.

Du wanderst bald dahin, bald dorthin, um die auf dir
lastende Bürde abzuwerfen, welche durch dieses Umherwer-
fen selbst immer lästiger wird; so wie auch auf einem Schiffe
Lasten, die unbewegt bleiben, weniger drücken; wenn sie
aber ungleichmäßig durcheinander gewälzt werden, so versenken sie die Seite, auf welcher sie lasten, schneller in die
Fluten. Was du auch tust, tust du gegen dich, und durch die
Bewegung selbst schadest du dir, denn du rüttelst einen
Kranken. Hast du aber jenes Übel von dir hinweggenommen,
dann wird jeder Wechsel des Ortes dir angenehm werden.
Magst du in die entlegensten Länder verschlagen werden, in
irgendeinen Winkel des Barbarenlandes, wirtlich wird dir
der Wohnsitz werden, mag er sein, welcher er will. Es kommt
mehr darauf an, *wie* du kommst, als *wohin* du kommst, und
daher sollen wir unser Herz an keinen Ort hängen. Man muß
der Überzeugung leben: Nicht für *einen* Winkel bin ich geboren, mein Vaterland ist diese ganze Welt. Wäre dir dies
klar, so würdest du dich nicht darüber wundern, daß dir der
Wechsel der Gegenden, in die du von Zeit zu Zeit aus Überdruß an früheren wanderst, nichts nutzt: die erste beste
würde dir gefallen haben, wenn du jede für die deinige
hieltest. Du reisest nicht, sondern du irrst umher, treibst dich
herum und wechselst Ort mit Ort, da doch das, was du suchst,

das Glücklichleben, an jedem Orte zu finden ist. Kann etwas anderes so geräuschvoll als der Marktplatz sein? Selbst da kann man ruhig leben, wenn es nötig ist. Doch wenn es erlaubt ist, frei über mich zu verfügen, so werde ich auch schon dem Anblick und der Nachbarschaft des Marktes weit entfliehen; denn wie ungesunde Orte auch die festeste Gesundheit angreifen, so gibt es auch einige, die einem zwar guten, aber noch nicht vollkommenen und gekräftigten Gemüte wenig zuträglich sind. Ich bin nicht einverstanden mit denen, die sich mitten in die Fluten begeben und, ein sturmbewegtes Leben vorziehend, täglich mit den Schwierigkeiten der Verhältnisse hochherzig ringen. Der Weise wird solches ertragen, aber nicht aufsuchen, und lieber im Frieden leben als im Kampfe. Es hilft nicht viel, seine eigenen Fehler von sich geworfen zu haben, wenn man mit fremden hadern muß. »Dreißig Tyrannen«, sagst du, »standen um den Sokrates her und konnten seinen Mut nicht brechen.« Was kommt darauf an, wieviele Herren es sind? Die Knechtschaft ist nur eine; wer sie verachtet, ist unter einem noch so großen Haufen von Tyrannen frei.

Ziehe dich in dich selbst zurück

Ich forsche nach dir und erkundige mich bei allen, die aus jener Gegend kommen, was du machst, wo und mit wem du lebst. Du kannst mich nicht hintergehen; ich bin bei dir. Lebe so, als ob ich hörte, was du tust, ja, als ob ich es sähe. Du fragst, was mir unter allem, was ich von dir höre, die meiste Freude macht? Daß ich nichts von dir höre, daß die meisten von denen, die ich befrage, nicht wissen, was du treibst. Das ist gut, mit Unähnlichen, die ganz andere Ziele verfolgen, nicht zu verkehren. Ich habe zwar die Zuversicht, du könntest nicht abgelenkt werden und werdest bei deinen Grundsätzen bleiben, auch wenn ein Schwarm von Verführern dich umringt. Was also? Ich fürchte nicht, daß sie dich umwandeln, ich fürchte aber, daß sie dich hindern. Viel aber schadet auch,

wer uns aufhält, zumal bei dieser Kürze des Lebens, das wir
durch unsere Unbeständigkeit noch mehr verkürzen, indem
wir immer bald dieses, bald jenes zu seinem Anfang machen.
Wir zerreißen es in kleine Teilchen und zerstückeln es. Eile
also, mein teuerster Lucilius, und bedenke, wie sehr du deine
Schritte beschleunigen würdest, wenn dich ein Feind vom
Rücken her bedrängte, wenn du besorgtest, die Reiterei
sprenge heran und setze dem Fliehenden auf dem Fuße nach.
Und dies geschieht wirklich; man setzt dir nach; beeile dich
und entwische; bringe dich in Sicherheit und betrachte öfters,
welch eine schöne Sache es ist, sein Leben noch vor dem Tode
zu vollenden und dann den Rest seiner Zeit ruhig zu erwarten und im Besitz eines glücklichen Lebens — das, wenn auch
länger, doch nicht glücklicher wird — nichts Widerwärtiges
fürchten zu müssen. O wann wirst du jene Zeit schauen, wo
du einsehen wirst, daß die Zeit dich nichts angeht; wo du
in vollkommener Selbstgenügsamkeit ruhig, heiter und unbekümmert um den morgenden Tag sein wirst. Du wünschest
zu wissen, was die Menschen so begierig nach dem Künftigen macht? Niemand gehört sich selbst an. Deine Eltern
freilich wünschten dir etwas ganz anderes; ich dagegen
wünsche dir Verachtung alles dessen, was sie dir erflehten.
Ihre Wünsche plündern viele, um dich zu bereichern; alles,
was sie dir zuwenden, muß einem andern entzogen werden.
Ich aber wünsche dir den Besitz deiner selbst, damit dein
von unsteten Gedanken umhergetriebener Geist endlich einmal festen Fuß fasse und sicher stehe, damit er an sich selbst
Gefallen finde und nach Erkenntnis der wahren Güter, die
man besitzt, sobald man sie erkannt hat, eines Zuwachses
an Jahren nicht bedürfe. Der ist über alle Notwendigkeit
hinaus, hat ausgedient und ist frei, der mit dem Leben abge-
schlossen hat.

Über die beste Art des philosophischen Unterrichts

Mit Recht dringst du darauf, daß wir diesen brieflichen Verkehr unter uns häufig pflegen. Am meisten nützt eine Rede, die sich in kleinen Abschnitten in die Seele einschleicht; vorher ausgearbeitete und vor dem zuhörenden Volke sich ergießende Vorträge haben mehr Geräuschvolles als Vertrauliches. Die Philosophie ist ein guter Rat: einen Rat aber gibt niemand schreiend. Zuweilen zwar muß man sich auch jenes — um mich so auszudrücken — Volksrednertons bedienen, wo es einen, der noch unentschlossen ist, anzutreiben gilt; wo es sich aber nicht darum handelt, daß einer lernen *wolle*, sondern daß er lerne, hat man sich zu dieser gelassenen Sprache zu wenden. Sie geht leichter ein und haftet besser; denn es bedarf dann nicht vieler, aber wirksamer Worte. Sie müssen wie Samenkörner ausgestreut werden, die, obgleich klein, wenn sie geeigneten Boden gefunden haben, ihre Kräfte entwickeln und aus dem kleinsten Anfange das größte Wachstum entfalten. Dasselbe tut die Vernunftlehre; sie erstreckt sich nicht weit, wenn man sie anblickt, aber sie wächst im Wirken. Nur Weniges ist es, was gesagt wird, aber wenn es die Seele gehörig aufgenommen hat, erstarkt es und wächst empor. Das Verhältnis der Lehren, sage ich, ist dasselbe wie das der Samenkörner; sie wirken Großes und sind doch klein; nur muß sie, wie ich schon bemerkte, ein geeignetes Gemüt auffangen und in sich aufnehmen. Vieles wird dieses dann hinwiederum selbst erzeugen und mehr wiedergeben, als es empfangen hat.

Vom Maß und Übermaß

Die schönste Eigenschaft eines edlen Gemütes ist die, daß es sich zur Tugend erregen läßt. Keinen Mann von erhabenem Sinne ergötzt das Niedrige und Gemeine; nur die Vorstellung großartiger Dinge zieht ihn an und erhebt ihn. Wie sich eine Flamme stets gerade in die Höhe erhebt, und ebensowenig seitwärts liegen und niedergehalten werden, als ruhen kann: so ist auch unser Geist in steter Bewegung, und desto rühriger und tätiger, je feuriger er ist. Glücklich aber, wer diesen Drang auf das Bessere richtete; er wird sich der Gewalt und Botmäßigkeit des Schicksals entziehen, das Glück mäßigen, das Unglück mindern und auf das, was andere bewundern zu müssen glauben, geringschätzig herabsehen. Einem großen Geiste kommt es zu, das Große zu verachten und das Mäßige dem Unmäßigen vorzuziehen; denn jenes ist nützlich und der Lebensdauer förderlich, dieses aber schadet durch seinen Überfluß. So drückt ein allzu üppiges Wachstum die Saat zu Boden, so brechen die Zweige durch ihre Last, so läßt allzu fruchtbares Land die Frucht nicht zur Reife gelangen. Dasselbe begegnet auch den Gemütern, die ein übermäßiges Glück aus den Fugen treibt, indem sie davon nicht nur zu anderer, sondern auch zu ihrem eigenen Schaden Gebrauch machen. Welcher Feind hat wohl je einen so mißhandelt, als so manchen seine Lüste? Ihrer ungezügelten Leidenschaft, ihren wahnsinnigen Begierden könnte man nur insofern nachsehen, als sie leiden, was sie selbst getan. Und nicht mit Unrecht quält sie diese Wut; denn notwendig muß eine Begierde ins Unermeßliche ausschweifen, die das natürliche Maß einmal übersprungen hat. Dieses nämlich hat seine Grenzen, eitle und aus leidenschaftlicher Begierde hervorgegangene Gelüste aber sind ohne Schranken. Das Notwendige bemißt der Nutzen; das Überflüssige aber — worauf willst du es beschränken? Daher versenken sie sich in Lüste, die ihnen, zur Gewohnheit geworden, unentbehrlich sind, und sind deshalb die Unglücklichsten, weil sie nun so weit gekommen, daß ihnen das notwendig geworden ist, was früher überflüssig gewesen. So frönen sie denn den Lüsten, aber genießen sie nicht, und — was das schlimmste aller Gebrechen ist — lieben ihre Gebrechen. Dann aber ist das Maß des Unglücks voll, wenn das Schändliche nicht nur ergötzt, sondern sogar gefällt; und da hört die Anwendung jedes Heilmittels auf, wo, was lasterhaft war, zur Gewohnheit geworden ist.

Der Gott in uns

Du tust das Beste und dir Heilsamste, wenn du, wie du schreibst, dabei beharrst, nach einer edeln Gesinnung zu streben, die jedoch zu wünschen töricht ist, da du sie von dir selbst erlangen kannst. Nicht zum Himmel braucht man die Hände zu erheben, nicht den Tempelhüter anzuflehen, daß er uns, als könnten wir so mehr erhört werden, zum Ohre des Götterbildes hintreten lasse: die Gottheit ist dir nahe, sie ist bei dir, sie ist in dir. Ja, mein Lucilius, das behaupte ich: es wohnt in uns ein heiliger Geist, ein Beobachter und Wächter alles Guten und Bösen an uns. Dieser behandelt uns so, wie wir ihn behandelt haben. Niemand aber ist ein guter Mensch ohne Gott. Oder kann sich jemand anders, als von ihm unterstützt, über das Glück erheben? Er verleiht große und erhabene Entschließungen. In einem jeden tugendhaften Manne wohnet ein Gott, doch welcher, ist ungewiß.

Wenn du einen Mann siehst, unerschrocken in Gefahren, unberührt von Leidenschaften, im Unglück glücklich, in Stürmen ruhig, die Menschen hier unter sich, die Götter aber neben sich erblickend: wird dich nicht Verehrung gegen ihn ergreifen? Wirst du nicht sagen: Ein solches Wesen ist größer und höher, als daß es dem armseligen Körper, in dem es wohnt, ähnlich sein könnte. Eine göttliche Kraft waltet in ihm. Diese erhabene, sich stets gleich bleibende Seele, die alles Irdische als zu klein für sie übersieht und alles, was wir fürchten und wünschen, verlacht, bewegt eine himmlische Macht. Eine solche Größe kann ohne Mitwirkung der Gottheit nicht bestehen; daher ist sie ihrem größeren Teile nach dort, von wo sie herabgestiegen ist. Wie die Strahlen der Sonne zwar die Erde treffen, aber dort sind, von wo sie entsendet werden: so ist eine große und heilige und zu dem Zwecke herabgesandte Seele, daß wir das Göttliche näher erkennen, zwar in Verkehr mit uns, wurzelt aber unzertrennlich an ihrem Ursprung; von dort hängt sie ab, dorthin blickt, dorthin strebt sie; in unser Treiben mischt sie sich nur wie ein höheres Wesen. Welche Seele also ist dies? Eine

solche, die nur durch Güter glänzt, die ihr eigen sind. Denn
was ist törichter, als an einem Menschen zu loben, was nicht
sein eigen ist? Wer ist unsinniger als der, welcher bewundert, was augenblicklich auf einen andern übergehen kann?
Goldene Zügel machen ein Roß nicht besser. Anders tritt im
Zirkus ein Löwe mit goldgeschmückter Mähne auf, der so
lange ermüdet wird, bis er sich streicheln und seinen Schmuck
geduldig anlegen läßt, anders ein ungeschmückter von un-
gebrochenem Mute. Dieser nämlich, voll feurigen Ungestüms,
wie die Natur ihn wollte, schauerlich-schön, dessen Schmuck
ist, daß man ihn nicht ohne Angst ansehen kann, wird jenem
ermatteten und mit Goldflitter behangenen weit vorgezogen.
Jeder soll sich nur des Seinigen rühmen. Wir loben die Rebe,
wenn sie die Schößlinge mit Früchten belastet, wenn ihr eigenes Gewicht sie samt der Stütze zu Boden zieht. Wird ihr
wohl jemand eine Rebe vorziehen, an welcher goldene Trau-
ben, goldene Blätter hängen? Die ihm eigene Tugend ist beim
Weinstock die Fruchtbarkeit: auch am Menschen ist nur das
zu loben, was sein eigen ist. Er hat eine schmucke Dienerschaft, ein schönes Haus, er besäet weite Äcker und leiht
große Summen aus; aber nichts von diesem ist *in* ihm, sondern alles nur *um* ihn. Lobe an ihm, was ihm weder entrissen, noch gegeben werden kann, was des Menschen wahres
Eigentum ist. Was das sei? fragst du. Sein Geist und die im
Geiste vollkommen ausgebildete Vernunft. Denn der Mensch
ist ein mit Vernunft begabtes Wesen, und dieser Vorzug
desselben wird vollkommen, wenn er den Zweck erfüllt,
wozu er geboren wird. Was aber fordert diese Vernunft von
ihm? Das Leichteste von der Welt: seiner Natur gemäß zu
leben. Doch dies macht eben die allgemeine Narrheit schwer;
wir stoßen einander gegenseitig in Fehler hinein. Wie aber
können die zum Heile zurückgeführt werden, die niemand
aufhält, die Menge aber forttreibt?

Die Weisheit verleiht den wahren Adel

Abermals machst du dich klein gegen mich und sagst, erst habe ich die Natur, dann das Glück mißgünstiger behandelt, während du dich doch dem großen Haufen zu entziehen und zu der höchsten Glücksstufe der Menschen emporzuklimmen vermagst. Ist irgend etwas Gutes an der Philosophie, so ist es das, daß sie auf keinen Stammbaum sieht. Alle Menschen stammen, wenn wir auf den ersten Ursprung zurückgehen, von den Göttern her. Du bist römischer Ritter, und zu diesem Range hat deine Tätigkeit dich erhoben; aber beim Himmel! Sehr vielen sind jene vierzehn Sitzreihen [1] verschlossen, nicht alle läßt die Kurie [2] zu; selbst das Feldlager ist heikel in der Wahl derjenigen, die es zu Mühsalen und Gefahren aufnimmt — aber ein edler Sinn steht allen offen; dazu sind wir alle von Adel. Die Philosophie weist niemanden zurück, wählt niemanden aus; sie leuchtet allen. Sokrates war kein Patrizier; Kleanthes schleppte Wasser und verdingte seine Arme zum Bewässern eines Gartens; den Plato empfing nicht die Philosophie als einen Adeligen, sie machte ihn dazu. Welchen Grund hast du, zu verzweifeln, diesen gleich werden zu können? Diese alle sind deine Ahnen, wenn du dich ihrer würdig zeigst; du wirst dies aber, wenn du dich vor allem überzeugst, daß du an Adel von niemanden übertroffen wirst. Wir alle haben gleich viel Ahnen vor uns, der Ursprung eines jeden von uns liegt über alle Erinnerung hinaus. Plato sagt, es gebe keinen König, der nicht von Sklaven, keinen Sklaven, der nicht von Königen abstamme. Das alles hat ein langer Wechsel vermischt und das Schicksal zu unterst und oberst gekehrt. Wer also ist ein Edelgeborener? Der von der Natur zur Tugend wohl Ausgerüstete. Nur hierauf hat man zu schauen; im übrigen stammt, wenn man sich aufs Alter beruft, niemand aus einer Zeit her, vor welcher nichts war. Vom ersten Anfang der Welt ist uns bis auf diesen Tag eine abwechselnde Reihe von Vornehmen und

[1] Die im Theater bloß für die Ritter bestimmt waren.
[2] Der Versammlungsort des Senats; also – nicht alle sind Senatoren.

Niedrigen vorangegangen. Nicht ein mit verräucherten Ahnenbildern gefüllter Vorsaal macht zum Adeligen; niemand hat für unsern Ruhm gelebt, und was vor uns war, ist nicht unser Eigentum. Die Gesinnung adelt den, dem es vergönnt ist, sich aus jedem Stande über das Glück zu erheben. Denke dich daher nicht als einen römischen Ritter, sondern als einen Freigelassenen, und du kannst es erreichen, daß du der einzige Freie unter den Freigeborenen bist. Wie? fragst du. Wenn du Böses und Gutes nicht nach dem Vorgang der Menge unterscheidest. Man muß nicht darauf sehen, woher die Dinge kommen, sondern wohin sie gehen. Gibt es etwas, was das Leben glücklich machen kann, so ist dies mit vollem Rechte ein Gut; denn es kann nicht ins Schlechte ausarten. Was ist es also, worin man irrt, da doch alle ein glückliches Leben wünschen? Daß man die Mittel dazu für das glückliche Leben selbst hält und dieses, während man ihm nachstrebt, flieht. Denn während eine vollständige Sorglosigkeit und eine unerschütterliche Zuversicht das Wesentlichste eines glücklichen Lebens sind, sammelt man sich Veranlassungen zur Bekümmernis und trägt nicht nur, sondern schleppt seine Last auf der von Ränken umlagerten Straße des Lebens dahin. So entfernt man sich immer mehr von der Erreichung dessen, was man wünscht, und je mehr Mühe man anwendet, desto mehr hindert man sich und kommt rückwärts. Dasselbe begegnet den in einem Irrgange schnell vorwärts Eilenden; ihre Hast selbst verwirrt sie.

Behandle die Sklaven menschlich

Gern höre ich von denen, die von dir kommen, daß du mit deinen Sklaven freundlich bist. Das erwarte ich nicht anders von deiner Einsicht, deiner Bildung. Es sind Sklaven? nein: Menschen. Sklaven? nein: Hausgenossen. Sklaven? nein, vielmehr Freunde niederen Standes. Sklaven? nein: unsere Mitsklaven, wenn wir bedenken, daß dem Schicksal beide durchaus gleich gegenüber stehen. Ich will mich nicht in einen so überaus umfänglichen Gegenstand einlassen und von der Behandlung der Sklaven sprechen, die wir so hochmütig, so grausam und schimpflich behandeln. Das jedoch ist der Hauptinhalt meiner Vorschriften: Gehe so mit dem Niederen um, wie du wünschest, daß der Höhere mit dir umgehe.

Wie der ein Tor ist, der, wenn er ein Pferd kaufen will, nicht dies selbst besieht, sondern nur die Reitdecke und das Riemenzeug, so ist derjenige der allergrößte Tor, der den Menschen nach seinem Kleide schätzt oder nach seinem Stande, der uns gleich einem Kleide umgibt. Er ist ein Sklave: aber vielleicht im Geiste ein freier Mensch! Er ist ein Sklave: was kann ihm das schaden? Zeige mir einen, der es nicht ist: der eine ist Sklave der Wollust, ein anderer Sklave der Habsucht, ein Dritter Sklave des Ehrgeizes, alle sind Sklaven der Furcht. Und schimpflicher ist doch keine Sklaverei als eine freiwillige.

Erkenne dich selbst, um dich bessern zu können

Du weißt, daß Harpaste, die blödsinnige Sklavin meiner Frau, als lästiges Erbstück in meinem Hause zurückgeblieben ist; denn ich selbst bin solchen Mißgeburten sehr abgeneigt. Will ich mich einmal an einem Narren belustigen, so brauche ich nicht weit zu suchen: ich lache über mich selbst. Diese Blödsinnige nun hat plötzlich das Gesicht verloren. Ich erzähle dir eine unglaubliche Sache, und dennoch ist sie wahr. Sie weiß nicht, daß sie blind ist, und bittet einmal ums andre ihren Aufseher, daß er mit ihr ausziehen möge: das Haus, sagt sie, sei finster. Möge es dir klarwerden, daß, was wir an jener belachen, uns allen begegnet. Niemand weiß, daß er geizig, daß der leidenschaftlich ist. Die Blinden suchen doch wenigstens einen Führer, wir aber irren ohne Führer herum und sagen: »Ehrsüchtig bin ich nicht, aber es kann einmal niemand in Rom anders leben; den Aufwand liebe ich nicht, aber schon die Stadt selbst verlangt große Ausgaben; es ist nicht meine Schuld, daß ich jähzornig bin, daß ich mir noch keine fest geregelte Lebensweise angeeignet habe: das macht die Jugend.« Warum betrügen wir uns selbst? Nicht außer uns ist unser Gebrechen; es ist in uns, es haftet in unseren Eingeweiden. Und deswegen gelangen wir schwer zur Genesung, weil wir nicht wissen, daß wir krank sind. Fingen wir auch an, uns heilen zu lassen, wann endlich würden wir so viele Krankheiten oder so große Leiden zerteilend beseitigen? Nun aber suchen wir nicht einmal einen Arzt, der weit weniger Mühe haben würde, wenn er bei noch frischem Schaden herbeigezogen würde: die noch zarten und unerfahrenen Herzen würden dem, der ihnen den rechten Weg zeigte, willig folgen. Niemand läßt sich schwerer zur Natur zurückführen, als wer von ihr abfiel. Wir erröten, Vernunft erst zu erlernen; aber wahrhaftig, wenn es schimpflich ist, einen Lehrer dafür zu suchen, so gebe man nur auch die Hoffnung auf, ein so großes Gut könne uns durch ein Ungefähr zufließen. Nein, wir müssen arbeiten; und um die Wahrheit zu sagen, die Arbeit ist nicht einmal sehr groß, wenn wir nur, wie ich schon sagte, mit der Bildung und Besserung unseres Gemüts anfangen, ehe seine Verkehrtheit sich verhärtet hat. Doch auch an der verhärteten verzweifle ich nicht: es gibt nichts, was nicht beharrlicher Fleiß, aufmerksame und gewissenhafte Sorgfalt überwinden könnte. Baumstämme, wenn auch noch so sehr gekrümmt, kann man wieder gerade machen; gebogene Balken dehnt die Wärme aus, und ganz anders gewachsen, werden sie zu dem umgeformt, was unser Bedürfnis erheischt. Um wieviel leichter nimmt unsere biegsame, jede Flüssigkeit an Nachgiebigkeit übertreffende Seele eine Form an! Denn was ist die Seele anders als ein eigentümlich beschaffener Äther? Du siehst aber, daß der Äther um so leichter ist als jeder andere Stoff, je feiner er ist. Der Umstand aber, daß die Bösartigkeit uns schon in Händen hat, schon lange im Besitz unserer Person ist, darf dich, mein Lucilius, nicht hindern, gute Hoffnungen von uns zu fassen. Niemandem kommt die gute Gesinnung eher als die schlechte: wir alle sind im voraus von letzterer eingenommen. Tugenden lernen heißt Fehler verlernen. Doch mit um so größerem Mute müssen wir zur Besserung unserer selbst schreiten, weil der Besitz des uns einmal zuteil gewordenen Guten ein beständiger ist. Die Tugend wird nicht verlernt. Denn das widerstrebende Böse wurzelt auf fremdem Boden und kann daher vertrieben und ausgerottet werden; aber fest sitzt, was die ihm entsprechende Stelle gefunden hat. Die Tugend ist der Natur entsprechend: das Laster ist ihr widerstrebend und feindlich. Doch, wie einmal aufgenommene Tugenden nicht wieder ausziehen können und ihre Bewahrung leicht ist, so ist der erste Weg zu ihnen steil, weil die erste Regung des schwachen und schwankenden Herzens die ist, daß es vor dem noch Unversuchten zurückschreckt. Man muß es daher zwingen, daß es beginne. Dann ist die Arznei nicht herbe; denn sie schmeckt sofort gut, wenn sie heilt. An andern Heilmitteln findet man erst nach erlangter Gesundheit Gefallen; die Philosophie ist heilsam und süß zugleich.

Über die Trauer

Ein Jahr haben unsere Vorfahren den Frauen zur Trauer festgesetzt, nicht damit sie solange, sondern damit sie nicht länger trauerten; für die Männer gibt es keine gesetzmäßige Trauerzeit, weil keine ihrer würdig ist. Jedoch auch von jenen Weiberchen, die kaum vom Scheiterhaufen wegzuziehen, kaum vom Leichname loszureißen waren, welche kannst du mir nennen, deren Tränen einen ganzen Monat lang flossen? Nichts wird schneller verhaßt als der Gram, der, solange er neu ist, einen Tröster findet und manchen anzieht, aber, ist er veraltet, verlacht wird, und das nicht mit Unrecht; denn er ist entweder erheuchelt oder töricht. Dies schreibe ich dir, der ich meinen teuersten Annäus Serenus [1] so unmäßig beweint habe, daß ich ganz gegen meinen Willen zu den Beispielen

[1] Ein Präfekt der Leibwache des Kaisers Nero und vertrauter Freund Senecas, derselbe, dem er seine Schrift von der Gemütsruhe widmete.

derer gehöre, die der Schmerz überwältigt hat. Jetzt aber
verurteile ich mein Benehmen und weiß nun, daß der Haupt-
grund meiner Trauer der war, daß ich nie daran gedacht
hatte, daß er vor mir sterben könne. Nur das eine kam mir
in den Sinn, daß er jünger, und zwar viel jünger sei als ich;
als ob das Verhängnis eine Ordnung beobachtete! Daher
wollen wir beständig sowohl an unsere eigene, als an die
Sterblichkeit aller derer denken, die wir lieben. Damals hätte
ich zu mir sagen sollen: »Mein Serenus ist jünger als ich;
was kommt darauf an? Er sollte *nach* mir sterben, aber er
kann es auch *vor* mir.« Weil ich es nicht getan, hat das
Schicksal den Unvorbereiteten plötzlich so erschüttert. Jetzt
bedenke ich, daß alles sterblich ist, und zwar nach einem
unbestimmten Gesetze sterblich. Auch heute kann geschehen,
was überhaupt irgend einmal geschehen kann. Laß uns also
bedenken, mein teuerster Lucilius, daß auch wir schnell dahin
kommen werden, wohin der gekommen ist, den wir deshalb
betrauern. Und vielleicht, wenn anders die Sage der Weisen
wahr ist und uns irgendein Ort aufnimmt, ist der, den wir
verloren glauben, uns nur vorausgesandt.

Über Ursache und Materie

Den gestrigen Tag teilte ich mit meiner Krankheit: den
Vormittag nahm sie für sich in Anspruch, am Nachmittage
wich sie mir. Daher versuchte ich zuerst meinen Geist mit
Lesen; hernach, als er dies vertrug, wagte ich es, ihm etwas
mehr zuzumuten oder vielmehr zu gestatten. Ich schrieb
etwas, und zwar mit größerer Anstrengung, als ich sonst
pflege, da ich mit einem schwierigen Stoffe kämpfte und mich
nicht von ihm besiegen lassen wollte; bis einige Freunde
dazwischen kamen, die Gewalt gegen mich brauchten und
mir wie einem unbesonnenen Kranken Einhalt taten. An die
Stelle des Schreibgriffels trat jetzt die mündliche Unterhaltung, aus welcher ich dir den noch streitigen Punkt mitteilen
will. Dich haben wir zum Schiedsrichter bestellt: du hast

mehr Mühe dabei, als du glaubst. Die Sache ist eine drei-
fache. Unsere Stoiker behaupten, wie du weißt, es gebe in
der Natur der Dinge zwei Prinzipien, aus denen alles ent-
stehe: die Ursache und den Stoff. Der Stoff liegt untätig
da, eine zu allem bereite Masse, die aber müßig bleibt, solange sie niemand in Bewegung setzt. Die Ursache aber, d. i.
die Vernunft, gestaltet den Stoff, dreht und wendet ihn, wie
sie will, und bringt aus ihm mannigfaltige Werke hervor.
Es muß also erst etwas da sein, *woraus* ein Ding wird, sodann etwas, *wodurch* es wird; dieses ist die *Ursache*, jenes
der *Stoff*. Alle Kunst ist Nachahmung der Natur; was ich
also vom Weltganzen sagte, trage ich über auf das, was der
Mensch zu schaffen hat. Die Bildsäule hat einen Stoff, der
sich vom Künstler behandeln ließ, und einen Künstler, welcher dem Stoffe eine Gestalt gab. So war also bei der Bildsäule das Erz der Stoff, der Künstler die Ursache. Ebenso
verhält es sich mit allen andern Dingen: sie bestehen aus
dem, was wird, und aus dem, was wirkt. Die Stoiker nehmen
an, daß es nur *eine* Ursache gebe: das Wirkende; Aristoteles
aber glaubt, man spreche von der Ursache in dreifachem
Sinne. Die erste, sagt er, ist der Stoff selbst, ohne welchen
nichts hervorgebracht werden kann, die zweite der Meister,
die dritte die Form, die jedem Werke, wie einer Bildsäule,
gegeben wird. Denn diese nennt Aristoteles das *Eidos*. Dazu
aber, meint er, kommt noch eine vierte, der Zweck des ganzen Werkes. Was dies bedeuten soll, will ich jetzt auseinandersetzen. Das Erz ist die erste Ursache der Bildsäule; denn
nie wäre sie entstanden, wenn nicht das vorhanden gewesen
wäre, woraus sie gegossen oder geformt wurde. Die zweite
Ursache ist der Künstler: denn jenes Erz hätte nicht zur Gestalt einer Bildsäule geformt werden können, wenn nicht
kunsterfahrene Hände hinzugekommen wären. Die dritte
Ursache ist die Form; denn jene Bildsäule würde nicht der
Doryphoros oder *Diadumenos* heißen, wenn ihr nicht diese
Gestalt gegeben worden wäre. Die vierte Ursache ist der
Zweck ihrer Verfertigung, denn wäre kein solcher vorhan-
den gewesen, so wäre sie eben nicht verfertigt worden. Was

ist denn nun der Zweck? Was den Künstler zur Verfertigung
einlud, was er bei derselben beabsichtigte. Das aber ist entweder das Geld, wenn er für den Verkauf arbeitete, oder der
Ruhm, wenn er nach einem Namen dabei rang, oder Gottes-
furcht, wenn er ein Geschenk für einen Tempel schuf. Also
auch dies ist eine Ursache, um dessentwillen etwas geschieht.
Oder meinst du nicht, daß unter die Ursachen eines geschaf-
fenen Werkes auch das zu rechnen ist, ohne welches es nicht
entstanden wäre? Plato fügt diesem noch eine fünfte Ursache
bei, das Urbild, das er selbst die *Idee* nennt; sie ist nämlich
das, worauf hinblickend der Künstler das beabsichtigte Werk
verfertigte. Es kommt aber nicht darauf an, ob er dieses
Urbild, worauf er seine Blicke richtet, *außerhalb* hat, oder *in
sich*, wo er es sich selbst geschaffen und aufgestellt hat. Diese
Urbilder aller Dinge hat die Gottheit in sich, sie umfaßt mit
dem Geiste die Zahl und das Maß aller zu schaffenden Gegenstände, sie ist voll jener Formen, welche Plato die unsterblichen, unveränderlichen, unerschöpflichen Ideen nennt.
So vergehen zwar die Menschen; aber die Menschheit selbst,
nach welcher der einzelne Mensch geschaffen wird, dauert
fort, und indem die Menschen kämpfen und untergehen, er-
leidet sie nichts. So gibt es also, wie Plato sagt, fünf Ursachen, das, *woraus*, das, *wodurch*, das, *wozu*, das, *wonach*,
und das, *weswegen* etwas gebildet wird; dazu kommt endlich noch das, was aus allen diesen Ursachen entsteht. So ist
an der Bildsäule (weil ich einmal von dieser zu sprechen begonnen habe) das »*woraus*« das Metall, das »*wodurch*« der
Künstler, das »*wozu*« die Form, die jener gegeben wird, das
»*wonach*« das Urbild, welches der Künstler nachahmt, das
»*weswegen*« der Zweck des Verfertigers; was aus diesem
allem entsteht, ist die Bildsäule selbst. Alles dies hat, wie
Plato sagt, auch die Welt: einen Werkmeister, dieser ist Gott;
etwas, woraus sie wird, dies ist der Stoff; eine Form, dies ist
die Gestaltung und Einrichtung der Welt, die wir vor uns
sehen; ein Urbild, wonach nämlich Gott dies große, präch-
tige Werk erschuf, einen Zweck, um dessentwillen er es erschuf. Du fragst, was der Zweck Gottes sei? Das Gute. So

wenigstens spricht Plato: »Welche Ursache hatte Gott, die
Welt zu schaffen? Er ist gut: bei einem Guten aber findet sich
kein Neid wegen irgendeines Gutes. Daher schuf er die Welt
so gut, als er's vermochte.« Fälle also nun als Schiedsrichter
dein Urteil und sage, wer dir das Wahrscheinlichste zu lehren
scheine, nicht, wer das Wahrste lehre; denn dieses steht so
hoch über uns wie die Wahrheit selbst. Jener Haufe von Ursachen, den Plato und Aristoteles aufstellen, enthält entweder zuviel oder zuwenig. Denn wenn sie alles das, ohne
welches eine Sache nicht zustande kommen kann, für eine
Ursache des Schaffens erklären, so haben sie zuwenig gesagt.
Sie mögen dann auch die Zeit unter die Ursachen setzen,
denn nichts kann ohne Zeit geschehen; ebenso den Raum;
denn wenn es nichts gibt, wo etwas geschehen soll, so kann
es überhaupt nicht geschehen; ferner die Bewegung: nichts
entsteht, nichts vergeht ohne sie; ohne Bewegung gibt es
keine Kunst, keine Tätigkeit. Wir aber suchen jetzt eine erste
und allgemeine Ursache; diese muß eine einfache sein, denn
auch der Stoff ist einfach. Fragen wir, welches die Ursache
sei? Die wirkende Vernunft, d. h. Gott. Denn alles, was ihr
da aufgezählt habt, bildet nicht viele und einzelne Ursachen,
sondern hängt von einer einzigen, nämlich von der wirkenden, ab. Die Form, sagst du, sei eine Ursache? Diese gibt der
Künstler dem Werke; sie ist ein Teil der Ursache, nicht die
Ursache selbst. Auch das Urbild ist nicht die Ursache, sondern
ein der Ursache nötiges Werkzeug. Es ist dem Künstler ebenso nötig wie der Meißel, die Feile; ohne diese kann das
Kunstwerk nicht vorwärtskommen, und doch sind sie nicht
Teile oder Ursachen des Kunstwerks. Auch der Zweck, sagt
er, um dessentwillen der Künstler zu einer Arbeit schreitet, ist
eine Ursache. Mag es eine Ursache sein; es ist wenigstens
nicht die wirkende, sondern eine Nebenursache. Diese aber
sind unzählig: wir fragen nach der allgemeinsten. Wenn sie
aber die ganze Welt und das vollendete Werk selbst eine
Ursache nennen, so sprechen sie nicht mit ihrer gewohnten
Genauigkeit; denn ein großer Unterschied ist zwischen dem
Werke und der Ursache des Werkes. Hierüber gib entweder

dein Urteil ab, oder — was in solchen Dingen das Leichtere
ist — erkläre, die Sache sei dir noch nicht klar, und heiß
mich ein andres Mal wiederkommen. Du fragst: »Was macht
es dir für Freude, deine Zeit mit Dingen hinzubringen, die
dir keine Leidenschaft entreißen, keine Begierde verbannen?«
Ich beachte und betreibe allerdings zuerst das, wodurch mein
Geist zur Ruhe kommt, und erforsche zuerst mich selbst.
sodann diese Welt; aber selbst jetzt vergeude ich meine Zeit
nicht, wie du meinst. Denn werden nur alle diese Untersuchungen nicht ins Kleinste und zu jenen unnützen Spitz-
findigkeiten ausgedehnt, so erheben und erleichtern sie den
Geist, der, von seiner schweren Bürde gedrückt, sich loszu-
machen und zu den Wesen zurückzukehren strebt, zu denen
er einst gehörte. Dieser Körper nämlich ist eine Last und
Strafe für die Seele; unter seinem Druck ist sie bedrängt und
in Banden, wenn nicht die Philosophie hinzutritt, sie an dem
Schauspiel der Natur sich erholen heißt und vom Irdischen
zum Göttlichen emporhebt. Dies ist ihre Freiheit, dies ist ihre
Erlösung; sie entzieht sich zuweilen der Haft, in der sie gehalten wird, und stärkt sich durch das Himmlische. So wie
Künstler nach Betrachtung irgendeines feineren Gegenstandes, welche die Augen durch Anstrengung ermüdet, besonders wenn sie dabei ungünstiges und spärliches Licht haben,
ins Freie gehen und an irgendeinem der Erholung des Volks
gewidmeten Orte ihre Augen am vollen Lichte erquicken: so
sucht auch unser in diese traurige und finstere Behausung
eingeschlossener Geist, so oft er kann, das Freie und ruht aus
bei der Beschauung der Natur. Der Weise und der Jünger der
Weisheit ist zwar an seinen Körper gefesselt, allein mit
seinem bessern Teile ist er fern von ihm und richtet seine
Gedanken auf das Höhere. Gleichsam durch einen Fahneneid
gebunden, hält er dieses Leben für einen Kriegsdienst und ist
in einer solchen Verfassung, daß er weder Liebe noch Haß
gegen das Leben hegt und das Menschliche sich gefallen läßt,
obgleich er weiß, daß noch Höheres vorhanden sei. Du unter-
sagst mir die Betrachtung der Natur, ziehst mich von dem
Ganzen ab und beschränkst mich auf den Teil? Ich soll nicht

fragen, was der Anfang des Weltalls, wer der Bildner der Dinge sei, wer alles in eine einzige träge Masse Verschmolzene und Zusammengehäufte gesondert habe? Ich soll nicht fragen, wer der kunstreiche Werkmeister dieser Welt sei, auf welche Weise dies so ungeheure Ganze zu Gesetz und Ordnung kam, wer das Zerstreute gesammelt, das Vermischte gesondert, dem in *einer* ungestalteten Masse Verborgenen unterscheidende Formen verliehen hat; woher dieser Strom von Licht sich ergießt? ob es Feuer oder etwas noch Helleres als Feuer ist? Nach dem allen soll ich nicht fragen? Soll nicht wissen, woher ich selbst gekommen bin? Ob ich diese Welt nur einmal erblicken oder öfter geboren werden soll? Wohin ich von hier gehen werde, welcher Aufenthaltsort meine Seele erwartet, wenn sie von den Gesetzen der menschlichen Knechtschaft entbunden ist? Du verbietest mir, im Himmel heimisch zu sein, d. h. du befiehlst mir, gesenkten Hauptes zu leben? Ich bin größer und zu größerem geboren, als um ein Sklave meines Körpers zu sein, den ich nicht anders betrachte, denn als eine meiner Freiheit angelegte Fessel. Daher gebe ich ihn dem Schicksal preis, damit es sich auf ihn beschränke, und lasse keine Wunde durch ihn hindurch bis zu mir selbst dringen. Was an mir einen Schaden nehmen kann, ist nur dieser; in dieser der Gefahr ausgesetzten Behausung wohnt meine Seele frei. Nie soll mich dieses Fleisch zur Furcht, nie zu einer des edeln Mannes unwürdigen Vorstellung verleiten, nie werde ich lügen diesem armseligen Körper zuliebe. Wenn mir's gut dünkt, werde ich die Gemeinschaft mit ihm auflösen, und auch jetzt, solange wir zusammenhängen, werden wir nicht zu gleichem Recht verbunden sein; der Geist wird alles Recht für sich in Anspruch nehmen. Die Verachtung seines Körpers ist für den Menschen die gewisse Freiheit.

Die Tugend

Eine Seele, die das Wahre erkennt, die weiß, was zu fliehen und zu erstreben ist, die den Wert der Dinge nicht nach dem Wahne, sondern nach ihrem wahren Wesen bestimmt, die in das Weltganze eindringt und jedem Teile desselben ihre Betrachtung widmet, aufs Denken wie aufs Handeln gleich bedacht, gleich groß und kräftig, vom Widrigen wie vom Angenehmen gleich unbesiegt, keinem Geschicke sich beugend, über alles erhaben, was ihr begegnet und widerfährt, schön mit Würde, bei aller Kraft besonnen und nüchtern, unbeunruhigt und unverzagt, durch keine Macht gebrochen, durch kein Ereignis gehoben noch niedergedrückt — so ist die *Tugend;* dies wäre ihre Gestalt, wenn sie *einem* Blick sich zeigte und mit einem Male *ganz* sich offenbarte. Allein es gibt viele Formen derselben, die sich nach der Mannigfaltigkeit des Lebens und der Handlungen entfalten, ohne daß sie selbst deshalb kleiner oder größer wird. Denn abnehmen kann ja das größte Gut nicht, noch die Tugend rückwärts gehen; wohl aber ändert sie sich in immer andern Erscheinungen, indem sie sich nach der Beschaffenheit der Gegenstände ihre Wirksamkeit gestaltet. Was sie immer berührt, führt sie zur Ähnlichkeit mit sich und gibt ihm ihre Farbe; Handlungen, Freundschaften, bisweilen ganze Häuser, die sie betritt und in Ordnung bringt, verschönert sie; was sie immer behandelt, macht sie liebenswürdig, ausgezeichnet, bewundernswert.

Von der Tugend, als dem höchsten Gute

Du fragst mich zuweilen über einzelnes um Rat, ohne daran zu denken, daß ein weites Meer uns trennt. Da nun ein guter Teil des Rates auf der rechten Zeit beruht, so muß es geschehen, daß meine Ansicht über manche Dinge erst dann zu dir gelangt, wenn schon die entgegengesetzte besser ist. Denn unsere Ratschläge richten sich nach den Umständen: unsere Umstände aber wechseln, ja verkehren sich. Der Rat muß also mit dem Tage kommen, und fast dies ist schon zu spät, er muß vielmehr, wie man zu sagen pflegt, uns unter den Händen entstehen. Wie er aber zu finden ist, will ich dir zeigen. So oft du zu wissen wünschest, was du zu fliehen oder zu erstreben hast, so fasse nur das höchste Gut und den Zweck des ganzen Lebens ins Auge. Mit diesem muß alles, was wir tun, übereinstimmen. Niemand wird das einzelne richtig ordnen, außer wer sich schon einen höchsten Zweck seines Lebens vorgesetzt hat. Niemand wird, auch wenn er alle Farben in Bereitschaft hat, ein Bild zustande bringen, wenn er nicht schon mit sich einig ist, was er malen will. Deshalb fehlen wir, weil wir alle nur über einzelne Teile des Lebens Betrachtungen anstellen, niemand aber über das Ganze. Wer einen Pfeil absenden will, muß wissen, worauf er zielt, und dann mit der Hand dem Geschosse die Richtung geben. Unsere Ratschläge aber irren, weil sie kein bestimmtes Ziel haben. Für einen, der nicht weiß, nach welchem Hafen er steuern will, gibt es keinen günstigen Wind. Es ist natürlich, daß der Zufall viel in unserem Leben vermag, weil wir so sehr nach dem Zufalle leben. Manche aber wissen nicht, daß sie etwas wissen. Wie wir oft Leute suchen, neben denen wir stehen, so wissen wir meistens nicht, daß das höchste Gut als Zweck neben uns steht. Es bedarf keiner wortreichen und weitläufigen Untersuchung, um zu erfahren, was das höchste Gut sei; ich brauche sozusagen nur mit dem Finger darauf hinzuzeigen, ohne mich in Einzelheiten zu verlieren. Denn was kommt darauf an, es in Teilchen zu zerlegen, da man ganz einfach sagen kann: das höchste Gut ist das Sittlichgute? Ja, worüber du dich noch mehr wundern wirst: das einzige Gut ist das Sittlichgute; die übrigen sind falsche und unechte Güter. Wenn du dich davon überzeugst und die Tugend innig liebgewonnen hast (denn sie einfach zu lieben, ist zu wenig), so wird alles, was dich durch sie trifft, wie es auch immer andern erscheinen mag, für dich glücklich und erwünscht sein, selbst die Folter zu leiden, wenn du nur mit größerer Seelenruhe auf ihr liegst, als dein

Peiniger selbst hat, und krank zu sein, wenn du dein Schicksal nicht verwünschest und der Krankheit nicht nachgibst.
Kurz alles, was andere für Übel halten, mildert sich und verwandelt sich in Gutes, wenn du erhaben darüber bist. Das
aber sei dir klar, daß es kein Gut gibt als das Sittlichgute,
und alles Ungemach wird mit vollem Recht ein Gut genannt,
wenn nur die Tugend es geadelt hat.

So wenig du das Richtscheit biegen kannst, womit man
das Gerade zu prüfen pflegt — was du an ihm änderst, ist
eine Verletzung der Geradheit —, so wenig läßt die Tugend
eine Biegung zu; sie kann zwar immer mehr gehärtet, aber
nicht gesteigert werden. Sie richtet über alles, nichts über sie.
Wenn sie aber selbst nicht gerade werden kann, so ist auch
von dem, was durch sie geschieht, nicht das eine gerader als
das andere; denn alles muß ihr entsprechen und ist somit
gleich. »Wie?« fragst du, »so ist es also gleich, bei einem
Gastmahle zu liegen oder sich foltern zu lassen?« Das scheint
dir wunderbar? Darüber magst du dich noch mehr wundern,
wenn ich behaupte: bei einem Gastmahle zu liegen, ist ein
Übel, auf der Folterbank gemartert zu werden, ein Gut, wenn
jenes auf schimpfliche, dieses auf tugendhafte Weise geschieht. Nicht die Sache selbst, sondern die Tugend macht
jene Dinge zu Gütern oder Übeln; wo diese erscheint, hat
alles gleiche Größe, gleichen Wert. Da streckt drohend seine
Hand nach meinen Augen aus, wer die Gesinnung aller nach
seiner eigenen beurteilt, weil ich behaupte, die Güter des
Mannes, der sein Unglück standhaft erträgt, und dessen, der
sein Glück würdig beurteilt, seien gleich, weil ich behaupte,
gleich seien die Güter dessen, der einen Triumph hält, und
dessen, der ungebeugten Geistes vor dem Wagen des Trium-
phierenden hergeht. Solche Leute glauben nämlich, niemals
geschehe, was *sie* nicht zu tun vermögen; nach ihrer eigenen
Schwäche urteilen sie über die Tugend. Was wunderst du
dich, wenn es einem beliebt, ja bisweilen sogar gefällt, sich
brennen, verwunden, fesseln, töten zu lassen? Dem Schwel-
ger ist schon Mäßigkeit eine Strafe, dem Faulen gilt Arbeit
der Todesstrafe gleich, dem Verzärtelten gilt Tätigkeit für

Elend, dem Trägen das Studieren für eine Marter; ebenso
halten wir das, wozu wir alle schwach sind, für hart und
unerträglich, indem wir vergessen, für wie viele es schon eine
Folter ist, den Wein zu entbehren oder bei Sonnenaufgang
geweckt zu werden. Dergleichen Dinge sind nicht von Natur
schwer, wir aber sind schlaff und entnervt. Großes muß auch
mit großem Geiste beurteilt werden; sonst wird der Fehler,
welcher der unsrige ist, als Fehler jener Dinge erscheinen. So
gewähren die geradesten Gegenstände, wenn sie ins Wasser
gesteckt sind, den Blicken den Schein des Krummen und Ge-
knickten. Es kommt also nicht bloß darauf an, was man sieht,
sondern wie man es sieht: unser Geist ist zu blödsichtig, um
das Wahre zu durchschauen. Denke dir einen unverdorbenen
Jüngling von gewecktem Geiste: er wird sagen, daß ihm der
Mann glücklicher erscheine, der alle Lasten widriger Verhältnisse mit starkem Nacken erträgt und über sein Schicksal
erhaben steht. Es ist nichts Wunderbares, bei völliger Ruhe
nicht erschüttert zu werden; das aber bewundere, wenn einer
sich aufrichtet, wo alle niedergeschlagen sind, wenn er steht,
wo alle zu Boden liegen. Was ist denn das Üble bei Folter-
qualen und bei allem andern, was wir widrig nennen? Das,
glaube ich, daß der Geist davon gelähmt, gebeugt, überwältigt wird; wovon aber einem weisen Manne nichts begegnen
kann. Er steht aufrecht unter jeder schweren Last; nichts
macht ihn kleiner, nichts von allem, was zu ertragen ist, mißfällt ihm. Denn er beklagt sich nicht, daß ihn betroffen hat,
was irgend den Menschen treffen kann. Er kennt seine Kräfte
und weiß, daß er eine Last zu tragen imstande ist. Ich nehme
den Weisen nicht aus der Zahl der Menschen heraus und
behaupte nicht, daß er keinen Schmerz empfinde wie ein
keiner Empfindung zugänglicher Felsen; es ist mir bewußt,
daß er aus zwei Teilen zusammengesetzt ist: der eine ist ver-
nunftlos, dieser wird gebissen, gebrannt, empfindet Schmerz;
der andere ist vernünftig, dieser hat unerschütterliche Ansichten, ist unerschrocken und unbezwinglich. In diesem
wohnt jenes höchste Gut des Menschen; ehe es vollständig
ist, herrscht noch ein unsicheres Schwanken der Gesinnung;

ist es aber zur Vollendung gelangt, so besitzt er eine unerschütterliche Festigkeit. Daher hat ein erst beginnender und
noch im Fortschreiten zu dem Höchsten begriffener Verehrer
der Tugend, wenn er auch dem höchsten Gute bereits nahe
gekommen ist, doch noch nicht die letzte Hand an dasselbe
gelegt; er wird bisweilen stillstehen und in der Anstrengung
seines Geistes etwas nachlassen; denn er ist noch nicht über
das Ungewisse hinausgekommen, er verweilt noch immer auf
schlüpfrigem Boden. Der Glückliche aber und der Mann von
vollendeter Tugend liebt sich dann am meisten, wenn er die
Probe aufs mutigste bestanden hat und das, was andern
furchtbar ist, nicht nur erträgt, sondern willkommen heißt,
wenn es der Preis irgendeiner edlen Pflicht ist, und will lieber
von sich sagen hören: er ist um so viel besser, als: er ist um
so viel glücklicher. Ich komme nun auf das, wozu deine Erwartung mich ruft. Damit es nicht scheine, als schwebe unsere
Tugend außerhalb der Natur der Dinge: der Weise kann
zittern, Schmerz empfinden und erbleichen; denn das alles
sind Empfindungen des Körpers. Wo also ist der Anfang des
Unglücks, wo das wahre Übel? Da ist es vorhanden, wenn
jene Empfindungen den Geist niederziehen, wenn sie ihn
zum Geständnis der Unterwürfigkeit bringen, wenn sie ihn
Reue über sich selbst empfinden lassen. Der Weise aber über-
windet das Schicksal durch Tugend. »Dennoch haben sich
viele Bekenner der Weisheit bisweilen durch die geringfügigsten Drohungen schrecken lassen.« Hier ist der Fehler auf
unserer Seite, da wir dasselbe von einem Anfänger wie von
einem vollendeten Weisen fordern. Ich suche mich noch zur
Befolgung von dem zu überreden, was ich lobe, habe mich
aber noch nicht überredet, und selbst wenn ich mich überredet hätte, würde ich es noch nicht so in Bereitschaft
und eingeübt haben, daß es sich mir für alle Fälle sogleich
darböte. Wie die Wolle manche Farben gleich auf das erste-
mal annimmt, andere aber nicht anders einsaugt, als mehrmals darin eingeweicht und gesotten, so betätigt auch der
Geist einige Lehren, sobald er sie in sich aufgenommen hat,
diese aber leistet nichts von dem, was sie versprochen hat,

wenn sie nicht tief eingedrungen ist, schon lange festsitzt und den Geist nicht bloß oberflächlich gefärbt, sondern mit Farbstoff gesättigt hat. Dies läßt sich schnell und mit wenigen Worten lehren, wenn wir sagen: das einzige Gut sei die Tugend, wenigstens keins ohne die Tugend, die Tugend selbst aber habe ihren Sitz in unserem bessern, d. h. dem vernünftigen Teile. Was wird nun diese Tugend sein? Ein wahres und unveränderliches Urteil; denn aus diesem werden die Regungen des Gemüts kommen, von ihm wird jene Vorstellung, welche die Regung hervorbringt, geklärt. Diesem Urteile wird es entsprechen, alle Dinge, die mit der Tugend in Berührung stehen, für gut und einander gleich zu erklären. Güter des Körpers sind zwar für den Körper gut, aber im ganzen sind sie es nicht. Sie werden zwar einen gewissen Wert haben, aber keine Würde; sie werden in weiten Zwischenräumen voneinander abstehen und einige kleiner, andere größer sein. Wir werden auch zugeben müssen, daß sich unter den Anhängern der Weisheit selbst große Verschiedenheiten finden. Der eine hat es bereits so weit gebracht, daß er die Augen gegen das Schicksal aufzuschlagen wagt, aber nicht ausdauernd, denn sie senken sich, von dem zu großen Glanze geblendet; ein anderer ist schon so weit, daß er ihm offenen Gesichts begegnen kann, wenn er schon auf die höchste Stufe gelangt und voll Selbstvertrauen ist. Das noch Unvollkommene muß notwendig schwanken und bald vorwärtsgehen, bald straucheln und niedersinken. Es wird aber straucheln, wenn es nicht beharrlich fortfährt, weiterzuschreiten und sich zu stemmen. Wer an Eifer und treuem Streben nur etwas nachläßt, muß rückwärts gehen. Niemand findet den Fortschritt da, wo er ihn verlassen hatte. Laß uns daher eifrig sein und beharrlich bleiben! Mehr, als wir schon vollbracht haben, ist noch übrig, aber ein großer Teil des Fortschritts ist es schon, fortschreiten zu wollen. Dessen bin ich mir bewußt; ich will und will von ganzem Herzen. Ich sehe, daß auch du von Eifer erfüllt bist und mit großem Drange dem Besten zueilst. Laß uns denn eilen: so erst wird uns das Leben eine Wohltat sein; sonst ist es ein Verzug,

und zwar ein schimpflicher, wenn wir unter Häßlichem verweilen. Laß uns dahin trachten, daß die ganze Zeit unser sei;
sie wird es aber nicht sein, wenn wir nicht zuvor unser eigen
zu sein begonnen haben. Wann wird es uns so wohl werden,
Glück und Unglück zu verachten? Wann wird es uns so wohl
werden, mit Unterdrückung aller Leidenschaften und Unter-
werfung derselben unter unsern Willen ausrufen zu können:
Ich habe gesiegt? Du fragst: »wen soll ich besiegt haben?«
Nicht die Perser, noch die äußersten Stämme der Meder,
noch was von kriegerischen Völkern jenseits des Kaspischen
Meeres wohnt, sondern die Habsucht, den Ehrgeiz, die Todesfurcht, die selbst über die Besieger der Völker siegt.

Alles wandelt sich

Was ist von der Gefahr einer Umgestaltung ausgenommen? Nicht die Erde, nicht der Himmel, nicht dieses ganze
Weltgebäude, wiewohl es von Gottes Führung geleitet wird.
Nicht immer wird es diesen geregelten Gang behaupten,
irgendein Tag wird es einmal aus dieser Bahn herausstoßen.
Alles geht nach bestimmten Zeiten; es muß entstehen, wachsen, vergehen. Alle die Weltkörper, welche du über dir ihre
Bahn dahinziehen siehst, und auch der, auf welchen wir, wie
auf den festesten Grund, gesetzt und mit dem wir gleichsam
verwachsen sind, alle werden einst zertrümmert werden und
vergehen. Jedes Ding hat sein Greisenalter; bei ungleicher
Dauer führt doch die Natur alles an dasselbe Ziel. Alles,
was ist, wird einst nicht mehr sein, und zwar nicht untergehen, aber aufgelöst werden. Für uns aber ist dieses Auf-
gelöstwerden ein Untergehen. Denn wir richten unsere Blicke
nur auf das Nächste; weiter hinaus blickt unser stumpfsinni-
ger Geist nicht, der sich ganz dem Körper ergeben hat. Sonst
würde er sein und der Seinigen Ende standhafter ertragen,
wenn er hoffte, daß alles in stetem Wechsel von Leben und
Tod sich bewege, daß das Verbundene aufgelöst, das Auf-
gelöste wieder verbunden werde, und daß in diesem Werke

die ewige Kunst der alles ordnenden Gottheit walte. Daher wird er, wie Cato, wenn er die vergangene Zeit an seinem Geiste vorübergehen ließ, sagen: das ganze Menschengeschlecht, sowohl das jetzt, als das künftig lebende, ist zum Tode verurteilt; alle Städte, die irgendwo im Besitz der höchsten Macht und die Zierde großer Reiche sind, werden einst auf verschiedene Weise ihren Untergang finden, und man wird die Stätte suchen, wo sie gestanden haben. Manche wird der Krieg vernichten, andere wird Untätigkeit, ein in träge Ruhe ausartender Friede und ein großer Macht höchst verderblicher Umstand, die Üppigkeit, aufreiben. Alle diese fruchtbaren Fluren wird eine Überschwemmung durch Meeresfluten bedecken oder ein Einsturz des zusammensinkenden Bodens in einen plötzlich entstandenen Abgrund begraben. Warum sollte ich also Unmut und Kummer fühlen, wenn ich um wenige Augenblicke dem allgemeinen Verhängnis vorangehe? Eine große Seele muß der Gottheit gehorchen und alles, was das Gesetz der Weltordnung gebietet, ohne Bedenken sich gefallen lassen. Sie wird entweder zu einem besseren Leben entlassen, um unter göttlichen Wesen in hellerem Lichte und größerer Ruhe zu weilen oder sie wird wenigstens ohne irgendein Ungemach fortdauernd wieder mit der Natur vermischt werden und in das Ganze zurückkehren.

Stufen der sittlichen Vervollkommnung

»Wie aber? Gibt es keine Stufen unterhalb des Glücklichen? Ist gleich unterhalb des Weisen eine unendliche Kluft?« Ich glaube nicht; wer fortschreitet, ist zwar noch unter der Zahl der Törichten, aber dennoch durch einen großen Abstand von ihnen getrennt. Auch unter den Fortschreitenden selbst sind große Unterschiede; sie werden, wie es einigen beliebt, in drei Gattungen geteilt. Die ersten sind die, welche die Weisheit zwar noch nicht besitzen, aber doch schon in ihrer Nähe angelangt sind. Aber was einem Orte nahe ist, ist doch immer noch außer demselben. Du fragst,

wer diese sind? Die schon alle Leidenschaften und Fehler abgelegt, die schon alles gelernt haben, was sie in sich aufzunehmen hatten; aber ihr Selbstvertrauen ist noch nicht erprobt: sie haben ihr Gut noch nicht in der Übung. Dennoch
können sie schon in das, was sie abgelegt haben, nicht wieder
geraten: sie sind schon so weit, daß ein Rückfall unmöglich
ist. Dies aber ist ihnen von selbst noch nicht klar; wie ich
mich erinnere, einmal in einem Briefe gesagt zu haben: »sie
wissen nicht, daß sie wissen.« Es ist ihnen zwar schon das
Glück geworden, ihres Gutes zu genießen, aber noch nicht,
darauf zu bauen. Einige bestimmen diese Gattung von Fortschreitenden, von denen ich bisher gesprochen habe, so, daß
sie sagen, sie wären den Krankheiten der Seele bereits entgangen, aber nicht den Affekten, und ständen noch auf
schlüpfrigem Boden, weil niemand außerhalb der Gefahr der
Schlechtigkeit sei, außer wer sie schon ganz abgelegt habe;
niemand aber hat sie abgelegt, als wer statt ihrer die Weisheit in sich aufgenommen hat. Welcher Unterschied zwischen
Krankheiten der Seele und ihren Affekten sei, habe ich schon
oft gesagt, will es aber auch jetzt in Erinnerung bringen.
Krankheiten sind veraltete und verhärtete Gebrechen, wie
Habsucht und übertriebener Ehrgeiz; haben sie sich einmal
des Gemüts bemächtigt, so haben sie auch angefangen, beständige Übel desselben zu sein. Um es kurz zu bezeichnen:
Krankheit ist ein in der verkehrten Ansicht beharrendes Urteil, als ob sehr begehrenswert sei, was nur wenig begehrenswert ist; oder wir wollen sie, wenn du lieber willst, so bestimmen: ein zu großes Streben nach wenig oder überhaupt
gar nicht begehrenswerten Dingen, oder auch: Wertschät-
zung von Dingen, die nur wenig oder gar keinen Wert haben.
Affekte sind verwerfliche, plötzliche und heftige Bewegungen des Gemüts, die, häufig eintretend und vernachlässigt,
eine Krankheit erzeugen; wie ein einziger Katarrh, der, noch
nicht stehend geworden, einen Husten erzeugt, ein anhalten-
der und veralteter aber die Schwindsucht. Daher sind die
am weitesten Fortgeschrittenen von Krankheiten frei, Affekte
aber empfinden auch die der Vollendung ganz nahe Stehen-

den. Die zweite Gattung besteht aus denen, die zwar die
größten Übel und Affekte des Gemüts abgelegt haben, jedoch
nur so, daß sie noch nicht im sichern Besitz der Sorglosigkeit
hinsichtlich ihrer selbst sind: denn sie können noch in den
früheren Zustand zurück verfallen. Die dritte Gattung ist
frei von vielen und großen Gebrechen, aber nicht von allen;
sie hat sich z. B. der Habsucht entäußert, fühlt aber den
Zorn; sie wird nicht mehr von der Wollust angefochten,
wohl aber noch vom Ehrgeiz; sie begehrt nichts mehr leidenschaftlich, aber sie fürchtet noch, und bei dieser Furcht selbst
ist sie zwar gegen einiges fest genug, schwach aber gegen
anderes; sie verachtet den Tod, und doch graust ihr vor dem
Schmerze. Über diesen Punkt laß uns etwas weiter nachdenken. Es steht wohl um uns, wenn wir auch nur in diese
Zahl aufgenommen werden. Bei sehr glücklicher Natur-
anlage, bei großem, anhaltendem und angestrengtem Eifer
wird auch die zweite Stufe erreicht; doch auch schon jene
dritte Klasse ist nicht zu verachten. Bedenke, wie viel Böses
du um dich her erblickst, siehe, wie kein Frevel ohne Beispiel
ist, welche Fortschritte das Verderbnis täglich macht, wie
viel im öffentlichen und Privatleben gesündigt wird, und du
wirst einsehen, daß wir schon genug erreichen, wenn wir
nicht zu den Schlechtesten gehören. »Ich aber«, sagst du,
hoffe es auch zu einem höheren Grade zu bringen.« Ich
wünsche uns dies mehr, als ich es versprechen möchte.
Wir sind zum voraus in Beschlag genommen: wir ringen
nach der Tugend, rings von Lastern umstrickt; ich schäme
mich, es zu sagen, wir pflegen das Sittlichgute nur, wenn wir
gerade Zeit übrig haben. Aber welch ein herrlicher Lohn
erwartet uns, wenn wir uns von unsern Geschäften und
den so fest haftenden Übeln losreißen! Nicht Begierde, nicht
Furcht wird uns dann berühren; unangefochten von Schrecknissen, unverdorben von Lüsten, werden wir weder vor dem
Tode, noch vor den Göttern erbeben, wir werden erkennen,
daß der Tod kein Übel ist und die Götter nicht böse sind.
Ebenso schwach ist das, was schadet, als der, der Schaden
leidet; das Beste hat keine schadende Kraft. Uns erwartet,

sind wir einmal aus diesem Schlamme heraus auf jene erhabene Höhe gelangt, Seelenruhe und nach Verbannung aller Irrtümer vollkommene Freiheit. Welche dies sei? fragst du. Sich nicht zu fürchten, weder vor Menschen, noch vor Göttern, weder Schimpfliches, noch Unmäßiges zu wollen, über sich selbst die vollkommenste Gewalt zu haben. Ein unschätzbares Gut ist es, sein eigener Herr zu sein.

Standhaftigkeit in Krankheit

Jede Krankheit läßt sich geduldig ertragen, wenn man das Äußerste, was sie droht, verachtet. Mache dir deine Leiden nicht selbst noch schwerer und belaste dich nicht mit Klagen. Leicht ist der Schmerz, wenn die Einbildung ihn nicht vergrößert; wenn du vielmehr anfängst, dich zu ermuntern und zu sagen: »Es ist nichts«, oder wenigstens: »Es ist unbedeutend, ich will aushalten«, so wird er sogleich aufhören. Du wirst ihn leicht machen, wenn du ihn dafür hältst. Alles hängt von der Einbildung ab: nicht bloß der Ehrgeiz, die Üppigkeit und die Habsucht richten sich nach ihr, wir leiden auch Schmerzen nach der Einbildung. Jeder ist in dem Grade elend, als er es zu sein glaubt. Ich meine, alle Klagen über vorübergegangene Schmerzen sind zu unterlassen, desgleichen Äußerungen wie: »Nie ging es einem schlechter. Welche Qualen, welche Leiden habe ich durchgemacht! Niemand glaubte, daß ich wieder aufkommen würde. Wie oft schon ward ich von den Meinigen beweint, wie oft schon von den Ärzten aufgegeben! Selbst auf der Folter Liegende werden nicht so gepeinigt.« Auch wenn dies alles wahr ist: es ist vorüber. Was frommt es, vergangene Schmerzen wieder aufzufrischen und noch elend zu sein, weil man es gewesen ist? Außerdem, macht nicht jeder sein Leiden gern viel größer und belügt sich selbst? Ferner ist es angenehm, zu erzählen, was man Bitteres zu erfahren hat; es ist so natürlich, sich über das Ende seines Übels zu freuen. Zwei Dinge also sind zu verbannen, sowohl die Furcht vor einem künftigen, als das Andenken an ein vergangenes Ungemach; jenes berührt mich noch nicht, dieses nicht mehr. Unter den Widerwärtigkeiten selbst spreche man: Künftig vielleicht ist's Freude, der jetzigen Leiden zu denken. Mit ganzer Seele kämpfe man dagegen; man wird besiegt werden, wenn man weicht; man wird siegen, wenn man gegen seinen Schmerz ankämpft. Jetzt aber handeln die meisten so, daß sie den Einsturz, dem sie wehren sollten, selbst auf sich herabziehen. Beginnst du, dich dem zu entziehen, was dich drückt, was über dir hängt, was dich drängt, so wird es dir nachsinken und nur um so schwerer auf dir lasten; wenn du aber Widerstand leistest und den Willen hast, dich dagegenzustemmen, so wird es zurückgedrängt werden. Wie viele Streiche erhalten nicht die Athleten ins Gesicht, wie viele auf den ganzen Körper! Dennoch ertragen sie jede Qual aus Begierde nach Ruhm und erdulden solches nicht nur, *weil* sie kämpfen, sondern *um zu* kämpfen; schon die Vorübung ist eine Qual. So wollen denn auch wir in allem den Sieg davontragen, dessen Preis nicht ein Kranz, ein Palmenzweig oder ein Herold ist, der für unseren Namen Stille schafft, sondern Tugend, Seelenstärke und ein für alle Zukunft erworbener Friede, wenn wir *einmal* in irgendeinem Kampfe das Schicksal überwunden haben. »Aber ich fühle großen Schmerz.« Wie denn? Fühlst du ihn nicht, wenn du ihn wie ein Weib erträgst? Wie der Feind für Fliehende verderblicher ist, so dringt auch jedes zufällige Ungemach auf den Nachgebenden und Weichenden heftiger ein. »Aber es ist so schwer.« Wie? Sind wir darum stark, um Leichtes zu ertragen? Willst du lieber, daß eine Krankheit langwierig, oder daß sie heftig und von kurzer Dauer sei? Ist sie langwierig, so hat sie Unterbrechungen, läßt der Erholung Raum, gestattet viel freie Zeit, muß notwendig wachsen und wieder abnehmen. Eine kurze und jähe Krankheit aber tut eins von beiden: entweder sie erlischt oder sie macht erlöschen. Was nun liegt daran, ob *sie* nicht mehr ist oder *ich* nicht mehr bin? In beidem liegt das Ende des Schmerzes.

Von der Dankbarkeit

Du beklagst dich, an einen undankbaren Menschen geraten zu sein. Begegnet dir dies jetzt zum ersten Male, so danke es deinem Glück oder deiner Vorsicht. Doch in diesem Falle kann die Vorsicht dich nur übelwollend machen; denn wenn du diese Gefahr vermeiden willst, wirst du keine Wohltaten mehr erweisen, und so werden diese, um nicht bei einem andern verloren zu sein, bei dir selbst verlorengehen. Lieber mögen sie der Erwartung nicht entsprechen, als gar nicht erwiesen werden. Auch nach einer schlechten Ernte muß man wieder säen. Oft hat der reiche Ertrag eines einzigen Jahres wieder eingebracht, was durch die anhaltende Unfruchtbarkeit eines ungünstigen Bodens ausgefallen war. Es verlohnt sich der Mühe, um *einen* Dankbaren zu finden, auch den Undank zu erfahren. Niemand hat beim Spenden seiner Wohltaten eine so sichere Hand, daß er sich nicht oft getäuscht sähe; mögen sie immerhin das Ziel verfehlen, wenn sie es nur *einmal* treffen. Nach einem Schiffbruch versucht man die See aufs neue; den Geldwucherer vertreibt ein in Zahlungsunfähigkeit geratener Schuldner noch nicht vom Markte. Das Leben würde schnell in trägem Müßiggang erstarren, wenn man alles aufgeben müßte, was einmal mißlang. Dich aber soll dieser Umstand nur noch wohltätiger machen; denn eine Sache, deren Erfolg unsicher ist, muß oft versucht werden, damit sie endlich einmal gelinge. Nicht alle Dankbaren verstehen es, für eine Wohltat den rechten Dank zu wissen; auch der Ungebildete und Rohe und der gemeine Mann kann dankbar sein, zumal bald nach Empfang der Wohltat aber er weiß nicht, wieviel er schuldet. Nur dem Weisen ist es bekannt, wie hoch eine jede Sache anzuschlagen ist. Aber der Unkluge, von dem ich eben sprach, erstattet, auch wenn er guten Willen hat, entweder weniger als er sollte, oder zu unrechter Zeit und an unrechtem Orte; was er erstatten soll, schüttet er aus und wirft es hin. Wunderbar ist es, wie treffend bei manchen Dingen die Wortbezeichnung ist; der alte Sprachgebrauch bezeichnet manches durch die ausdrucksvollsten, ihre Bestimmung klar aussprechenden Benennungen. So pflegen wir zu sagen: *Ille illi gratiam retulit*[1]. Denn *referre* heißt *ultro, quod debeas, afferre*[2]. Wir sagen nicht *gratiam reddidit*[3]; denn *reddere* sagt man von denen, die etwas auf Verlangen, oder ungern, oder wann es ihnen gerade beliebt, oder durch einen andern *zurückgeben*. Wir sagen nicht *reposuit beneficium* oder *solvit*[4]; denn uns gefiel hier kein Wort, das von Geldschulden gebraucht wird. *Referre* aber heißt: eine Sache dem wiederbringen, von dem man sie empfangen hat; dieses Wort bezeichnet ein freiwilliges Wiederbringen; wer wiederbrachte *(retulit)*, hat sich selbst gemahnt. Der Weise wird alles bei sich selbst abwägen: wieviel er empfangen hat, von wem, wann, wo, auf welche Art. Daher behaupte ich, daß niemand Dank zu erwidern verstehe als der Weise, so wie auch niemand eine Wohltat zu erweisen versteht als dieser, indem er nämlich sich mehr freut zu geben, als ein anderer zu empfangen. Denn es irrt, wer lieber Wohltaten annimmt, als erweist. Um wie viel heiterer ist, wer Schulden bezahlt, als wer Geld borgt, um so froher muß auch der sein, der sich von der großen Schuld einer empfangenen Wohltat befreit, als der, welcher sich eben erst verpflichtet. Denn auch darin irren die Undankbaren, daß sie zwar einem Gläubiger außer dem Kapital auch noch Zinsen zahlen, den Genuß von Wohltaten aber für zinsfrei halten. Auch jene Schuld wächst durch den Verzug, und man hat um so mehr zu zahlen, je später man zahlt. Undankbar ist, wer eine Wohltat ohne Zinsen zurückzahlt. So wird man denn auch hierauf Rücksicht nehmen, wenn man Einnahme und Ausgabe vergleicht. Man muß alles tun, um so dankbar als möglich zu sein; denn dies kommt uns selbst zugute, wie auch die Gerechtigkeit nicht, wie man gewöhnlich glaubt, sich bloß auf andere erstreckt; ein großer Teil derselben wirkt auf sich selbst zurück. Jeder,

---

[1] Wörtlich: »er hat Dank zurückgebracht«, d. h. sich durch Erwiderung einer Gefälligkeit dankbar gezeigt.

[2] D. i. von selbst darbringen, was man schuldig ist.

[3] D. h. »er hat Dank zurückgegeben«.

[4] D. h. »er hat eine Wohltat zurückgestellt oder gezahlt«

der einem andern nützt, nützt sich selbst. Ich sage das nicht in dem Sinne, daß der Unterstützte stets bereit sein wird, dich wieder zu unterstützen, der Verteidigte, dich wieder zu verteidigen, weil ein gutes Beispiel auf den zurückwirkt, der es gibt, wie böse Beispiele auf ihre Urheber zurückfallen, und denen kein Mitleid zuteil wird, die Beleidigungen erfahren, hinsichtlich derer sie durch die Tat gelehrt haben, daß man sie andern zufügen könne; sondern ich meine, daß alle Tugenden ihren Lohn in sich selbst haben. Denn man übt sie nicht des äußeren Lohnes wegen; sie getan zu haben, ist der Lohn der guten Tat. Ich bin dankbar, nicht, damit der andere, durch mein früheres Beispiel aufgemuntert, mir desto lieber Gutes erweise, sondern um zu tun, was an sich schon eine höchst angenehme und schöne Sache ist. Ich bin dankbar, nicht, weil es nützt, sondern weil es mir Freude macht. Und um dich zu überzeugen, daß dies so sei, so vernimm: sollte es mir nicht gestattet sein, mich anders dankbar zu zeigen, als so, daß ich undankbar erschiene; sollte ich eine Wohltat nicht anders als durch den Schein einer Beleidigung erwidern können: so werde ich mit der größten Seelenruhe den sittlich guten Zweck auch mitten durch die übelste Nachrede hindurch verfolgen. Niemand scheint mir die Tugend höher zu schätzen, niemand ihr mehr ergeben zu sein, als wer den Ruf eines rechtschaffenen Mannes verloren gibt, um nicht sein gutes Gewissen zu verlieren. So bist du, wie ich sagte, mehr zu deinen, als zu des andern Vorteil dankbar. Denn diesem widerfährt das Gewöhnliche und Alltägliche, wieder zu erhalten, was er gegeben hat: dir das Wichtigste und aus dem glückseligsten Seelenzustande Hervorgegangene, — dankbar gewesen zu sein.

Alles zu Eigenem machen

Die Speisen, die wir zu uns nehmen, belästigen, so lange sie in ihrer Eigentümlichkeit beharren und als feste Masse im Magen schwimmen; erst dann, wenn sie aus ihrem früheren Zustande in einen andern übergegangen sind, verwandeln sie sich in Blut und Kräfte. Ebenso laß uns mit dem, wodurch unser Geist genährt wird, verfahren, daß wir nämlich nichts von allem, was wir darin aufgenommen haben, in seinem unveränderten Zustande lassen, damit es nicht Fremdartiges bleibe. Wir müssen es verdauen, sonst wird es nur ins Gedächtnis, nicht in den Geist eingehen. Wir müssen ihm mit fester Überzeugung beistimmen und es uns aneignen, so daß aus dem Vielen ein Ganzes wird, wie aus mehreren einzelnen Zahlen *eine* wird, wenn die Berechnung kleinere und getrennte Summen in *eine* zusammenfaßt. Dies sei das Geschäft unseres Geistes: alles, was ihn unterstützt hat, halte er verborgen, nur was er selbst geschaffen, zeige er. Auch wenn sich dir eine Ähnlichkeit mit irgendeinem Gegenstand zeigt, den die Bewunderung einen tiefen Eindruck auf dich machen ließ, so wünsche ich, daß du ihm ähnlich seiest, wie ein Sohn dem Vater, nicht wie eine Bildsäule; eine Bildsäule ist ein lebloses Ding. »Wie?«, fragst du, »man soll es nicht merken, wessen Stil, wessen Beweisführung, wessen Gedanken man nachahmt?« Ich glaube, bisweilen wird man es nicht einmal merken *können*, wenn das Talent eines großen Mannes allem, was er, aus irgendeinem Original entlehnt, gleichsam zusammen baute, sein Gepräge aufgedrückt hat, so daß er zu einer zusammenstimmenden Einheit wird. Siehst du nicht, aus wie vielen Stimmen ein Chor besteht? und doch geben alle zusammen nur *einen* Ton. Die eine ist hoch, eine andere tief, eine dritte von mittlerer Höhe; zu den Männern gesellen sich Frauen, dazwischen ertönen Flöten; die Stimmen der einzelnen verschwinden, nur die Gesamtstimme aller vernimmt man. Ich spreche von dem Chor, wie ihn die alten Philosophen kannten. Bei unsern jetzigen Prunkaufführungen sind ja der Musiker mehr, als sonst in

den Theatern Zuschauer waren. Obgleich alle Gänge mit
Reihen von Sängern angefüllt sind, der Zuschauerraum mit
Bläsern von Blechinstrumenten umgeben ist, und von der
Bühne herab Flöten und Instrumente aller Art ertönen, ent-
steht doch aus den verschiedenartigsten Tönen Einklang. So
soll, wünsche ich, auch unser Geist sein; es sollen ihm viele
Künste, viele Lehren, Beispiele vieler Zeitalter innewohnen,
aber alles zu einem harmonischen Ganzen vereinigt.

Von der Einteilung der Philosophie

Du verlangst etwas sehr Nützliches und für den der Weisheit Zueilenden Unentbehrliches, eine Einteilung der Philosophie und eine Zerlegung ihres gewaltigen Körpers in seine
Glieder. Denn leichter gelangen wir durch die Teile zur
Kenntnis des Ganzen. Könnte doch, wie die ganze Gestalt
der Welt zur Anschauung kommt, so auch die ganze Philosophie uns vor Augen treten, ein Schauspiel, dem des Weltalls ähnlich! Denn wahrlich, sie würde alle Sterbliche zur
Bewunderung hinreißen, so daß sie alles hinter sich ließe,
was wir jetzt aus Unkenntnis des Großen für groß halten.
Doch weil uns dies nicht zuteil werden kann, so werden wir
sie so betrachten müssen, wie man einzelne Teile der Welt
beschaut. Der Geist des Weisen umfaßt zwar ihre ganze
Masse und durchläuft sie mit einem Blicke ebenso schnell,
als unsere Augen den Himmel; uns anderen aber, die noch
die Finsternis durchbrechen müssen und deren Gesicht schon
für das Nächste nicht ausreicht, kann alles leichter einzeln
gezeigt werden, da wir das Ganze noch nicht zu erfassen
vermögen. Ich will also tun, was du verlangst, und die Philosophie in Teile, nicht in Stücke zerlegen: denn es ist nützlich,
sie einzuteilen, nicht sie zu zerschneiden, da es ebenso schwer
ist, das sehr Kleine wie das sehr Große zu fassen. Das Volk
wird in Tribus, das Kriegsheer in Centurien geteilt. Alles,
was ins Große gewachsen ist, wird leichter erkannt, wenn es
in Teile zerfällt, die, wie ich eben sagte, nicht unzählige und

sehr kleine zu sein brauchen. Eine gar zu weitgehende Einteilung ist eben so fehlerhaft wie gar keine. Was bis zu Pulver zerklopft ist, gleicht einem Mischmasch.

Zuerst also glaube ich dir sagen zu müssen, was für ein Unterschied zwischen der Weisheit und der Philosophie sei. Die Weisheit ist das vollendete Gut der menschlichen Seele; die Philosophie ist die Liebe zur Weisheit und das Streben nach ihr. Diese zeigt, wohin jene gelangt ist. Woher die Philosophie ihren Namen hat, ist klar; das Wort selbst spricht es aus. Einige haben die *Weisheit* so definiert, daß sie sagten, sie sei die Wissenschaft der göttlichen und menschlichen Dinge. Andere wieder so: Weisheit ist die Kenntnis der göttlichen und menschlichen Dinge und ihrer Ursachen. Dieser Zusatz aber scheint mir überflüssig zu sein, weil die Ursachen der göttlichen und menschlichen Dinge ein Teil des Göttlichen sind. Auch die *Philosophie* hat man bald so, bald so definiert: die einen sagten, sie sei das Streben nach der Tugend, andere, sie sei das Streben nach Besserung des Gemüts. Einige nannten sie das Verlangen nach richtiger Vernunft. Das steht fest, daß ein Unterschied ist zwischen der Philosophie und der Weisheit; denn unmöglich kann das Erstrebte und das Erstrebende ein und dasselbe sein. Gleich wie ein großer Unterschied ist zwischen der Habsucht und dem Gelde, da jene begehrt, dieses aber begehrt wird, so auch zwischen der Philosophie und der Weisheit. Denn diese ist die Wirkung und der Lohn von jener; jene kommt, zu dieser geht man. Weisheit ist, was die Griechen Sophia nennen. Dieses Wortes bedienten sich auch die Römer, wie sie sich noch jetzt des Wortes Philosophie bedienen. Dies beweisen dir sowohl die alten römischen Nationaldramen, als auch die Inschrift auf dem Grabe des Dossennus: *Hospes resiste et sophaim Dosseni lege* (Steh' still, Fremdling, und lies die Sophia des Dossennus). Einige der unsrigen haben, obgleich die Philosophie das Streben nach Tugend sei, und diese begehrt werde, jene aber begehre, dennoch beide für unzertrennlich gehalten; denn es gibt weder eine Philosophie ohne Tugend, noch eine Tugend ohne Philosophie. Die Philosophie

ist das Streben nach Tugend, aber vermöge der Tugend selbst;
es kann aber weder eine Tugend geben ohne das Streben nach
ihr selbst, noch ein Streben nach der Tugend, ohne diese
selbst. Denn es ist hier nicht wie bei denen, die aus der Entfernung nach etwas zielen, wo sich der Zielende an einem
andern Orte befindet, als das Ziel; noch auch wie bei einer
Straße, die zwar nach einer Stadt führt, aber außerhalb derselben ist. Zur Tugend gelangt man nur durch sie selbst.
Philosophie und Tugend hängen also eng zusammen.

Die meisten und bedeutendsten Gewährsmänner stellen
drei Teile der Philosophie auf, den moralischen, physischen
und rationalen. Der erste regelt das Gemüt; der zweite erforscht die Natur der Dinge; der dritte prüft die eigentümlichen Bedeutungen der Ausdrücke, ihre Zusammenstellung
und die Beweisgründe, damit sich nicht Falsches statt Wahrem
einschleiche. Übrigens finden sich auch einige, welche die
Philosophie in wenigere, andere, die sie in mehrere Teile
zerlegen. Einige Peripatetiker fügten einen vierten Teil hinzu,
den politischen, weil er ein eigentümliches Studium erfordere
und sich mit einem andern Gegenstande beschäftige. Manche
fügten diesem noch einen Teil bei, den sie den ökonomischen
nennen, die Wissenschaft, das Hauswesen zu verwalten.
Einige haben auch einen besonderen Abschnitt »über die
Lebensarten« ausgeschieden. Allein alles dies findet sich
in jenem moralischen Teile. Die Epikureer glaubten, es gebe
nur zwei Teile der Philosophie, den physischen und moralischen; den rationalen beseitigten sie. Da sie aber später
durch die Gegenstände selbst genötigt wurden, Zweideutiges
auszuscheiden und das Falsche, das sich unter dem Scheine
des Wahren birgt, zu entlarven, so führten auch sie einen
Abschnitt, dem sie den Titel »von dem Urteil und der Regel«
geben und somit nur unter anderem Namen den rationalen
Teil wieder ein, betrachten ihn aber nur als einen Anhang
zu dem physischen Teile. Die Cyrenaiker hoben die Natur-
und Vernunftlehre auf und begnügten sich mit der Moral;
allein auch diese führen auf andere Weise wieder ein, was
sie beseitigen. Sie teilen nämlich die Moral in fünf Teile, so

daß der eine von den Dingen handelt, welche man fliehen und suchen soll, der zweite von den Affekten, der dritte von den Handlungen, der vierte von den Ursachen, der fünfte von den Beweisgründen. Die Ursachen der Dinge aber gehören in den physischen Teil, die Beweisgründe in den rationalen und die Handlungen in den moralischen. Ariston von Chios behauptete, der physische und rationale Teil seien nicht nur überflüssig, sondern auch zweckwidrig; selbst den moralischen Teil, den einzigen, den er übrig ließ, beschnitt er. Denn er entfernte den ganzen Abschnitt, der die Verhaltungsmaßregeln enthält, und behauptete, er gehöre für den Erzieher, nicht für den Philosophen; als ob der Weise etwas anderes wäre als ein Erzieher des Menschengeschlechts!

Da also die Philosophie aus drei Teilen besteht, so wollen wir zuerst den moralischen Teil nach Abschnitten zu ordnen beginnen. Auch ihm beliebte man wieder drei Abteilungen zu geben, von welchen die erste eine Untersuchung ist, welche einem jeden das Seine anweist und beurteilt, was jedes Ding wert sei, eine sehr nützliche Lehre; denn was ist so nötig, als den wahren Wert der Dinge zu bestimmen? Die zweite handelt von den Trieben, die dritte von den Handlungen. Das erste nämlich ist, daß du beurteilst, wie hoch jede Sache zu schätzen sei; das zweite, daß du den Trieb darnach regelst und mäßigst; das dritte, daß zwischen deinen Trieben und Handlungen Übereinstimmung herrsche, damit du in dem allen mit dir selbst harmonierst. Alles, was von diesen drei Stücken fehlt, stört auch die übrigen. Denn was nützt es, ein richtiges Urteil über alles im Kopfe zu haben, wenn du in deinen Trieben zu heftig bist? Was hilft es, die Triebe unterdrückt und die Begierden in deiner Gewalt zu haben, wenn du beim Handeln selbst die rechte Zeit verkennst und nicht weißt, wann, wo und wie ein jedes geschehen muß? Denn ein anderes ist es, die Wichtigkeit und den Wert der Dinge, ein anderes, die rechten Augenblicke zu kennen, und wieder ein anderes, die Triebe zu zügeln und zum Handeln zu *schreiten*, nicht zu *stürzen*. Dann also ist das Leben mit sich im Einklang, wenn die Handlung dem

Triebe nicht widerspricht und der Trieb sich nach der Wichtigkeit einer jeden Sache bald schwächer, bald heftiger regt, je nachdem diese begehrt zu werden verdient.

Der physische Teil der Philosophie wird in zwei Abschnitte zerlegt, in die Lehre von den körperlichen und unkörperlichen Dingen. Beide teilten sich wieder sozusagen in ihre Stufen ein. Der Abschnitt von den körperlichen in folgende: erstens in solche, die hervorbringen und die von jenen hervorgebracht werden; hervorgebracht aber werden die Elemente. Die Lehre von den Elementen selbst ist, wie einige glauben, einfach: nach andern teilt sie sich in die Abschnitte von der Materie, von der alles bewegenden Ursache und von den Urstoffen.

Es bleibt noch übrig, daß ich auch den rationalen Teil der Philosophie einteile. Jede Rede ist entweder eine fortlaufende, oder eine zwischen Fragen und Antworten geteilte. Diese beliebte man Dialektik, jene Rhetorik zu nennen. Die Rhetorik hat es mit den Worten, ihrem Sinn und ihrer Anwendung zu tun. Die Dialektik teilt sich in zwei Teile, in Worte und Begriffe, d. h. in die Sachen, wovon man spricht, und in die Ausdrücke, womit man spricht. Hieraus aber folgt eine unendliche Abteilung beider. Daher will ich hier schließen, das Bemerkbarste nur sei berichtet; sonst würde, wenn ich Teile aus Teilen machen wollte, aus diesem Briefe ein Buch von Untersuchungen werden.

Über die Kürze des Lebens

In dem Briefe, worin du den Tod des Philosophen Metronax beklagtest, als ob er länger hätte leben können und sollen, vermisse ich deine Billigkeit, die dir in jeder Rolle des Lebens und bei jedem Geschäfte eigen bleibt, und nur in dem einen Falle fehlt, worin sie allen abgeht. Ich habe viele gefunden, die gerecht waren gegen die Menschen, aber keinen, der es gegen die Götter gewesen wäre. Wir schelten täglich das Verhängnis: »Warum ist dieser mitten in seiner

Laufbahn hinweggerafft worden, warum wird es jener nicht? Weshalb verlängert sich sein Greisenalter, das ihm und andern zur Last ist?« Ja — was hältst du denn für billiger: daß du der Natur gehorchst oder sie dir? Was aber liegt daran, wie bald du von da weggehst, von wo du doch einmal weggehen mußt? Nicht lange, sondern genug zu leben, sei unsere Sorge. Denn um lange zu leben, bedarfst du das Schicksal, um genug zu leben, deinen Entschluß. Lang ist das Leben, wenn es vollständig ist, es wird aber vollständig, wenn die Seele sich ihr Gut wiedergegeben und die Herrschaft über sich selbst zu eigen gemacht hat. Was helfen jenem seine achtzig in Müßiggang hingebrachten Jahre? Er hat nicht gelebt, sondern nur im Leben verweilt und ist nicht spät, sondern langsam gestorben. Er hat achtzig Jahre gelebt. Es kommt darauf an, von welchem Tage an du seinen Tod rechnest. Aber jener ist in seiner Blüte gestorben; er ist den Pflichten eines guten Bürgers, eines guten Freundes, eines guten Sohnes nachgekommen: er hat es in keinem Stücke an sich fehlen lassen. Mag auch sein Lebensalter unvollendet geblieben sein, sein Leben ist vollendet. Er hat achtzig Jahre gelebt. Nein, er hat achtzig Jahre existiert, du müßtest denn in dem Sinne von ihm sagen, er habe gelebt, wie man von Bäumen sagt, daß sie leben. Laß uns, ich beschwöre dich mein Lucilius, darauf denken, daß unser Leben gleich einem Kleinod nicht viel Raum einnehme, aber viel wiege. Nach unserm Wirken laß es uns messen, nicht nach der Zeit. Willst du wissen, welcher Unterschied ist zwischen einem rüstigen Manne, der das Schicksal verachtet, allen Dienstpflichten des menschlichen Lebens nachgekommen ist, und sich zu dem höchsten Gute desselben erhoben hat, und einem, dem viele Jahre dahingeschwunden sind? Jener lebt auch nach seinem Tode noch, dieser ist schon vor seinem Tode untergegangen. Laß uns also den preisen und unter die Zahl der Glücklichen rechnen, der die Zeit, die ihm zuteil geworden, mag sie noch so kurz gewesen sein, gut angewendet hat. Denn er hat das wahre Leben erblickt; er war nicht einer von den vielen; er hat gelebt und gewirkt; bisweilen hat er heitern Himmel gehabt, bisweilen leuchtete, wie es zu gehen pflegt, der Glanz des mächtigen Gestirnes nur aus Wolken hervor. Wozu fragst du, wie lange er gelebt habe? Er *hat* gelebt; er ist auf die Nachwelt übergegangen und hat sich dem Gedächtnis überliefert. Ich würde es deshalb nicht verschmähen, daß mir noch mehrere Jahre zugelegt würden, würde jedoch auch nicht sagen, daß zu meinem glücklichen Leben etwas gefehlt habe, wenn seine Dauer beschnitten würde. Denn ich habe mich nicht bloß für jenen Tag eingerichtet, den mir die begehrliche Hoffnung als den letzten versprochen hatte, sondern habe jeden als den letzten betrachtet. Wozu fragst du mich, wann ich geboren sei, ob ich noch zu den Jüngeren gerechnet werde? Ich habe das meinige. Wie ein Mensch auch bei kleinerer Statur vollständig sein kann, so kann auch das Leben bei kürzerer Dauer ein vollständiges sein. Das Alter gehört zu den Außendingen. Wie lange ich sein soll, unterliegt fremder Bestimmung, wie lange ich aber *ein Mann* sein will, hängt von mir ab. Das verlange von mir, daß ich nicht ein unrühmliches Dasein gleichsam im Dunkeln durchmesse, daß ich mein Leben wirklich führe, nicht bloß hindurch getragen werde. Du fragst, was der weiteste Raum fürs Leben sei? Bis zur Weisheit zu leben. Wer bis zu ihr gelangt ist, hat nicht das entfernteste, aber das höchste Ziel erreicht. Der aber mag sich dreist rühmen und den Göttern danken und unter ihnen weilend es auch sich selbst und der Natur anrechnen, daß er gelebt hat. Und mit Recht wird er es ihr anrechnen; denn er hat ihr das Leben besser zurückgegeben, als er es empfangen hatte. Er hat das Muster eines guten Mannes aufgestellt; er hat gezeigt, wer und wie groß ein solcher ist; hätte er noch etwas Weiteres hinzugefügt, so würde es nur dem vorhergegangenen ähnlich gewesen sein.

Die Glückseligkeit
hängt nicht von äußeren Gütern ab

Halte nie einen für glücklich, der von äußern Dingen abhängt. Auf Zerbrechliches stützt sich, wer seine Freude an Dingen hat, die von außen kommen; jede Freude, die von dort eingezogen ist, wird auch wieder hinausziehen. Aber das, was aus sich selbst entsprungen, ist treu und fest, nimmt zu und begleitet uns bis ans Ende; das übrige, was dem großen Haufen Bewunderung erregt, ist nur dann fruchtbringend und angenehm, wenn derjenige, der es besitzt, auch sich selbst in Besitz hat, und nicht in der Gewalt seiner Habseligkeiten ist. Denn diejenigen irren, mein Lucilius, welche glauben, daß das Schicksal uns irgendein Gut oder Übel zuerteile; dieses gibt uns nur den Stoff zu Gütern und Übeln und den Keim von Dingen, die bei uns zu einem Gut oder Übel erwachsen sollen. Denn mächtiger als alles Schicksal ist die Seele! sie wendet ihre Begegnisse selbst nach beiden Seiten hin und ist sich selbst die Ursache zu einem glücklichen oder unglücklichen Leben. Der Schlechte wendet alles zum Schlechten, auch was mit dem Scheine des Besten gekommen war; der Rechtschaffene und Redliche verbessert das Schlimme des Schicksals, mildert das Harte und Herbe, indem er es geschickt erträgt, und nimmt das Angenehme dankbar und bescheiden, das Widerwärtige aber standhaft und tapfer hin. Mag er aber noch so klug sein, mag er alles mit reifer Überlegung tun, mag er nichts über seine Kräfte Gehendes versuchen: es wird ihm doch jenes vollkommene und außerhalb des Bereichs aller Drohungen liegende Gut nicht zuteil werden, wenn er nicht sicher gegen das Unsichere ist. Magst du nun andere beobachten (denn in fremden Sachen ist das Urteil freier), oder dich selbst mit Beseitigung aller Parteilichkeit: so wirst du erkennen und eingestehen, daß keins von diesen begehrenswerten und schätzbaren Dingen nützlich sei, wenn du dich nicht gegen die Flüchtigkeit des Zufalls und der Dinge, die dem Zufall folgen, vorsiehst, wenn du nicht oft und ohne Klage bei jedem einzelnen Verluste sagst:

»Den Göttern hat es anders gefallen.« Oder vielmehr, um
einen kräftigern und richtigern Spruch zu suchen, durch den
du deinen Mut noch besser stützen kannst: du mußt, so oft
etwas anders gegangen ist, als du dachtest, sagen: »Die
Götter haben es besser verstanden.« Wer so gefaßt ist, dem
wird nichts Widriges begegnen. Eine solche Fassung aber
wird gewinnen, wer bedacht hat, was der Wechsel menschlicher Dinge vermag, noch ehe er ihn erfährt, wer Kinder,
Gattin und Erbvermögen so besitzt, als werde er sie nicht
immer besitzen, und als werde er nicht deshalb unglücklicher
werden, wenn er aufgehört hat, sie zu besitzen. Unglücklich
ist die Seele, die des Zukünftigen wegen ängstlich ist, und
elend ist schon vor dem Elend, wer in Sorgen schwebt, ob
das, woran er sich erfreut, ihm auch bis ans Ende verblei-
ben werde. Denn zu keiner Zeit wird er Ruhe haben und
über der Erwartung des Kommenden auch das Gegenwärtige,
das er genießen konnte, verlieren. Gleich aber stehen der
Verlust einer Sache und die Furcht, sie zu verlieren. Doch
schreibe ich dir deshalb keine Fahrlässigkeit vor. Wende immerhin ab, was zu fürchten ist; was irgend durch Überlegung
vermieden werden kann, das vermeide; was irgend dich verletzen kann, das erforsche und entferne es, lange bevor es
eintritt. Dazu aber wird dir Zuversicht und ein zur Ertragung
von allem gestählter Sinn am meisten dienlich sein. Der kann
sich vor dem Schicksal hüten, der es zu ertragen vermag;
wenigstens gerät er, von Stille umgeben, nicht in Unruhe.
Nichts ist elender und törichter, als sich vorher zu fürchten.
Was für ein Unsinn ist es, seinem Übel vorauszuschreiten!
Um kurz zusammenzufassen, was ich denke, und dir jene
sich abängstigenden und sich selbst lästigen Leute zu schil-
dern, die im Unglück selbst sowenig Maß halten als vor demselben: mehr leidet, als nötig ist, wer eher leidet, als nötig
ist. Denn aus derselben Schwäche, aus der er sein Leiden nicht
erwartet, schätzt er es auch nicht. Aus demselben Mangel an
Mäßigung bildet er sich ein, sein Glück werde ein beständiges sein, und alles, was ihm zuteil geworden, müsse zu-
nehmen, nicht bloß fortdauern, und uneingedenk jenes

Schwungrades, das alles Menschliche hin und her wirft, verspricht er sich allein die Beständigkeit des Zufälligen. Vortrefflich scheint mir daher Metrodorus in jenem Briefe, worin er seiner Schwester nach Verlust eines Sohnes von den herrlichsten Anlagen Trost zuspricht, gesagt zu haben: »Sterblich ist jedes Gut der Sterblichen.« Er spricht aber von den Gütern, nach welchen alles rennt; denn jenes wahre Gut stirbt nicht, es ist sicher und unvergänglich, die Weisheit und die Tugend; dieses allein wird den Sterblichen als etwas Unsterbliches zuteil. Übrigens sind sie so unbillig und vergessen so sehr, wohin sie gehen und wohin jeder einzelne Tag sie drängt, daß sie sich wundern, wenn sie etwas verlieren, da sie doch an einem Tage alles verlieren werden. Was es auch ist, dessen Herr du heißest, es ist nur bei dir, ist nicht dein: für den Wankenden gibt es nichts Festes, für den Hinfälligen nichts Ewiges und Unbezwingliches. Das Vergehen ist ebenso notwendig wie das Verlieren, und eben dies ist, wenn wir es einsehen, ein Trost, daß wir mit Gleichmut verlieren, was zum Verlieren bestimmt ist. Was für eine Hilfe nun finden wir gegen diese Verluste? Diese, daß wir das Verlorene im Gedächtnis behalten und uns mit demselben nicht auch die Frucht entgehen lassen, die wir davon genossen haben. Das Besitzen wird uns entrissen, das Besessenhaben nie. Sehr undankbar ist, wer nach dem Verluste für das Empfangene nichts zu schulden glaubt. Die Sache entreißt uns der Zufall, den Gebrauch und Genuß läßt er uns, und nur durch ungerechte Sehnsucht verlieren wir ihn. Warum lassen wir den Mut sinken, warum verzweifeln wir? Alles, was einst geschehen konnte, kann auch noch geschehen. Reinigen wir nur unsere Seele und folgen wir der Natur; wer von ihr abirrt, muß wünschen, fürchten und dem Zufälligen dienen. Es steht uns frei, auf den Weg zurückzukehren und in den vorigen Stand zurückversetzt zu werden. Lassen wir uns zurückversetzen, damit wir Schmerzen, auf welche Art sie auch den Körper befallen, ertragen und zum Schicksal sagen können: »Du hast es mit einem Manne zu tun; suche dir einen andern, den du besiegen kannst.«

Der Mensch ist dem Menschen ein Wolf

Weshalb siehst du dich nach dem um, was dir vielleicht begegnen, aber auch nicht begegnen kann? ich meine den Einsturz zusammenbrechender Gebäude. Einiges stürzt auf uns herein, aber stellt uns nicht nach; siehe vielmehr auf das, was uns beobachtet, uns zu fangen sucht. Seltenere, wenn auch schwere Zufälle sind es, Schiffbruch zu leiden, mit dem Wagen umzuwerfen; von dem Menschen aber droht dem Menschen tägliche Gefahr. Gegen diese rüste dich, diese beobachte mit gespannten Blicken: kein Übel ist häufiger, keins hartnäckiger, keins schmeichlerischer. Ein Unwetter droht, ehe es heraufzieht; die Häuser krachen, ehe sie zusammenstürzen; der Rauch verkündet einen Brand voraus; aber plötzlich kommt das vom Menschen ausgehende Verderben und verbirgt sich um so sorgfältiger, je näher es herantritt. Du irrst, wenn du den Gesichtern derer traust, die dir begegnen. Sie haben die Gestalt von Menschen, aber die Seele von wilden Tieren, nur daß der erste Anlauf dieser verderblicher ist; an wem sie aber vorübergegangen sind, den suchen sie nicht weiter; denn niemals treibt sie etwas anderes als die Not, zu schaden. Sie werden durch Hunger und Furcht zum Kampfe genötigt; nur dem Menschen macht es Freude, den Menschen zu verderben. Du jedoch bedenke die Gefahr, die vom Menschen ausgeht, so, daß du zugleich bedenkest, was des Menschen Pflicht sei. Das eine fasse ins Auge, um nicht verletzt zu werden, das andere, um nicht zu verletzen. Erfreue dich an dem Glücke aller, laß dich von ihrem Ungemach rühren und erinnere dich, was du leisten und wovor du dich hüten mußt. Was wirst du durch ein solches Leben erreichen? Nicht, daß sie dir nicht schaden, wohl aber, daß sie dich nicht hintergehen.

Wie die Philosophie zu erlernen ist

Das, worüber du mich befragst, gehört zu den Dingen, die zu wissen nur dazu dienen, daß man sie eben weiß. Nichtsdestoweniger aber bist du, weil es dazu dient, eilfertig und willst die Bücher nicht erwarten, die ich eben ordne und die den ganzen moralischen Teil der Philosophie enthalten. Ich werde die Sache sogleich erledigen, vorher jedoch dir schreiben, wie du jene Lernbegierde, von der ich dich brennen sehe, zu regeln hast, damit sie sich nicht selbst hindere.

Man darf weder einzelnes hier und da herausgreifen, noch begierig über das Ganze herfallen: durch die Teile gelangt man zum Ganzen. Wir müssen die Last den Kräften anpassen und nicht mehr auf uns nehmen, als dem wir zu genügen imstande sind. Nicht soviel du willst, sondern soviel du fassen kannst, mußt du schöpfen. Sei nur guten Mutes: du wirst auch fassen, soviel du willst. Je mehr die Seele aufnimmt, desto mehr erweitert sie sich; diese Lehre gab uns, wie ich mich erinnere, Attalus, als wir seine Schule belagerten und zuerst kamen und zuletzt weggingen und ihn auch auf Spaziergängen zu Unterredungen aufforderten, da er den Lernenden sich nicht nur bereitwillig zeigte, sondern auch entgegenkam. »Dasselbe Ziel«, sagte er, »muß sowohl der Lehrende als der Lernende haben, jener, daß er nützen, dieser, daß er Nutzen ziehen wolle.« Wer zu einem Philosophen kommt, soll täglich etwas Gutes mit sich nehmen: er soll entweder gesünder oder doch heilbarer nach Hause zurückkehren. Er wird aber so zurückkehren; denn das ist die Kraft der Philosophie, daß sie nicht nur denen, die sich ihrer befleißigen, sondern selbst denen, die bloß mit ihr umgehen, nützt. Wer in die Sonne kommt, wird, wenn er auch nicht deshalb gekommen ist, gebräunt werden; wer sich in einem Salbenladen niedergelassen und etwas länger darin verweilt hat, nimmt den Geruch des Ortes mit sich, und wer bei einem Philosophen gewesen ist, der muß etwas mitnehmen, was ihm nützlich ist, auch wenn er gleichgültig dagegen ist. Bemerke wohl, was ich sage: *gleichgültig*, nicht *widerspenstig*.

Wie denn? Kennen wir nicht manche, die viele Jahre hindurch bei einem Philosophen saßen und nicht einmal eine andere Farbe annahmen? Wie sollte ich sie nicht kennen? Und zwar äußerst beharrliche und stets anwesende, die ich nicht Schüler, sondern Mietsleute der Philosophen nenne. Einige kommen, um zu hören, nicht um zu lernen, so, wie wir uns des Vergnügens wegen ins Theater ziehen lassen, um unsere Ohren an der Rede oder der Stimme oder dem Stücke zu ergötzen. Sehr zahlreich sind die Zuhörer, welchen die Schule des Philosophen als ein Ort des Zeitvertreibs dient. Sie streben nicht danach, daß sie diesen oder jenen Fehler darin ablegen, daß sie ein Gesetz für das Leben empfangen, wonach sie ihre Sitten prüfen können, sondern daß sie einen Ohrenschmaus genießen. Einige jedoch kommen sogar mit Schreibtafeln, nicht um die Gedanken aufzuzeichnen, sondern nur die Worte, die sie mit ebensowenig Nutzen für andere nachsprechen, als mit eigenem hören. Einige werden bei herrlichen Aussprüchen aufgeregt und versetzen sich, lebhaft erregt in Mienen und Seele, in die Gemütsstimmung des Sprechenden; und doch werden sie nicht anders in Aufregung gesetzt als die phrygischen Halbmänner, die auf Befehl in Begeisterung geraten durch den Ton der Flöte. Was jene hinreißt und aufregt, ist allerdings die Schönheit der Gedanken, nicht der Schall der leeren Worte. Ist ein mutiges Wort gegen den Tod gefallen oder ein trotziges gegen das Schicksal, so freut es sie, sogleich zu tun, was sie hören. Sie werden von jenen Äußerungen ergriffen und sind, wie man ihnen zu sein befiehlt. Wenn nur diese Gemütsverfassung Dauer hätte! Wenn nur nicht das Volk, welches das Gute widerrät, den herrlichen Trieb sofort wieder aus ihnen verscheuchte! Wenige können den Vorsatz, den sie gefaßt haben, mit bis nach Hause bringen. Es ist leicht, den Zuhörer zu der Begierde nach dem Guten anzuregen; denn allen hat die Natur die Grundlagen und den Keim der Tugenden verliehen; wir alle sind zu dem allen geboren. Kommt eine Anreizung hinzu, so werden jene Güter der Seele gleichsam gelöst, hervorgelockt. Siehst du nicht, wie einmütig der Beifall im Theater gespen-

det wird, so oft etwas gesagt wird, was wir allgemein aner-
kennen und durch unsere Übereinstimmung als wahr bezeugen?

Der Armut mangelt vieles, alles fehlt dem Geiz.
Der Geiz'ge meint's mit keinem gut, ganz schlecht mit sich.

Bei diesen Versen klatscht der schmutzigste Geizhals und
freut sich, daß seine Laster gescholten werden. Um wieviel
mehr glaubst du, daß dies der Fall sei, wenn solches von
einem Philosophen gesagt wird, wenn heilsamen Vorschriften Verse eingemischt werden, welche eben diese dem Gemüte
Unerfahrener wirksamer einprägen? »Denn«, sagt Kleanthes,
»wie unser Hauch einen helleren Ton gibt, wenn ihn die
Trompete, durch die Enge des langen Kanals gezogen, endlich durch die weitere Mündung ausströmen läßt, so macht
der enge Zwang des Verses unsere Gedanken klarer.« Dasselbe wird unaufmerksamer gehört und macht geringern Eindruck, so lange es in ungebundener Rede gesagt wird: kommt
aber das Versmaß hinzu und halten bestimmte Versfüße den
trefflichen Sinn zusammen, so wird derselbe Gedanke wie
mit nervigem Arm geschwungen und fortgeschleudert. Über
die Verachtung des Geldes wird vieles gesprochen und in
übermäßig langen Reden die Lehre vorgetragen, daß die
Menschen glauben sollen, ihr Reichtum liege in der Seele,
nicht im ererbten Vermögen; derjenige sei wohlhabend, der
sich in seine Armut schickt und mit Wenigem sich reich
macht. Stärker jedoch werden die Gemüter getroffen, wenn
sich Verse, wie folgende, vernehmen lassen:

Am wenigsten bedarf, wer am wenigsten begehrt.
Wer, was genug ist, wollen kann, hat, was er will.

Wenn wir dieses und ähnliches hören, so werden wir zur
Anerkennung der Wahrheit gebracht. Denn sogar jene, denen
nichts genug ist, bewundern es, rufen Beifall und erklären
dem Gelde ihren Haß. Wenn du diese Stimmung an ihnen
siehst, so setze ihnen zu und dringe und drücke auf das eine,
alle Doppelsinnigkeit, alle Vernunftschlüsse, alles Schlingen-

legen und die übrigen Spiele eines unnützen Scharfsinns beiseite lassend. Sprich gegen den Geiz, sprich gegen die Üppigkeit, und wenn du siehst, daß du etwas ausgerichtet und einen Eindruck auf die Gemüter der Zuhörer gemacht hast, so gehe ihnen noch stärker zu Leibe! Es ist unglaublich, wieviel eine solche Rede ausrichtet, die auf ein Heilmittel abzielt und ganz auf das Wohl der sie Hörenden gerichtet ist. Denn sehr leicht werden junge Gemüter der Liebe zum Guten und Rechten gewonnen, und an noch Bildsame und nur wenig Verdorbene legt die Wahrheit die Hand, wenn sie einen tüchtigen Anwalt gefunden hat. Ich wenigstens habe, wenn ich den Attalus gegen die Laster, gegen die Irrtümer, gegen die Übel des Lebens sprechen hörte, oft das menschliche Geschlecht bemitleidet und jenen für erhaben und übermenschlich groß gehalten. Er selbst nannte sich einen König: aber mehr als ein König schien mir der zu sein, der Könige seinem Urteil unterwerfen durfte. Wenn er aber anfing, die Armut zu empfehlen und zu zeigen, welch eine überflüssige und dem Träger beschwerliche Last alles sei, was über das Bedürfnis hinausgehe, so wünschte ich oft arm aus der Schule zu gehen. Wenn er anfing, unsere Lüste durchzuziehen, einen keuschen Leib, eine nüchterne Tafel, einen nicht bloß von unerlaubten, sondern auch von überflüssigen Lüsten reinen Sinn zu preisen, so bekam ich Lust, den Gaumen und Magen zu beschränken. Davon nun ist mir einiges geblieben, mein Lucilius; denn mit einem großen Triebe zu allem war ich gekommen; darauf zu dem Staatsleben zurückgeführt, habe ich von dem guten Anfang einiges Wenige bewahrt. Von da an habe ich auf Austern und Pilze für das ganze Leben verzichtet, denn es sind nicht Speisen, sondern Leckereien, die den schon Gesättigten zum Essen nötigen und, was freilich den Gefräßigen, die mehr in sich hineinstopfen, als sie fassen können, höchst erwünscht ist, ebenso leicht hinabgleiten, als wieder zurückkommen. Von jener Zeit an enthalte ich mich für mein ganzes Leben der Salben, weil der beste Geruch am Körper keiner ist. Das übrige, was ich weggeworfen, ist zurückgekehrt, jedoch so, daß ich in dem, worin ich die Enthaltsamkeit aufgegeben habe, Maß halte, und zwar der Enthaltsamkeit ziemlich nahe komme, was selbst vielleicht noch schwerer als diese ist, weil man nämlich leichter etwas ganz aus der Seele entfernt, als es mäßigt.

Über den Stil
Preis der Tugend und Philosophie

Ich will nicht, daß du allzu ängstlich um die Worte und den Stil seist, mein Lucilius; ich habe Größeres, wofür du sorgen sollst. Frage dich, *was* du schreiben sollst, nicht *wie;* und selbst dies nicht, um zu *schreiben,* sondern um zu *denken,* damit du das, was du denkst, dir mehr zu eigen machst und gleichsam einprägst. Findest du irgend jemandes Rede ängstlich und gefeilt, so wisse, daß auch seine Seele nicht weniger mit kleinlichen Dingen beschäftigt ist. Der große Mann spricht freier und sorgloser; alles, was er sagt, zeigt mehr Zuversicht als Sorgfalt. Du kennst viele junge Männer mit glänzendem Bart und Haar, ganz wie erst aus dem Kästchen genommen; von ihnen darfst du nichts Kräftiges, nichts Tüchtiges erwarten. Die Rede ist die Kleidung der Seele, ist sie geschoren, geschminkt und mit Kunst gefertigt, so zeigt sie, daß auch die Seele nicht echt ist und irgendeinen Schaden hat. Stutzerhaftigkeit ist keine Zierde des Mannes. Wäre es uns vergönnt, einen Blick in die Seele eines tugendhaften Mannes zu tun, o welche schöne, ehrwürdige, in stiller Hoheit glänzende Gestalt würden wir erblicken, indem hier die Gerechtigkeit, dort die Tapferkeit, hier wieder die Mäßigung und Klugheit leuchten! Außerdem würden auch die Mäßigkeit, die Enthaltsamkeit, die Geduld, die Freigebigkeit, die Milde und — bei dem Menschen ein seltenes Gut — die Menschenfreundlichkeit über jene ihren Glanz ergießen. Sodann die Vorsicht und der feine Geschmack und die Hochherzigkeit, die hervorragendste von jenen Eigenschaften, welchen Schmuck, ihr guten Götter, welches Gewicht und welche Würde würden sie ihr verleihen, wie groß wäre ihr

Ansehen, mit Anmut vereint! Niemand würde sie liebenswürdig nennen, ohne daß er sie auch ehrwürdig nennte.
Wollen wir aber, wie man die Sehkraft der Augen durch gewisse Heilmittel zu schärfen und zu reinigen pflegt, so auch
die Sehkraft des Geistes von den Hindernissen befreien, so
werden wir die Tugend deutlich erschauen können, wenn sie
auch vom Körper umhüllt ist, wenn auch Armut entgegen-
steht, wenn auch Niedrigkeit und Schmach im Wege liegen.
Wir werden, sage ich, jene Schönheit schauen, wenn sie auch
von Schmutz bedeckt wäre. Gleicherweise aber werden wir
auch wieder die Bosheit und den Schmutz einer unglücklichen
Seele erblicken, wenn auch ein heller Glanz um sie her
strahlender Reichtümer das Sehen verhindert und hier ein
falsches Licht von Ehrenstellen, dort von großer Macht den
Schauenden blendet. Dann werden wir einzusehen vermögen,
wie Verachtungswertes wir bewundern, den Knaben ähnlich,
für die jedes Spielzeug wertvoll ist. Seitdem aber dieses
Ding, welches so viele Beamte und Richter fesselt, das selbst
Beamte und Richter *macht*, das Geld, in Ehren zu stehen anfing, hat die wahre Ehre der Dinge aufgehört; und zu Käu-
fern und hinwiederum selbst käuflich geworden, fragen wir
nicht, wie etwas beschaffen ist, sondern wieviel es kostet.
Um Lohn sind wir gewissenhaft, um Lohn gewissenlos und
folgen dem Sittlichguten, solange einige Hoffnung dabei ist,
bereit, zum Gegenteile überzugehen, wenn Freveltaten mehr
versprechen. Unsere Eltern haben uns zu Bewunderern des
Goldes und Silbers gemacht, und die dem zarten Alter ein-
geflößte Begierde hat sich tiefer festgesetzt und ist mit uns
gewachsen. Das ganze Volk, in allem andern uneinig, stimmt
hierin überein; dies achten sie hoch, dies wünschen sie den
Ihrigen, dies weihen sie, gleich als wäre es das Größte unter
den menschlichen Dingen, den Göttern, wenn sie dankbar
sein wollen. Kurz, es ist mit den Sitten dahin gekommen,
daß Armut für eine Schmähung und einen Schimpf gilt, von
den Reichen verachtet, den Armen verhaßt.
    O möchten doch alle, welche sich Reichtum wünschen, mit
den Reichen sich beraten, und die, welche sich um Ehren-

stellen bewerben möchten, mit den Ehrgeizigen und denen, die zur höchsten Stufe der Würden gelangt sind! Wahrlich, sie hätten bald ihre Wünsche geändert, während jene unterdessen neuen Raum geben, nachdem sie die früheren verworfen. Denn es gibt keinen, dem sein Glück genügte, auch wenn es im Laufe gestürzt kommt. Sie klagen über ihre Pläne und Erfolge und wollen immer lieber das, was sie aufgegeben haben. Daher wird dir die Philosophie gewähren, was ich wenigstens für das Größte halte: du wirst nie Reue über dich selbst empfinden. Zu einem so gediegenen Glücke, das kein Unwetter erschüttern kann, werden dich geschickt zusammengefügte Worte und eine sanft dahinfließende Rede nicht führen, sondern nur eine Seele, die ihre Haltung bewahrt, die groß, unbekümmert um die Meinungen und gerade um dessentwillen mit sich zufrieden ist, was andern mißfällt, indem sie ihren Fortschritt nach dem Leben mißt und so viel zu wissen glaubt, daß sie nichts mehr wünscht und nichts mehr fürchtet.

STELLENNACHWEISE

Die vorliegende Ausgabe bietet die philosophischen Schriften Senecas »Vom glückseligen Leben«, »Von der Gemütsruhe«, »Von der Kürze des Lebens«, »Trostschrift an Marcia« und »Trostschrift an Helvia« in einer vollständigen Übersetzung des lateinischen Originaltextes.

Aus der Sammlung der 124 »Epistulae morales ad Lucilium« wurde folgende Auswahl getroffen: